余秋雨

新版 山居笔记

nju
biji

文汇出版社

山 居 笔 记 **1**

山居笔记2

新版 1 自序

《山居笔记》一书的写作，始于一九九二年，成于一九九四年，历时两年有余。为了写作此书，我辞去了学院的行政职务，不再上班，因此这两年多的时间十分纯粹，几乎是全身心地投入。投入那么多时间才写出十一篇文章，效率未免太低，但我的写作是与考察联在一起的，很多写到的地方不得不一去再去，快不起来。记得有一次为了核对海南岛某古迹一副对联上的两个字，几度函询都得不到准确回答，只得再去了次。这种做法如果以经济得失来核算简直荒诞不经，但文章的事情另有得失，即所谓"得失寸心知"。

在总体计划上，这本书是我以直接感悟方式探访中华文明的第二阶段记述。第一阶段的记述是《文化苦旅》，那本书中的我，背负着生命的困惑，去寻找一个个文化遗迹和文化现场，然后把自己的惊讶和感动告诉读者。但是等到走完写完，发觉还有不少超越具体遗迹的整体性难题需要继续探访，例如——

对于政治功业和文化情结的互相觊觎和生死与共；

对于文化灵魂的流放、毁灭和复苏；

对于商业文明与中华文化的狭路相逢和擦肩而过；

对于千年科举留给社会历史的功绩和留给群体人格的祸害；

对于稀有人格在中华文化中断绝的必然和祭奠的必要；

对于君子和小人这条重要界线的无处不在和难于划分；

……

这些问题如此之大，当然不可能轻易找到答案，我能做的，只是招呼读者用当代生命去感触和体验。这便构成了《山居笔

新版自序

记》的基本内容。

　　稍稍年长的读者应该记得，这些问题在十年前公开谈论并不方便。当时，哪怕是给清朝统治者以更多的正面评价，把民间金融业全面破碎的主要原因归之于太平天国运动，或者在不设定"唯心主义"的批判前提下充分肯定朱熹，在维系社会管理和文明传承的意义上称赞科举制度，都会引起不少左派批判家的警惕，更不要说打破时限大谈"流放"、"小人"、"围啄"这些很容易让人产生现代联想的命题了。为此，我要再一次感谢当时敢于发表这些文章的《收获》杂志。至于我本人的勇气，则来自十年浩劫间对民族苦难的切身感受和反复思考。这种思考，开始于浩劫初期可怜父辈的牢狱骨灰，延续于浩劫中期军垦农场的漫漫苦役，深化于浩劫后期故乡山屋的寂寞岁月，又回味于浩劫过后某些黑影的翻云覆雨。幸好一九七八年严冬在北京召开的一次会议改变了中国，我也随之获得了生存的尊严。既然一切都来自于苦难，我问自己手中的笔：你还有什么好害怕的呢？

　　我只担心灾难中的思考因过于愤怒而失之于偏激，便想从考察和阅读中获得更广阔的时空印证。正是在这个过程中，我注意到了海外汉学界。那么多高水平的专家学者早早地流落到海外各有原因，他们毕竟避过了接二连三的政治运动，有充裕的时间投入研究，而研究的方法又引入了国际学术标准，在科学性、宏观性上远超乾嘉学派的考据水平。但在十年前，国内学术界要了解他们的研究成果十分艰难，甚至直到今天，虽有一些专著流传到大陆，仍然不易见到那些以散篇形式发表于专业杂志间的各项具体研究。海内外研究成果积累得比较完整的是香港，于是我总是利用前去讲学的机会在那里贪婪补课。记得前不久一位曾经多次撰文批评《山居笔记》"硬伤"的先生直接给我来信，说又发现我的一处论述在国内某大学编印的资料上找不到根据，我回信感谢他来信探讨之诚，并说明那项资料早已被海外学术界严密论证，详细资料存香港中文大学图书馆库房，答应下次去时复印一份送给他。香港中文大学在山上，我当时为了钻研资料栖居一处设备简单的集体宿舍叫曙光楼，因此有了"山居"的说法。

现在回想起来，写作这本书的最大困难，不在立论之勇，不在跋涉之苦，也不在考证之烦，而在于要把深涩嶙峋的思考粹炼得平易可感，把玄奥细微的感触释放给更大的人群。这等于用手掌碾碎石块，用体温焐化坚冰，字字句句都要耗费难言的艰辛，而艰辛的结果却是不能让人感受到艰辛。

写完这本书后，我又写了一本人生随笔，然后进入文化考察的又一个新阶段，即驱车数万公里逐一拜谒人类历史上一切发生过重大影响的文明。一路历尽危难，却从未退缩，因为我在陌生的异国荒原上找到了返现中华文明的方位，时时校正着国内考察时的各种感悟。我把《山居笔记》的续篇，写到了开罗的死城边、耶路撒冷的小巷口、海湾和南亚沙尘覆盖的大炮下。在那里才明白，即便走遍中国也很难真正了解中国，因此经常与同行的伙伴们感叹："不识庐山真面目，只缘身在此山中。"

除台湾尔雅版的繁体字版外，这本文汇版的简体字版已印了三十五万册，我亲自从读者手里买得的盗版本有十二种。经常看到有人在报刊上否认目前盗版的严重事实，批判反盗版是

"炒作"，我便特地编撰了《盗版二十六例》置之《霜冷长河》精装本卷首，其中选印了《山居笔记》的不同盗版本封面八种，使文化盗贼们无可抵赖。谁知这些年趁我远行历险，他们在国内闹成一团，无非是想用诽谤遮盖盗窃，连当年翻云覆雨的黑影也拉出来了。对他们当然不能再用规劝的办法，因此把本书初版的代序撤去，其他地方也有一些相应的改动。正该取笑他们没有把手中的偷盗物细看一番：文明和邪恶不可混淆，历史和法律不容侮弄，恰恰是本书的内容。

二〇〇一年十一月三日

一九九二年深秋，我在香港沙田的一个山坡上闲住。推窗出去，一半是绿树织成的山壁，一半是迷迷蒙蒙的海湾，于是日夜只与鸟鸣和涛声相伴，想找个住得最近的朋友也得翻山越岭。

我的出生之地也依山傍水，与这儿非常相像，因此就我的本性而言十分厌倦喧嚣。但是，人生的道路也就是从出生地出发，越走越远，由此展开的人生就是要让自己与种种异己的一切打交道。打交道的结果可能丧失自己，也可能在一个更高的层面上把自己找回。在

小引

熙熙攘攘的闹市中，要实现后一种可能极不容易。为此，我常常离开城市，长途跋涉，借山水风物与历史精魂默默对话，寻找自己在辽阔的时间和空间中的生命坐标，把自己抓住。

如有神助，我竟来到了这个与自己的出生地非常相像的地方，而且要居住相当长的时日。我相信这是一种莫名的力量对我的提醒。我有一些正事要做，但在清晨薄暮，可以随意拿一枝笔涂涂画画的时候，四周的一切又驱使我去寻找远年的灵魂。我以往旅行中留下的一些笔记，又引诱我把已经开始的对话进行下去。

这儿有一种旷古的宁静，这便是对话的最好环境，就像哈姆雷特在午夜的城头面对他已经死去的父亲。父亲有话没有说完，因此冤魂盘旋；儿子一旦经历了这种对话，也就明白了自己的使命。

一九九五年六月八日于上海

2

山居笔记

一个王朝的背影

1

　　我们这些人，对清代总有一种复杂的情感阻隔。记得很小的时候，历史老师讲到"扬州十日"、"嘉定三屠"时，眼含泪花，这是清代的开始；而讲到"火烧圆明园"、"戊戌变法"时又有泪花了，这是清代的尾声。年迈的老师一哭，孩子们也跟着哭。清代历史，是小学中唯一用眼泪浸润的课程。从小种下的怨恨，很难化解得开。

　　老人的眼泪和孩子们的眼泪拌和在一起，使这种历史情绪有了一种最世俗的力量。我小学的同学全是汉族。没有满族，因此很容易在课堂里获得一种共同语言，好像汉族理所当然是中国的主宰，你满族为什么要来抢夺呢?抢夺去了能够弄好倒也罢了，偏偏越弄越糟，最后几乎让外国人给瓜分了。于是，在闪闪泪光中，我们懂得了什么是汉奸、什么是卖国贼、什么是民族大义、什么是气节。我们似乎也知道了中国之所以落后于世界列强，关键就在于清代，而辛亥革命的启蒙者们重新点燃汉人对清朝的仇恨，提出"驱除鞑虏，恢复中华"的口号，又是多么有必要，多么让人解气。清朝终于被推翻了，但至今在很多中国人心里，它仍然是一种冤孽般的存在。

年长以后，我开始对这种情绪产生警惕。因为无数事实证明，在我们中国，许多情绪化的社会评判规范，虽然堂而皇之地传之久远，却包含着极大的不公正。我们缺少人类普遍意义上的价值启蒙，因此这些情绪化的社会评判规范大多是从封建正统观念逐渐引伸出来的，带有很多盲目性。先是姓氏正统论，刘汉、李唐、赵宋、朱明……，在同一姓氏的传代系列中所出现的继承人，哪怕是昏君、懦夫、色鬼、守财奴、精神失常者，都是合法而合理的，而外姓人氏若有觊觎，即便有一千条一万条道理，也站不住脚，真伪、正邪、忠奸全由此划分。由姓氏正统论扩而大之，就是民族正统论。这种观念要比姓氏正统论复杂得多，你看辛亥革命的闯将们与封建主义的姓氏正统论势不两立，却也需要大声宣扬民族正统论，便是例证。民族正统论涉及到几乎一切中国人都耳熟能详的许多著名人物和著名事件，是一个在今后仍然要不断争论的麻烦问题。在这儿请允许我稍稍回避一下，我需要肯定的仅仅是这样一点：满族是中国的满族，清朝的历史是中国历史的一部分；统观全部中国古代史，清朝的皇帝在总体上还算是比较好的，而其中的康熙皇帝甚至可说是中国历史上最好的皇帝之一，他与唐太宗李世民一样使我这个现代汉族中国人感到骄傲。

既然说到了唐太宗，我们又不能不指出，据现代历史学家考证，他更可能靠近于鲜卑族的血统。

如果说先后在巨大的社会灾难中迅速开创了“贞观之治”和“康雍乾盛世”的两位中国历史上最杰出帝王都不是汉族，如果我们还愿意想一想那位虽未执掌中原却至今还在被全世界历史学家惊叹的建立了赫赫武功的元太祖成吉思汗,那么我们的中华历史观一定会比小学里的历史课开阔得多, 放达得多。

汉族当然非常伟大,汉族当然没有理由要受到外族的屠杀和欺凌, 当自己的民族遭受危难时当然要挺身而出进行无畏的抗争,为了个人的私利不惜出卖民族利益的无耻之徒当然要受到永久的唾弃, 这些都是没有异议的。问题是,不能由此而把汉族等同于中华,把中华历史的正义、光亮、希望,全部押在汉族一边。与其他民族一样, 汉族也有大量的污浊、昏聩和丑恶, 它的统治者常常一再地把整个中国历史推入死胡同。在这种情况下, 历史有可能作出超越汉族正统论的选择, 而这种选择又未必是倒退。

《桃花扇》中那位秦淮名妓李香君, 身份低贱而品格高洁,在清兵浩荡南下、大明江山风雨飘摇时节保持着多大的民族气节!但是, 她万万没有想到, 就在她和她的恋人侯朝宗为抗清扶明不惜赴汤蹈火、奔走呼号的时候, 恰恰正是苟延残喘而仍然荒淫无度的南明小朝廷, 作践了他们。那个在当时当地看来既是明朝也是汉族的最后代表的弘光政权,根本不要她和她的姊妹们的忠君泪、报国心, 而只要她们作为一个女人最可怜的色相。李香君真想与恋人一起为大明捐躯流血,但叫她恶心的是, 竟然是大明的官僚来强逼她成婚而使她血溅纸扇, 染成"桃花"。"桃花扇底送南朝", 这样的朝廷就让它去了吧, 长叹一声, 气节、操守、抗争、奔走, 全都成了荒诞和自嘲。《桃花扇》的作者孔尚任是孔老夫子的后裔, 连他, 也对历史转折时期那种盲目的正统观念产生了深深的怀疑。他把这种怀疑, 转化成了笔底的灭寂和苍凉。

对李香君和侯朝宗来说, 明末的一切, 看够了, 清代会怎么样呢?不想看了。文学作品总要结束，但历史还在往前走，事实上，清代还是很可看看的。

　　为此，我要写写承德的避暑山庄。清代的史料成捆成扎，把这些留给历史学家吧，我们，只要轻手轻脚地绕到这个消夏的别墅里去偷看几眼也就够了。这种偷看其实也是偷看自己，偷看自己心底从小埋下的历史情绪和民族情绪，有多少可以留存，有多少需要校正。

2

　　承德的避暑山庄是清代皇家园林，又称热河行宫、承德离宫，虽然闻名史册，但久为禁苑，又地处塞外，历来光顾的人不多，直到这几年才被旅游者搅得有点热闹。我原先并不知道能在那里获得一点什么，只是今年夏天中央电视台在承德组织了一次国内优秀电视编剧和导演的聚会，要我给他们讲点课，就被他们接去了。住所正在避暑山庄的背后。刚到那天

的薄暮时分，我独个儿走出住所大门，对着眼前黑黝黝的山岭发呆。查过地图，这山岭便是避暑山庄北部的最后屏障，就像一张罗圈椅的椅背。在这张罗圈椅上，休息过一个疲惫的王朝。奇怪的是，整个中华版图都已归属了这个王朝，为什么还要把这张休息的罗圈椅放到长城之外呢?清代的帝王们在这张椅子上面南而坐的时候都在想一些什么呢?月亮升起来了，眼前的山壁显得更加巍然怆然。北京的故宫把几个不同的朝代混杂在一起，谁的形象也看不真切，而在这里，远远的、静静的、纯纯的、悄悄的，躲开了中原王气，藏下了一个不羼杂的清代。它实在对我产生了一种巨大的诱惑，于是匆匆讲完几次课，便一头埋到了山庄里

边。

　　山庄很大，本来觉得北京的颐和园已经大得令人咋舌了，它竟比颐和园还大整整一倍，据说装下八九个北海公园是没有问题的。我想不出国内还有哪个古典园林能望其项背。山庄外面还有一圈被称之为"外八庙"的寺庙群，这暂不去说它，光说山庄里面，除了前半部有层层叠叠的宫殿外，主要是开阔的湖区、平原区和山区。尤其是山区，

几乎占了整个山庄的八成左右，这让游惯了别的园林的人很不习惯。园林是用来休闲的，何况是皇家园林，大多追求方便平适，有的也会堆几座小山装点一下，哪有像这儿的，硬是圈进莽莽苍苍一大片真正的山岭来消遣?这个格局，包含着一种需要我们抬头仰望、低头思索的审美观念和人生观念。

　　山庄里有很多楹联和石碑，上面的文字大多由皇帝们亲自撰写。他们当然想不到多少年后会有我们这些陌生人闯入他们的私家园林，来读这些文字，这些文字是写给他们后辈继承人看的。朝廷给别人看的东西很多，有大量刻印广颁的官样文章，而写在这里的文字，尽管有时也咬文嚼字，但总的说来是说给儿孙们听的体己话，比较真实可信。我踏着青苔和蔓草，辨识和解读着一切能找到的文字，连藏在山间树林中的石碑都不放过，读完一篇，便舒松开筋骨四周看看。一路走去，终于可以有把握地说，山庄的营造，完全出自一代政治家在精神上的强健。

　　首先是康熙。山庄正宫午门上悬挂着的"避暑山庄"四个字就是他写的，这四个汉字写得很好，撇捺间透露出一个胜利者的从容和安详，可以想见他首次踏进山庄的步履也是这样的。他一定会这样，因为他是走了一条艰难而又成功的长途才走进山庄的，到这里来喘口气，应该。

　　他一生的艰难都是自找的。他的父辈本来已经给他打下了一个很完整的华夏江山，他八岁即位，十四岁亲政，年轻轻一个孩子，坐享其成就是了，能在如此辽阔的疆土、如此兴盛的运势前做些什么呢?他稚气未脱的眼睛，竟然疑惑地盯上了两个庞然大物，一个是朝廷中最有权势的辅政大臣鳌拜，一个是自恃当初做汉奸领清兵入关有功、拥兵自重于南方的吴三桂。平心而论，对于这样与自己的祖辈、父辈都有密切关系的重要政治势力，即便是德高望重的一代雄主也未必下得了决心去动手，但康熙却向他们，也向自己挑战了，十六岁上干净利落地除了鳌拜集团，二十岁开始向吴三桂开战，花八年时间的征战取得彻底胜利。他等于把到手的江山重新打理了一遍，使自己从一个继承者变成了创业者。他成熟了，眼前几乎已经找不到什么对手，但他还是经常骑着马，在中国北方的山林草泽间徘徊，这是他祖辈崛起的所在，他在寻找着自己的生命和事业的依托点。

　　他每次都要经过长城，长城多年失修，已经破败。对着这堵受到历代帝王切切关心的城墙，他想了很多。他的祖辈是破长城进来的，没有吴三桂也绝对进得了，那么长城究竟有什么用呢?堂堂一个朝廷，难道就靠这些砖块去保卫?但是如果没有长城，我们的防线又在哪里呢?他思考的结果，可以从一六九一年他的一份上谕中看出个大概。那年五月，古北口总兵官蔡元向朝廷提出，他所管辖的那一带长城"倾塌甚多，请行修筑"，康熙竟然完全不同意，他的上谕是：

　　　秦筑长城以来，汉、唐、宋亦常修理，其时岂无边患?明末我太祖统大兵长驱直入，诸路瓦解，皆莫能当。

> 可见守国之道，惟在修德安民。民心悦则邦本得，而边
> 境自固，所谓"众志成城"者是也。如古北、喜峰口一
> 带，朕皆巡阅，概多损坏，今欲修之，兴工劳役，岂能
> 无害百姓?且长城延袤数千里，养兵几何方能分守?

说得实在是很有道理。我对埋在我们民族心底的"长城情结"一直不敢恭维，读了康熙这段话，简直找到了一个远年知音。由于这样说，清代成了中国古代基本上不大修长城的一个朝代，对此我也觉得不无痛快。当然，我们今天从保护文物的意义上去修理长城完全是另外一回事了。

　　康熙希望能筑起一座无形的长城。"修德安民"云云说得过于堂皇而蹈空，实际上他有硬的一手和软的一手。硬的一手是在长城外设立"木兰围场"，每年秋天，由皇帝亲自率领王公大臣、各级官兵一万余人去进行大规模的"围猎"，实际上是一种声势浩大的军事演习，这既可以使王公大臣们保持住勇猛、强悍的人生风范，又可顺便对北方边境起一个威慑作用。"木兰围场"既然设在长城之外的边远地带，离北京就很有一点距离，如此众多的朝廷要员前去秋猎，当然要建造一些大大小小的行宫，而热河行宫，就是其中最大的一座。软的一手是与北方边疆的各少数民族建立起一种常来常往的友好关系，他们的首领不必长途进京也有与清廷彼此交谊的机会和场所，而且还为他们准备下各自的宗教场所，这也就需要有热河行宫和它周围的寺庙群了。总之，软硬两手最后都汇集到这一座行宫、这一个山庄里来了，说

是避暑，说是休息，意义却又远远不止于此。把复杂的政治目的
和军事意义转化为一片幽静闲适的园林，一圈香火缭绕的寺庙，
这不能不说是康熙的大本事。然而，眼前又是道道地地的园林和
寺庙，道道地地的休息和祈祷，军事和政治，消解得那样烟水葱
茏、慈眉善目，如果不是那些石碑提醒，我们甚至连可以疑惑的
痕迹都找不到。

　　避暑山庄其实就是康熙的"长城"，与蜿蜒千里的秦始皇长
城相比，那个更高明些呢?

康熙几乎每年立秋之后都要到"木兰围场"参加一次为期二十天的秋猎，一生参加了四十八次。每次围猎，情景都极为壮观，先由康熙选定逐年轮换的狩猎区域(逐年轮换是为了生态保护)，然后就搭建一百七十多座大帐篷为"内城"，二百五十多座大帐篷为"外城"，城外再设警卫。第二天拂晓，八旗官兵在皇帝的统一督导下集结围拢，在上万官兵的齐声呐喊下，康熙首先一马当前，引弓射猎，每有所中便引来一片欢呼，然后扈从大臣和各级将士也紧随康熙射猎。康熙身强力壮，骑术高明，围猎时智勇双全，弓箭上的功夫更让王公大臣由衷惊服，因而他本人的猎获就很多。晚上，营地上篝火处处，肉香飘荡，人笑马嘶，而康熙还必须回到帐篷里批阅每天疾驰送来的奏章文书。康熙一生身先士卒打过许多著名的仗，但在晚年，他最得意的还是自己打猎的成绩，因为这纯粹是他个人生命力的验证。一七一九年康熙自"木兰围场"行猎后返回避暑山庄时曾兴致勃勃地告谕御前侍卫：

> 朕自幼至今已用鸟枪弓矢获虎一百五十三只，熊十二只，豹二十五只，猞二十只，麋鹿十四只，狼九十六只，野猪一百三十三只，哨获之鹿已数百，其余围场内随便射获诸兽不胜记矣。朕于一日内射兔三百一十八只，若庸常人毕世亦不能及此一日之数也。

这笔流水账，他说得很得意，我们读得也很高兴。身体的强健和精神的强健往往是连在一起的，须知中国历史上多的是有气无力病恹恹的皇帝，他们即便再"内秀"，也何以面对如此庞大的国家。

　　由于强健，他有足够的精力处理挺复杂的西藏事务和蒙古事务，解决治理黄河、淮河和疏通漕运等大问题，而且大多很有成效，功泽后世。由于强健，他还愿意勤奋地学习，结果不仅武功一流，"内秀"也十分了得，成为中国历代皇帝中特别有学问，也特别重视学问的一位。这一点一直很使我震动，而且我可以肯定，当时也把一大群冷眼旁观的汉族知识分子震动了。

　　谁能想得到呢，这位清朝帝王竟然比明代历朝皇帝更热爱和精通汉族传统文化！大凡经、史、子、集、诗、书、音律，他都下过一番功夫，其中对朱熹哲学钻研最深。他亲自批点《资治通鉴纲目大全》，与一批著名的理学家进行水平不低的学术探讨，并命他们编纂了《朱子大全》、《性理精义》等著作。他下令访求遗散在民间的善本珍籍加以整理，并且大规模地组织人力编辑出版了卷帙浩繁的《古今图书集成》、《康熙字典》、《佩文韵府》、《大清会典》，文化气魄铺地盖天。直到今天，我们研究中国古代文化还离不开这些极其重要的工具书。他派人通过对全国土地的实际测量，编成了全国地图《皇舆全览图》。在他倡导的文化气氛下，涌现了一大批在整个中国文化史上都可以称得上第一流大师的人文科学家，在这一点上，几乎很少有哪个朝代能与康熙朝相比肩。

　　以上讲的还只是我们所说的"国学"，可能更让现代读者惊异的是他的"西学"。因为即使到了现代，在我们印象中，国学和西学虽然可以沟通，但在同一个人身上深潜两边的毕竟不多，尤其对一些官员来说更是如此。然而早在三百年前，康熙皇帝竟然在北京故宫和承德避暑山庄认真研究了欧几里德几何学，经常演算习题，又学习了法国数学家巴蒂的《实用和理论几何学》，并比较它与欧几里德几何学的差别。他的老师是当时来中国的一批西方传教士，但后来他的演算比传教士还快。他亲自审校译成汉文和满文的西方数学著作，而且一有机会就向大臣们讲授西方数学。以数学为基础，康熙又进而学习了西方的天文、历法、物理、医学，与中国原有的这方面知识比较，取长补短。在自然科学问题上，中国官僚和外国传教士经常发生矛盾，康熙不袒护中国官僚，也不主观臆断，而是靠自己发愤学习，真正弄通西方学说，几乎每次都作出了公正的裁断。他任命一名外国人担任钦天监监副，并命令礼部挑选一批学生去钦天监学习自然科学，学好了就选拔为博士官。西方的自然科学著作《验气图说》、《仪象志》、《赤道南北星图》、《穷理学》、《坤舆图说》等等被一一翻译过来，有的已经译成汉文的西方自然科学著作如《几何原理》，前六卷他又命人译成满文。

这一切，居然与他所醉心的"国学"互不排斥，居然与他一天射猎三百十八只野兔互不排斥，居然与他一连串重大的政治行为、军事行为、经济行为互不排斥！我并不认为康熙给中国带来了根本性的希望，他的政权也做过不少坏事，如臭名昭著的"文字狱"之类，我想说的只是，在中国历代帝王中，这位少数民族出身的帝王具有异乎寻常的生命力，他的人格比较健全。有时，个人的生命力和人格，会给历史留下重重的印记。与他相比，明代的许多皇帝都活得太不像样了，鲁迅说他们是"无赖儿郎"，确有点像。尤其让人生气的是明代万历皇帝(神宗)朱翊钧，在位四十八年，亲政三十八年，竟有二十五年时间躲在深宫之内不见外人的面，完全不理国事，连内阁首辅也见不到他，不知在干什么。没见他玩过什么，似乎也没有好色的嫌疑，历史学家们只能推断他躺在烟榻上抽了二十多年的鸦片烟!他聚敛的金银如山似海,但当清军起事,朝廷束手无策时问他要钱,他死也不肯拿出来,最后拿出一个无济于事的小零头,竟然都是因窖藏太久变黑发霉、腐蚀得不能见天日的银子!这完全是一个失去任何人格支撑的心理变态者,但他又集权于一身,明朝怎能不垮?他死后还有儿子朱常洛(光宗)、孙子朱由校(熹宗)和朱由检(思宗)先后继位,但明朝已在他的手里败定了,他的儿孙们非常可怜;康熙与他正相反,把生命从深宫里释放出来,在旷野、猎场和各个知识领域挥洒,避暑山庄就是他这种生命方式的一个重要吐纳口站,因此也是当时中国历史命运的一所"吉宅"。

3

　　康熙与晚明帝王的对比,避暑山庄与万历深宫的对比,当时的汉族知识分子当然也感受到了,心情比较复杂。

　　开始大多数汉族知识分子都坚持抗清复明,甚至在赳赳武夫们纷纷掉头转向之后,一群柔弱的文人还宁死不屈。文人中也有一些著名的变节者,但他们往往也承受着深刻的心理矛盾和精神痛苦。我想这便是文化的力量。一切军事争逐都是浮面的,而事情到了要摇撼某个文化生态系统的时候才会真正变得严重起来。一个民族、一个国家、一个人种,其最终意义不是军事的、地域的、政治的,而是文化的。当时江南地区好几次重大的抗清事件,都起之于"削发"之事,即汉人历来束发而清人强令削发,甚至到了"留头不留发，留发不留头"的地步。头发的样式看来事小却关及文化生态，结果，是否"毁我衣冠"的问题成了"夷夏抗争"的最高爆发点。这中间，最能把事情与整个文化系统联系起来的是文化人，最懂得文明和野蛮的差别，并把"鞑虏"与野蛮连在一起的也是文化人。老百姓的头发终于被削掉了，而不少文人还在拼死坚持。著名大学者刘宗周住在杭州，自清兵进杭州后便绝食，二十天后死亡；他的门生，另一位著名大学者黄宗羲投身于武装抗清行列，失败后回余姚家乡事母著述；又一位著名大学者顾炎武比黄宗羲更进一步，武装抗清失败后还走遍全国许多地方图谋复明，最后终老陕西……这些一代宗师如此强硬，他们的门生和崇拜者们当然也多有追随。

但是，事情到了康熙那儿却发生了一些微妙的变化。文人们依然像朱耷笔下的秃鹰，以"天地为之一寒"的冷眼看着朝廷，而朝廷却奇怪地流泻出一种压抑不住的对汉文化的热忱。开始大家以为是一种笼络人心的策略，但从康熙身上看好像不完全是。他在讨伐吴三桂的战争还没有结束的时候，就迫不及待地下令各级官员以"崇儒重道"为目的，向朝廷推荐"学问兼优、文词卓越"的士子，由他亲自主考录用，称作"博学鸿词科"。这次被保荐、征召的共一百四十三人，后来录取了五人。其中有傅山、李颙等人被推荐了却宁死不应考。傅山被人推荐后又被强抬进北京，他见到"大清门"三字便滚倒在地，两泪直流，如此行动康熙不仅不怪罪反而免他考试，任命他为"中书舍人"。他回乡后不准别人以"中书舍人"称他，但这个时候说他对康熙本人还有多大仇恨，大概谈不上了。

李颙也是如此，受到推荐后称病拒考，被人抬到省城后竟以绝食相抗，别人只得作罢。这事发生在康熙十七年，康熙本人二十六岁，没想到二十五年后，五十余岁的康熙西巡时还记得这位强硬的学人，召见他，他没有应召，但心里毕竟已经很过意不去了，派儿子李慎言作代表应召，并送自己的两部著作《四书反身录》和《二曲集》给康熙。这件事带有一定的象征性，表示最有抵触的汉族知识分子也开始与康熙和解了。

　　与李颙相比，黄宗羲是大人物了，康熙更是礼仪有加，多次请黄宗羲出山未能如愿，便命令当地巡抚到黄宗羲家里，把黄宗羲写的书认真抄来，送入宫内以供自己拜读。这一来，黄宗羲也不能不有所感动。与李颙一样，自己出面终究不便，由儿子代理，黄宗羲让自己的儿子黄百家进入皇家修史局，帮助完成康熙交下的修《明史》的任务。你看，即便是原先与清廷不共戴天的黄宗羲、李颙他们，也觉得儿子一辈可以在康熙手下好生过日子了。这不是变节，也不是妥协，而是一种文化生态意义上的开始认同。既然康熙对汉文化认同得那么诚恳，汉族文人为什么就完全不能与他认同呢?政治军事，不过是文化的外表罢了。

　　黄宗羲不是让儿子参加康熙下令编写的《明史》吗?编《明史》这事给汉族知识界震动不小。康熙任命了大历史学家徐元文、万斯同、张玉书、王鸿绪等负责此事，要他们根据《明实录》如实编写，说"他书或以文章见长，独修史宜直书实事"，他还多次要大家仔细研究明代晚期破败的教训，引以为戒。汉族知识界要反清复明，而清廷君主竟然亲自领导着汉族的历史学家在冷静研究明代了。这种研究又高于反清复明者的思考水平，那么，对峙也就不能不渐渐化解了。《明史》后来成为整个二十四史中写得较好的一部，这是直到今天还要承认的事实。

　　当然，也还余留着几个坚持不肯认同的文人。例如康熙时代浙江有个学者叫吕留良的，在著书和讲学中还一再强调孔子思想的精义是"尊王攘夷"，这个提法，在他死后被湖南一个叫曾静的落第书生看到了，很是激动，赶到浙江找到吕留良的儿子和学生几人，筹划反清。这时康熙也早已过世，已是雍正年间，这群文人手下无一兵一卒，能干成什么事呢?他们打听到川陕总督岳钟琪是岳飞的后代，想来肯定能继承岳飞遗志来抗击外夷，就派人带给他一封策反的信，眼巴巴地请他起事。这事说起来已经有点近乎笑话，岳飞抗金到那时已隔着整整一个元朝、整整一个明朝，清朝也已过了八九十年，算到岳钟琪身上都是多少代的事啦，还想着让他凭着一个"岳"字拍案而起，中国书生的昏愚和天真就在这里。岳钟琪是清朝大官，做梦也没有想到过要反清，接信后虚假地应付了一下，却理所当然地报告了雍正皇帝。雍正下令逮捕了这个谋反集团，又亲自阅读了书信、著作，觉得其中有好些观念需要自己写文章来与汉族知识分子辩论，而且认为有过康熙一代，朝廷已有足够的事实和勇气证明清代统治者并不差，为什么还要对抗清廷?于是这位皇帝亲自编了一部《大义觉迷录》颁发各地，而且特免肇事者曾静等人的死罪，让他们专到江浙一带去宣讲。

　　雍正的《大义觉迷录》写得颇为诚恳。他的大意是：不错，我们是夷人，我们是"外国"人，但这是籍贯而已，天命要我们来抚育中原生民，被抚育者为什么还要把华、夷分开来看?你们所尊重的舜是东夷之人，文王是西夷之人，这难道有损于他们的圣德吗?吕留良这样著书立说的人，连前朝康熙皇帝的文治武功、赫赫盛德都加以隐匿和诬蔑，实在是不顾民生国运只泄私愤了。

外族入主中原，可能反而勇于为善，如果著书立说的人只认为生在中原的君主不必修德行仁也可享有名分，而外族君主即便励精图治也得不到褒扬，外族君主为善之心也会因之而懈怠，受苦的不还是中原百姓吗？

雍正的这番话，带着明显的委屈情绪，而且是给父亲康熙打抱不平，也真有一些动人的地方。但他的整体思维能力显然比不上康熙，口口声声说自己是"外国"人、"夷人"，尽管他所说的"外国"只是指外族，而且也仅指中原地区之外的几个少数民族，与我们今天所说的外国不同，但无论如何在一些前提性的概念上

把事情搞复杂了，反而不利。他的儿子乾隆看出了这个毛病，即位后把《大义觉迷录》全部收回，列为禁书，杀了被雍正赦免了的曾静等人，开始大兴文字狱。康熙、雍正年间也有丑恶的文字狱，但来得特别厉害的是乾隆，他不许汉族知识分子把清廷看成是"夷人"，连一般文字中也不让出现"虏"、"胡"这类字样，不

小心写出来了很可能被砍头。他想用暴力抹去这种对立，然后一心一意做个好皇帝。除了华夷之分的敏感点外，其他地方他倒是比较宽容、有度量，听得进忠臣贤士们的尖锐意见和建议，因此在他执政的前期，做了很多好事，国运可称昌盛。这样一来，即便存有异念的少数汉族知识分子也不敢有什么想头，到后来也真没有什么想头了。其实本来这样的人已不可多觅，雍正和乾隆都把文章做过了头。真正第一流的大学者，在乾隆时代已不想做反清复明的事了。乾隆靠着人才济济的智力优势，靠着康熙、雍正给他奠定的丰厚基业，也靠着他本人的韬略雄才，做起了中国历史上福气最好的大皇帝。承德避暑山庄，他来得最多，总共逗留的时间很长，因此他的踪迹更是随处可见。乾隆也经常参加"木兰秋猎"，亲自射获的猎物也极为可观，但他的主要心思却放在边疆征战上，避暑山庄和周围的外八庙内，记载这种征战成果的碑文极多。这种征战与汉族的利益没有冲突，反而弘扬了中国的国威，连汉族知识界也引以为荣，甚至可以把乾隆看成是华夏圣君了，但我细看碑文之后却产生一个强烈的感觉：有的仗迫不得已，打打也可以，但多数边界战争的必要性深可怀疑。需要打得这么大吗?需要反复那么多次吗?需要这样强横地来对待邻居吗?需要杀得如此残酷吗?

好大喜功的乾隆把他的所谓"十全武功"雕刻在避暑山庄里乐滋滋地自我品尝，这使山庄回荡出一些燥热而又不祥的气氛。

在满、汉文化对峙基本上结束之后，这里洋溢着的是中华帝国的自得情绪。江南塞北的风景名胜在这里聚会，上天的唯一骄子在这里安驻，再下令编一部综览全部典籍的《四库全书》在这里存放，几乎什么也不缺了。乾隆不断地写诗，说避暑山庄里的意境已远远超过唐宋诗词里的描绘，而他则一直等着到时间卸任成为"林下人"，在此间度过余生。在山庄内松云峡的同一座石碑上，乾隆一生竟先后刻下了六首御制诗表述这种自得情怀。

是的，乾隆一朝确实不算窝囊，但须知这已是十八世纪(乾隆正好死于十八世纪最后一年)，十九世纪已经迎面而来，世界发生了多大的变化!乾隆打了那么多仗，耗资该有多少?他重用的大贪官和珅又把国力糟蹋到了何等地步?事实上，清朝，乃至于中国的整体历史悲剧，就在乾隆这个貌似全盛期的皇帝身上，在山水宜人的避暑山庄内，已经酿就。但此时的避暑山庄，还完全沉湎在中华帝国的梦幻之中，而全国的文化良知，也都在这个梦幻的边沿或是陶醉、或是喑哑。

一七九三年九月十四日，一个英国使团来到避暑山庄，乾隆以盛宴欢迎，还在山庄的万树园内以大型歌舞和焰火晚会招待，避暑山庄一片热闹。英方的目的是希望乾隆同意他们派使臣常驻北京，在北京设立洋行，希望中国开放天津、宁波、舟山为贸易口岸，在广州附近拨一些地方让英商居住，又希望英国货物在广州至澳门的内河流通时能获免税和减税的优惠。本来，这是可以谈判的事，但对居住在避暑山庄、一生喜欢用武力炫耀华夏威仪的乾隆来说却不存在任何谈判的可能。他给英国国王写了信，信的标题是《赐英吉利国王敕书》，信内对一切要求全部拒绝，说"天朝尺土俱归版籍，疆址森然，即使岛屿沙洲，亦必划界分疆各有专属"、"从无外人等在北京城开设货行之事"、"此与天朝体制不合，断不可行！"也许至今有人认为这几句话充满了爱国主义的凛然大义，与以后清廷签订的卖国条约不可同日而语，对此我实在不敢苟同。

本来康熙早在一六八四年就已开放海禁，在广东、福建、浙江、江苏分设四个海关欢迎外商来贸易，过了七十多年乾隆反而关闭其他海关只许外商在广州贸易，外商在广州也有许多可笑的限制，例如不准学说中国话、买中国书，不许坐轿，更不许把妇女带来等等。我们闭目就能想像朝廷对外国人的这些限制是出于何种心理规定出来的。康熙向传教士学西方自然科学，关系不错，而乾隆却把天主教给禁了。自高自大，无视外部世界，满脑天朝意识，这与以后的受辱挨打有着必然的逻辑联系。乾隆在避暑山庄训斥外国帝王的朗声言词，就连历史老人也会听得不太顺耳了。这座园林，已掺杂进某种凶兆。

4

我在山庄松云峡细读乾隆写了六首诗的那座石碑时，在碑的西侧又读到他儿子嘉庆的一首。嘉庆即位后经过这里，读了父亲那些得意洋洋的诗作后不禁长叹一声：父亲的诗真是深奥，而我这个做儿子的却实在觉得肩上的担子太重了！（"瞻题蕴精奥，守位重仔肩"）嘉庆为人比较懦弱宽厚，在父亲留下的这副担子前不知如何是好。他一生都在面对内忧外患，最后不明不白地死在避暑

山居岁色己

山庄。

　　道光皇帝继嘉庆之位时已四十来岁，没有什么才能，只知艰苦朴素，穿的裤子还打过补钉。这对一国元首来说可不是什么佳话。朝中大臣竞相摹仿，穿了破旧衣服上朝，一眼看去，这个朝廷已经没有多少气数了。父亲死在避暑山庄，畏怯的道光也就不愿意去那里了，让它空关了几十年。他有时想想也该像祖宗一样去打一次猎，打听能不能不经过避暑山庄就可以到"木兰围场"，回答说没有别的道路，他也就不去打猎了。像他这么个可怜巴巴的皇帝，似乎本来就与山庄和打猎没有缘分，鸦片战争已经爆发，他忧愁的目光只能一直注视着南方。

　　避暑山庄一直关到一八六〇年九月，突然接到命令，咸丰皇帝要来，赶快打扫。咸丰这次来时带的银两特别多，原来是来逃难的，英法联军正威胁着北京。咸丰这一来就不走了，东走走西看看，庆幸祖辈留下这么个好地方让他躲避。他在这里又批准了好几份丧权辱国的条约，但签约后还是不走，直到一八六一年八月二十二日死在这儿，差不多住了近一年。

　　咸丰一死，避暑山庄热闹了好些天，各种政治势力围着遗体进行着明明暗暗的较量。一场被历史学家称之为"辛酉政变"的行动方案在山庄的几间屋子里制定，然后，咸丰的灵柩向北京启运了，刚继位的小皇帝也出发了，浩浩荡荡。避暑山庄的大门又一次紧紧地关住了，而就在这支浩浩荡荡的队伍中间，很快站出来一个二十七岁的青年女子，她将统治中国数十年。

　　她就是慈禧，离开了山庄后再也没有回来，不久又下了一道命令，说热河避暑山庄已经几十年不用，殿亭各宫多已倾圮，只是咸丰皇帝去时稍稍修治了一下，现在咸丰已逝，众人已走，"所

有热河一切工程，着即停止。"

　　这个命令，与康熙不修长城的谕旨前后辉映。康熙的"长城"也终于倾坍了，荒草凄迷，暮鸦回翔，旧墙斑剥，霉苔处处，而大门却紧紧地关着。关住了那些宫殿房舍倒也罢了，还关住了那么些苍郁的山，那么些晶亮的水。在康熙看来，这儿就是他心目中的清代，但清代把它丢弃了，被丢弃了的它可怜，丢弃了它的清代更可怜，连一把罗圈椅也坐不到了，凄凄惶惶，丧魂落魄。慈禧在北京修了一个颐和园，与避暑山庄对抗，塞外朔北的园林不会再有对抗的能力和兴趣，它似乎已属于另外一个时代。康熙连同他的园林一起失败了，败在一个没有读过什么书，没有建立过什么功业的女人手里。热河的雄风早已吹散，清朝从此阴气重重、劣迹斑斑。

　　当新的一个世纪来到的时候，一大群汉族知识分子向这个政权发出了毁灭性声讨，民族仇恨重新在心底燃起，三百年前抗清志士的事迹重新被发掘和播扬。避暑山庄，在这个时候是一个邪恶的象征，老老实实躲在远处，尽量不要叫人发现。

5

　　清朝灭亡后，社会震荡，世事忙乱，人们也没有心思去品咂一下这次历史变更的苦涩厚味，匆匆忙忙赶路去了。直到一九二七年六月一日，大学者王国维先生在颐和园投水而死，才让全国的有心人肃然沉思。

　　王国维先生的死因众说纷纭，我们且不管它，只知道这位汉族文化大师拖着清代的一条辫子，自尽在清代的皇家园林里，遗嘱为"五十之年，只欠一死；经此世变，义无再辱。"他不会不知道明末清初为汉族人是束发还是留辫之争曾发生过惊人的血案，他不会不知道刘宗周、黄宗羲、顾炎武这些大学者的慷慨行迹，他更不会不知道按照世界历史的进程，社会巨变乃属必然，但是他还是死了。我赞成陈寅恪先生的说法，王国维先生并不死于政治斗争、人事纠葛，或仅仅为清廷尽忠，而是死于一种文化：

　　凡一种文化值衰落之时，为此文化所化之人，必感苦痛，其表现此文化之程量愈宏，则其所受之苦痛亦愈

甚；迨既达极深之度，殆非出于自杀无以求一己之心安
而义尽也。

(《王观堂先生挽词并序》)

王国维先生实在无法把自己为之而死的文化与清廷分割开来。在
他的书架里，《古今图书集成》、《康熙字典》、《四库全书》、《红
楼梦》、《桃花扇》、《长生殿》、乾嘉学派、纳兰性德等等都把两
者连在一起了，于是对他来说，衣冠举止、生态心态，也莫不两
相混同。我们记得，在康熙手下，汉族高层知识分子经过剧烈的
心理挣扎已开始与朝廷产生某种文化认同，没有想到的是，当康
熙的政治事业和军事事业已经破败之后，文化认同竟还未消散。
为此，宏才博学的王国维先生要以生命来祭奠它。他没有从心理
挣扎中找到希望，死得可惜又死得必然。知识分子总是不同寻
常，他们总要在政治、军事的折腾之后表现出长久的文化韧性。
文化变成了他们的生命，只有靠生命来拥抱文化了，别无他途；
明末以后是这样，清末以后也是这样。但清末又是整个中国封建
制度的末尾，因此王国维先生祭奠的该是整个中国传统文化。清
代只是他的落脚点。

王国维先生到颐和园这也还是第一次，是从一个同事处借了
五元钱才去的。颐和园门票六角，死后口袋中尚余四元四角，他
去不了承德，也推不开山庄紧闭的大门。

今天，我面对着避暑山庄的清澈湖水，却不能不想起王国维
先生的面容和身影。我轻轻地叹息一声，一个风云数百年的朝
代，总是以一群强者英武的雄姿开头，而打下最后一个句点的，
却常常是一些文质彬彬的凄怨灵魂。

流放者的土地

1

　　东北终究是东北，现在已是盛夏的尾梢，江南
的西瓜早就收藤了，而这里似乎还刚刚开旺，大路
边高高低低地延绵着一堵用西瓜砌成的墙，瓜农们
还在从绿油油的瓜地里一个个捧出来往上面堆。停
车一问价钱，大吃一惊，才八分钱一斤。买了一大
堆搬到车上，先切开一个在路边啃起来。一口下去
又是一惊，竟是我平生很少领略过的清爽和甘甜!以往在江南西
瓜下市季节，总有一批"北方瓜"来收场，那些瓜吃起来又粗又
淡，很为江南人所鄙视，我还曾为此可怜过北方的朋友。北方的
朋友辩解说，那是由于要长途运输，老早摘下一些根本没熟的瓜
在车皮和仓库里慢慢蹲熟的，代表不了北方瓜。今天我才真正信
了，不禁边吃西瓜边抬头打量起眼前的土地。这里的天蓝得特别
深，因此把白云衬托得银亮而富有立体感。蓝天白云下面全是植
物，有庄稼，也有自生自灭的花草。与大西北相比，这里一点也
不荒瘠，但与江南相比，这里似乎又缺少了那些温馨而精致的曲

曲弯弯，透着点儿苍凉和浩茫。

这片土地，竟然会蕴藏着这么多的甘甜吗？

我提这个问题的时候心头不禁一颤，因为我正站在从牡丹江到镜泊湖去的半道上，脚下是黑龙江省宁安县，清代被称之为"宁古塔"的所在。只要对清史稍有涉猎的读者都能理解我的心情，在漫长的数百年间，不知有多少所谓"犯人"的判决书上写着"流放宁古塔"！

我是在很多年前读鲁迅论及清代文字狱的文章时首次看到这个地名的，因为它与狞厉的政治迫害和惨烈的人生遭遇连在一起，使我忍不住抬起头来遥想它的地理形貌。后来我本人不知为什么对文字狱的史料也越来越重视起来，因而这个地名便成了我阅读中的常见词汇。近年来喜欢读一些地域文化的著作，在拜读谢国桢先生写于半个世纪前的《清初东北流人考》和李兴盛先生两年前出版的《东北流人史》①时，更是反复与它打交道了。今天，我居然真的踏到了这块著名的土地上面，而它首先给我的居然是甘甜！

有那么多的朝廷大案以它作为句点，因此"宁古塔"三个再平静不过的字成了全国官员和文士心底最不吉利的符咒。任何人都有可能一夜之间与这里产生终身性的连结，而到了这里，财产、功名、荣誉、学识，乃至整个身家性命都会堕入漆黑的深渊，几乎不大可能再泅得出来。金銮殿离这里很远又很近，因此这三个字常常悄悄地潜入高枕锦衾间的恶梦，把那么多的人吓出一身身冷汗。清代统治者特别喜欢流放江南人，因此这块土地与我的出生地和谋生地也有着很深的缘分。几百年前的江浙口音和现在一定会有不少差别了吧，但云还是这样的云，天还是这样的天。

地可不是这样的地。有一本叫做《研堂见闻杂记》的书上写道，当时的宁古塔，几乎不是人间的世界。流放者去了，往往半道上被虎狼恶兽吃掉，甚至被饿昏了的当地人分而食之，能活下来的不多。当时另有一个著名的流放地叫尚阳堡，也是一个让人毛骨悚然的地名，但与宁古塔一比，尚阳堡还有房子可住，还能活得下来，简直好到天上去了。也许有人会想，有塔的地方总该有点文明的遗留吧?这就搞错了。宁古塔没有塔，这三个字完全

---

① 这些论著也为本文提供了很多史料和线索，谨此感谢。

是满语的音译，意为"六个"（"宁古"为"六"，"塔"为"个"），据说很早的时候曾有兄弟六人在这里住过,而这六个人可能还与后来的清室攀得上远亲。

今天我的出发地和目的地都很漂亮，想想吧，牡丹江、镜泊湖，连名字也已经美不胜收了，但我此行的主要目的却是这半道上的流放地。由它，又联想到东北其他几个著名的流放地如今天的沈阳(当时称盛京)、辽宁开原县(即当时的尚阳堡)以及齐齐哈尔(当时称卜魁)等处，我，又想来触摸中国历史身上某些让人不大舒服的部位了。

2

中国古代列朝对犯人的惩罚，条例繁杂，但粗粗说来无外乎打、杀、流放三种。打是轻刑，杀是极刑，流放不轻不重嵌在中间。

打的名堂就很多，打的工具(如笞、杖之类)、方式和数量都不一样。再道貌岸然的高官，再斯文儒雅的学者，从小受足了"非礼勿视"的教育，举手投足蕴藉有度，刚才站到殿阙中央来讲话时还细声慢气地努力调动一连串深奥典故用以替代一切世俗词汇呢，突然不知是哪句话讲错了，立即被一群宫廷侍卫按倒在地，在众目睽睽之下被扒下裤子，一五一十打将起来。苍白的肌肉，殷红的鲜血，不敢大声发出的哀号，乱作一团的白发，强烈地提醒着端立在一旁的文武官员：你们说到底只是一种生理性的存在。用思想来辩驳思想，以理性来面对理性，从来没有那回事儿。一言不合，请亮出尊臀。

　　杀的花样就更多了。我早年在一本旧书中读到嘉庆皇帝如何杀戮一个在圆明园试图向他动刀的厨师的具体记述，好几天都吃不下饭。后来我终于对其他杀人花样也有所了解了，真希望我们下一代不要再有人去知道这些事情。那一大套款式，绝对只有那些彻底丢弃了人性却又保持着充分想像力的人才能设计得出来。以我看来他们的设计原则是把死这件事情变成一个可供细细品味、慢慢咀嚼的漫长过程，在这一过程中，组成人的一切器官和肌肤全部成了痛苦的由头，因此受刑者只能怨恨自己竟然是个人。我相信中国的宫廷官府所实施的杀人办法，是人类从猿猴变

过来之后百十万年间最为残酷的自戕游戏，即便是豺狼虎豹在旁看了也会瞠目结舌。幸好中国的皇帝在这方面都没有神经脆弱的毛病，他们总是玩牌一样掂量着各种死法，有时突然想起"犯人"战功赫赫或学富五车，会特别开恩换一种等级略低一点的死法，在这种情况下，不仅将死的"犯人"会衷心地叩谢皇恩浩荡，而且皇帝自己也觉得仁慈过人、宅心宽厚。皇帝的这个习惯倒是成了中国社会惯例，许多笑容可掬的方案权衡，常常以总体性的残忍为前提。残忍成了一种广泛传染的历史病菌和社会病菌，动不动就采取极端措施，驱逐了人道、公德、信义、宽容、和平。

　　现在可以回到流放上来了。说过了杀的花样，流放确实成了一种极为仁厚的惩罚，但实际上对承受者来说，杀起来再慢也总不会拖延太久，而流放却是一种长时间的可怖折磨。死了倒也罢了，问题是人还活着，种种不幸都要用心灵去一点点消受，这就比死都烦难了。就以当时流放东北的江南人和中原人来说，首先让人受不了的事实是流放的株连规模。有时不仅全家流放，而且祸及九族，所有远远近近的亲戚，甚至包括邻里，全都成了流放者，往往是几十人、百余人的队伍，浩浩荡荡。别以为这样热热闹闹一起远行并不差，须知道这些几天前还是锦衣玉食的家庭都已被查抄，家产财物荡然无存，而且到流放地之后做什么也早已定下，如"赏给出力兵丁为奴"、"给披甲人为奴"等等，从孩子开始都已经是奴隶。一路上怕他们逃走，便枷锁千里。我现在随手翻开桌上的史料就见到这样一条记载：明宣德八年，一次有一百七十名犯人流放到东北，但死在路上的就有三分之二，到东北只剩下五十人。由此一路上的自然艰苦和人为虐待便可想见。

　　好不容易到了流放地，这些奴隶分配给了主人，主人见美貌的女性就随意糟蹋，怕丈夫碍手碍脚先把丈夫杀了；人员那么多用不了，选出一些女的卖给娼寮，选出一些男的去换马。最好的待遇算是在所谓"官庄"里做苦力，当然也完全没有自由。照清代被流放的学者吴兆骞记述，"官庄人皆骨瘦如柴"、"一年到头，不是种田，即是打围、烧石灰、烧炭，并无半刻空闲日子。"

在一本叫《绝域纪略》的书中描写了流放在那里的江南女子汲水的镜头："春余即汲，霜雪井溜如山，赤脚单衣悲号于肩担者，不可纪，皆中华富贵家裔也。"在这些可怜的汲水女里面，肯定有着不少崔莺莺、林黛玉这样的人物，昨日的娇贵矜持根本不敢再回想，连那点哀怨悱恻的恋爱悲剧，也全都成了奢侈。

康熙时期的诗人丁介曾写过这样两句诗：

> 南国佳人多塞北，
> 中原名士半辽阳。

这里该包含着多少让人不敢细想的真正大悲剧啊。诗句或许

　　会有些夸张，但当时中原各省在东北流放地到了"无省无人"的地步是确实的。据李兴盛先生统计，单单清代东北流人(其概念比流放犯略大)，总数在一百五十万以上。普通平民百姓很少会被流放，因而其间"名士"和"佳人"的比例确实不低。

　　如前所说，这么多人中，很大一部分是株连者，这个冤屈就实在太大了。那些远亲，可能根本没见过当事人，他们的亲族关系要通过老一辈曲曲折折的比划才能勉强理清,现在却一古脑儿都被赶到了这儿。在统治者看来,中国人都不是个人,只是长在家族大树上的叶子,一片叶子看不顺眼了,证明从根上就不好,于是一棵大树连根儿拔掉。我看"株连"这两个字的原始含义就是这样来的。树上叶子那么多,不知哪一片会出事而祸及自己,更不知自己的一举一动什么时候会危害到整棵大树,于是只能战战兢兢,如临深渊,如履薄冰。如此这般,中国怎么还会有独立的个体意识呢?我们以往不也见过很多心底里很明白而行动却极其窝囊的人物吗?有的事,他们如果按心底所想的再坚持一下就坚持出人格和个性来了,但皱眉一想妻儿老小、亲戚朋友,也就立即改变了主意。既然大树上没有一片叶子敢于面对风的吹拂、露的浸润、霜的飘洒,整个树林也便成了没有风声鸟声的死林。朝廷需要的就是这样一片表面上看起来碧绿葱茏的死林,"株连"的目的正在这里。

我常常设想,那些当事人在东北流放地遇见了以前从来没有听见过,这次却因自己而罹难的远房亲戚,该会说什么话,作何等样的表情?而那些远房亲戚又会作什么反应?当事人极其内疚是毫无疑问的,但光内疚够吗?而且内疚什么呢?他或许要解释一下案情,而他真能搞得清自己的案情吗?

能说清自己案情的倒是流放者中那一部分真正的罪犯,即我们现在所说的刑事犯;还有一部分属于宫廷内部勾心斗角的失败者,他们大体也说得清自己流放的原因,其中有些人的经历也很有历史意味,但至少我今天在写这篇文章时对他们兴趣不大。最说不清楚的是那些文人,不小心沾上了"文字狱"、科场案,一夜之间成了犯人,竟然福大命大没被砍头,与一大群株连者一起跌跌撞撞地发配到东北来了，他们大半搞不清自己的案情。

　　"文字狱"的无法说清已有很多人写过，不想再说什么了。我想，流放东北的文人中真正算得上"犯案"的大概就是在科举考试中作弊的那一拨了。明代以降，特别是清代，壅塞着接二连三的所谓"科场案"，好像鲁迅的祖父后来也挨到了这类案子里边，幸好没有全家流放，否则我们就没有《阿Q正传》好读了。依我看，科场中真作弊的有(鲁迅的祖父像是真的)，但也有很大一部分是被恣意夸大甚至无中生有的。例如一六五七年(顺治十四年)发生过两个著名的科场案，造成被杀、被流放的人很多，我们不妨选其中较严重的一个即所谓"南闱科场案"稍稍多看几眼。

　　一场考试过去，发榜了，没考上的士子们满腹牢骚，议论很多，被说得最多的是考上举人的安徽青年方章钺，可能与主考大人是远亲，即所谓"联宗"吧，理应回避，不回避就有可能作弊。落第考生的这些道听途说被一位官员听到了，就到顺治皇帝那里奏了一本，顺治皇帝闻奏后立即下旨，正副主考一并革职，把那位考生方章钺捉来严审。这位安徽考生的父亲叫方拱乾，也在朝中做着官，上奏说我们家从来没有与主考大人联过宗，联宗之说是误传，因此用不着回避，以前几届也考过，朝廷可以调查。本来这是一件很容易调查清楚的事情，但麻烦的是皇帝已经表了态，而且已把两个主考革职了，如果真的没有联过宗，皇帝的脸往哪儿搁?因此朝廷上下一口咬定，你们两家一定联过宗，不可能不联宗，没理由不联宗，为什么不联宗?不联宗才怪呢!既然肯定联过宗，那就应该在子弟考试时回避，不回避就是犯罪。刑部花了不少时间琢磨这个案子，再琢磨皇帝的心思，最后心一横，

山 居 笔 记

拟了个处理方案上报，大致意思无非是，正副主考已经激起圣怒，被皇帝亲自革了职，那就干脆处死算了，把事情做到底别人也就没话说了；至于考生方章铖，朝廷不承认他是举人，作废。

这个处理方案送到了顺治皇帝那里，大家原先以为皇帝也许会比刑部宽大一点，做点姿态，没想到皇帝的回旨极其可怕：正、副主考斩首，没什么客气的；还有他们领导的其他所有试官到哪里去了？一共十八名，全部绞刑，家产没收，他们的妻子女儿一概做奴隶。听说已经死了一个姓卢的考官了？算他幸运，但他的家产也要没收，他的妻子女儿也要去做奴隶。还有，就让那个安徽考生不做举人算啦？不行，把八个考取的考生全都收拾一下，他们的家产也应全部没收，每人狠狠打上四十大板，更重要的是，他们这群考生的父母、兄弟、妻子，要与这几个人一起，全部流放到宁古塔！①

这就是典型的中国古代判决，处罚之重，到了完全离谱的程度。不就是仅仅一位考生可能与主考官有点沾亲带故的嫌疑吗？他父亲出来已经把嫌疑排除了，但结果还是如此惨烈，而且牵涉的面又如此之大。能代表朝廷来考试江南士子的考官，无论是学问、社会知名度还是朝廷对他们信任的程度本来都应该是不成问题的，但为了其中一个人有那么一丁点儿已经排除了的嫌疑，二十个全部杀掉，一个不留。而且他们和考生的家属全部不明不白地遭殃。这中间，唯一能把嫌疑的来龙去脉说得稍稍清楚一点的只有安徽考生一家——方家，其他被杀、被打、被流放的人可能连基本原因也一无所知。但不管，刑场上早已头颅滚滚、血迹斑

---

① 参见《清世主实录》卷121。

斑，去东北的路上也已经浩浩荡荡。这些考生的家属在跋涉长途中想到前些天身首异处的那二十来个大学者，心也就平下来了。比上不足比下有余，何况人家那么著名的人物临死前也没吭声，要我冒出来喊冤干啥?充什么英雄?这是中国人面临最大的冤屈和灾难时的精神卫护逻辑。一切原因和理由都没什么好问的，就算是遇到了一场自然灾害。

且看历来流离失所的灾民，有几个问清过台风形成的原因和山洪暴发的理由?算啦，低头干活吧，能这样不错啦。

3

灾难，对常人来说也就是灾难而已，但对知识分子来说就不一样了。当灾难初临之时，他们比一般人更紧张、更痛苦、更缺少应付的能耐；但是当这一个关口度过之后，他们中部分人的文化意识又会重新苏醒，开始与灾难周旋，在灾难中洗刷掉那些只有走运时才会追慕的虚浮层面，去寻求生命的底蕴。到了这个时候，本来经常会嘲笑知识分子几句的其他流放者不得不收敛了，他们开始对这些喜欢长吁短叹而又手无缚鸡之力的斯文人另眼相看。

流放文人终于熬过生生死死最初撞击的信号是开始吟诗，其中有不少人在去东北的半路上就已获得了这种精神复苏，因为按照当时的交通条件，这好几千里的路要走相当长的时间。清初因科场案被流放的杭州诗人、主考官丁澎在去东北的路上看见许多驿站的墙壁上题有其他不少流放者的诗，一首首读去，不禁笑逐颜开。与他一起流放的家人看他这么高兴，就问:"怎么，难道朝廷下诏让你回去了?"丁澎说:"没有。我真要感谢皇帝,给我这么好的机会让我在一条才情的长河中畅游,你知道吗,到东北流放的人几乎都是才子,我这一去就不担心没有朋友了。"丁澎说得不错,流放者的队伍实在是把一些平日散落各地的杰出文士集中在一起了,几句诗,就是他们心灵交流的旗幡。

　　丁澎被流放的时候,他的朋友张缙彦曾来送行,没想到三年以后张缙彦也被流放,戍所很远,要经过丁澎的流放地,两人一见面感慨万千,唏嘘一阵之后,互相能够赠送的东西仍然只有诗。丁澎送张缙彦的诗很能代表流放者的普遍心理:

> 老去悲长剑,
> 胡为独远征?
> 半生戎马换,
> 片语玉关行!
> 乱石冲云走,
> 飞沙撼碛鸣。
> 万方新雨露,
> 吹不到边城。
>
> 　　　　　(《送张坦公方伯出塞》)

丁澎早流放几年,因此他有资格叮嘱张缙彦:"愁剧须凭酒,时危莫论文。"

　　"时危莫论文"并不是害怕和躲避,而是希望朋友身处如此危境不要再按照原先文绉绉的思路来考虑问题了。用吴伟业赠吴兆骞的诗句来表述,文人面对流放,产生的总体感受应该是"山非山兮水非水，生非生兮死非死"，原先的价值坐标轰毁了，连一些本来确定无疑的概念也都走向模糊和混乱，这对许多文人来说都不完全是一件坏事。

有一些文人，刚流放时还端着一副孤忠之相，等着哪一天圣主来平反昭雪；有的则希望有人能用儒家的人伦道德标准来重新审理他们身陷的冤屈，那怕自己死后有一位历史学家来说两句公道话也好。但是，茫茫的塞外荒原否定了他们，浩浩的北国寒风嘲笑着他们，文天祥虽然写过"留取丹心照汗青"，而"汗青"本身又是如此暧昧不清。

到东北的流放者一般都会记得宋、金战争期间，南宋的使臣洪皓和张邵曾被金人流放到黑龙江的事迹。洪皓和张邵算得为大宋朝廷争气的了，在捡野菜充饥、拾马粪取暖的情况下还凛然不屈。一次一位比较友好的女真贵族与洪皓谈话，谈着谈着就争论起来了，女真贵族生气地说："你到现在还这么口硬，你以为我不能杀你吗？"洪皓回答："我是可以死了，但这样你们就会蒙上一个斩杀来使的恶名，恐怕不大好。离这里三十里地有个叫莲花泺的地方，不如我们一起乘舟去游玩，你顺便把我推下水，就说我是自己失足，岂不两全其美？"他的这种从容态度，把女真贵族都给镇住了。后来金兵占领了淮北，宣布说只要是淮北籍的宋朝官员都可回家了，不少被流放的宋朝官员纷纷伪称自己是淮北人而南返，惟独洪皓和张邵明确说自己是江南人，因此一直在东北流放到宋、金和议达成之后才回家。完全出人意料的是，这两人在东北为宋廷受苦受难十余年，回来却立即遭受贬谪，洪皓被秦桧贬离朝廷，张邵也被弹劾为"奉使无成"而远放，两人都很快死在颠沛流离的长途中。倒是金人非常尊敬这两位与他们作对的使者，每次有人来宋廷总是打听他们的消息，甚至对他们的子女也倍加怜惜。这种事例，很使后代到东北的流放者们深思。既然朝廷对自己的使者都是这副模样，那它真值得大家为它守节效忠吗?我们过去头脑中认为至高无上的一切真是那样有价值吗?

顺着这一思想脉络，东北流放地出现了一个奇迹：不少被流放的清朝官员与反清义士结成了好朋友，甚至到了生死莫逆的地步。原先各自效忠的对象，无论是明朝还是清朝都消解了，消解在朔北的风雪中，消解在对人生价值的重新确认里。

"同是冰天谪戍人，敝裘短褐益相亲。"(戴梓)当官衔、身份、家产一一被剥除，剩下的就是生命对生命的直接呼唤。著名的反

清义士函可在东北流放时最要好的那些朋友李<ruby>裀</ruby>、魏琯、季开生、李呈祥、郝浴、陈掖臣等几乎都是被贬的清朝官吏,以这些人为骨干,函可还成立了一个"冰天诗社"。是不是这些昔日官吏现都卷入到函可的反清思潮中来了呢?并不是。他们相交只是"以节义文章相慕重",这里所说的"节义"又不具备寻常所指的国家民族意义,而仅仅是个人人品。其实个人人品最是了不得,最不容易被外来的政治规范修饰或扭曲。在这一点上,中国历来对"大节"、"小节"的划分常常是颠倒的。

函可的那些朋友在个人人品上确实都是很值得敬重的,李祸获罪是因为上谏朝廷,指陈当时的一个"逃人法""立法过重,株连太多";魏琯因上疏主张一个犯人的"妻子应免流徙"而自己反被流徙;季开生是谏阻皇帝到民间选美女;郝浴是弹劾大汉奸吴三桂骄横不法……,总之是一些善良而正直的人。现在他们的发言权被剥夺了,但善良和正直却剥夺不了,跟着他们走南闯北。函可与他们结社是在顺治七年,那个时候,江南很多知识分子还在以"仕清"为耻,而照我们今天某些理论家的分析,他们这些官吏之所以给清廷提意见也是为了清廷的长远利益,不值得半点同情,但函可却完全不理这一套,以毫无障碍的心态发现了他们的善良与正直,然后把他们作为一个个有独立人品的个人来尊重。政敌不见了,民族对立松懈了,只剩下一群赤诚相见的朋友。

有了朋友,再大的灾害也会消去大半。有了朋友,再糟的环境也会风光顿生。出生于上海松江县的学者艺术家杨瑄是一个一生中莫名其妙地多次获罪,直到七十多岁还在东北旷野上挣扎的可怜人,但由于有了朋友,他眼中的流放地也不无美色了。他的一首《谪居柬友》最能表达这种心情:

> 同是天涯万里身,
> 相依萍梗即为邻。
> 闲骑寒卫频来往,
> 小挈霜螯忘主宾。
> 明月满庭凉似水,
> 绿莎三径软于茵。
> 生经多难情愈好,

未觉人间古道沦。

　"生经多难情愈好"，这实在是灾难给人的最大恩惠。与东北大地上的朋友相比，原先在上海、在北京的朋友都算不上朋友了，靠着亲族关系和同僚关系所挤压出来的笑容和礼数突然显得那样勉强，丰厚的礼品和华赡的语句也变得非常苍白。惟独这儿，什么前后左右的关系也不靠，就靠着赤条条的自己寻找可以生死以之的知己好友，还有什么比这更珍贵的吗？

　　我敢断言，在漫长的中国封建社会中，最珍贵、最感人的友谊必定产生在朔北和南荒的流放地，产生在那些蓬头垢面的文士们中间。其他那些著名的友谊佳话，外部雕饰太多了。

　　除了同在流放地的文士间的友谊之外，外人与流放者的友谊也会显出一种特殊的重量，因为在株连之风极盛的时代，与流放者保持友谊是一件十分危险的事，而且地处遥远，在当时的交通和通讯条件下要维系友谊又极为艰难。因此，流放者们在饱受世态炎凉之后完全可以凭借往昔的友谊在流放后的维持程度来重新评验自己原先置身的世界。

　　元朝时，浙江人骆长官被流放到黑龙江，他的朋友孙子耕竟一路相伴，一直从杭州送到黑龙江。清康熙年间，兵部尚书蔡毓荣获罪流放黑龙江，他的朋友，上海人何世澄不仅一路护送，而且陪着蔡毓荣在黑龙江住了两年多才返回江南。专程到东北探望朋友的人也有不少，例如康熙年间的流放者傅作楫看到老友吴青霞不远千里前来探望，曾用这样的诗句来表达感受：

浓荫落尽有高柯，

昨日流莺在何处?

友情，经过再选择而显得单纯和牢固了。

让我特别倾心的是康熙年间顾贞观把自己的老友吴兆骞从东北流放地救出来的那番苦功夫。顾贞观知道老友在边荒时间已经很长，吃足了各种苦头，很想晚年能赎回来让他过几天安定日子。他有决心叩拜座座侯门为赎金集资，但这事不能光靠钱，还要让当朝最有权威的人点头，向皇帝说项才是啊。他好不容易结识了当朝太傅明珠的儿子纳兰容若。纳兰容若是一个人品和文品都不错的人，也乐于帮助朋友，但对顾贞观提出的这个要求却觉得事关重大，难于点头。顾贞观没有办法，只得拿出他为思念吴兆骞而写的词作《金缕曲》两首给纳兰容若看，因为那两首词表达了一种人间至情，应该比什么都能说服纳兰容若。两首词的全文是这样的:

> 季子平安否?便归来，平生万事，那堪回首。行路悠悠谁慰藉，母老家贫子幼。记不起从前杯酒。魑魅搏人应见惯，总输他覆雨翻云手。冰与雪，周旋久。　泪痕莫滴牛衣透，数天涯，依然骨肉，几家能够?比似红颜多命薄，更不如今还有。只绝塞苦寒难受，廿载包胥承一诺，盼乌头马角终相救。置此札，君怀袖。

> 我亦飘零久。十年来，深恩负尽，死生师友。宿昔齐名非忝窃，试看杜陵消瘦，曾不减夜郎潺愁♭薄命长辞知己别，问人生到此凄凉否?千万恨，为君剖。

兄生辛未吾丁丑，共此时，冰霜摧折，早衰蒲柳。词赋
从今须少作，留取心魂相守。但愿得河清人寿。归日急
翻行戍稿，把空名料理传身后。言不尽，观顿首。

不知读者诸君读了这两首词作何感想，反正纳兰容若当时刚一读
完就声泪俱下，对顾贞观说："给我十年时间吧，我当作自己的
事来办，今后你完全不用再叮嘱我了。"顾贞观一听急了："十年?
他还有几年好活?五年为期，好吗?"纳兰容若擦着眼泪点了点头。

经过很多人的努力，吴兆骞终于被赎了回来。在欢迎他的宴会上，有一位朋友写诗道："廿年词赋穷边老，万里冰霜匹马还。"是啊，这么多年也只是他一个人回来，但这一万里归来的"匹马"，真把人间友谊的力量负载足了。

还有一个人也是靠朋友，而且是靠同样在流放的朋友的帮助，偷偷逃走的，他就是浙江萧山人李兼汝。这个人本来就最喜欢交朋友，据说不管是谁只要深夜叩门他一定要留宿，客人有什么困难他总是倾囊相助。他被流放后，一直靠一起流放的朋友杨越照顾他，后来他年老体衰，实在想离开那个地方，杨越便想了一个办法，让他躲在一个大瓮里由牛车拉出去，杨越从头至尾操作此事，直至最后到了外面把他从大瓮里拉出来挥泪作别，自己再回来继续流放。这件事的真相，后来在流放者中悄悄传开来了，大家十分钦佩杨越，只要他有什么义举都一起出力相助，以不参与为耻。在这个意义上，灾难确实能净化人，而且能净化好多人。

我常常想，今天东北人的豪爽、好客、重友情、讲义气，一定与流放者们的精神遗留有深刻关联吧。流放，创造了一个味道浓重的精神世界，竟使我们得惠至今。

4

除了享受友情之外，流放者总还要干一点自己想干的事情。基本的劳役是要负担的，但东北的气候使得一年中有很长时间完全无法进行野外作业，而且管理者也有松有紧，有些属于株连而来的对象或随家长而来的儿孙一辈往往有一点儿自由，有的时候、有的地方，甚至整个流放都处于一种放任自流的状态，这就使得流放者总的说来还是有不少空余时间的，需要自己找活干。一般劳动者找活不难，文人则又一次陷入了深思。

我，总要做一点别人不能代替的事情吧？总要有一些高于捡野菜、拾马粪、烧石灰、烧炭的行为吧？尤其当珍贵的友谊把文人们凝聚起来之后，"我"的自问变成了"我们"的集体思索。"我们"，既然凭借着文化人格互相吸引，那就必须进一步寻找到合适的行为方式而成为实践着、行动着的文化群落，只有这样，才能求得灵魂的安定。这是一种回归，大多数流放者没有吴兆骞、李兼汝那样的福气而回归南方，他们只能依靠这种文化意义上的回归，而实际上这样的回归更其重要。吴兆骞南归三年即贫病而死，只活了五十四岁，李兼汝因偷偷摸摸逃回去的，到了南方东躲西藏，也只活了三年。留在东北的流放者们却从文化的路途上回了家，有的竟然很长寿。

比较常见的是教书。例如洪皓曾在晒干的桦树皮上默写出《四书》，教村人子弟；张邵甚至在流放地开讲《大易》，"听者毕集"；函可作为一位佛学家当然就利用一切机会传授佛法。其次是教耕作和商贾，例如杨越就曾花不少力气在流放地传播南方的农耕技术，教当地人用"破木为屋"来代替原来的"掘地为屋"，又让流放者随身带的物品与当地土著交换渔牧产品，培养了初步的市场意识，同时又进行文化教育，几乎是全方位地推动这块土地走向了文明。文化素养更高一点的流放者则把东北这一在以往史册文典中很少涉及的角落作为自己进行文化考察的对象，并把考察结果以多种方式留诸文字，至今仍为一切进行地域文化研究的专家们所宝爱。例如方拱乾所著《宁古塔志》、吴振臣所著《宁古塔纪略》、张缙彦所著《宁古塔山水记》、杨宾所著《柳边纪略》、英和所著《龙沙物产咏》、《龙江纪事》等等便是最好的例子，这些著作(有的是诗集)具有极高的历史学、地理学、风俗学、物产学等多方面的学术价值，是足可永垂史册的。

我们知道，中国古代的学术研究除了李时珍、徐霞客等少数例外，多数习惯于从书本来到书本去，缺少野外考察精神，致使我们的学术传统至今还缺乏实证意识。这些流放者却在艰难困苦之中齐心协力地克服了这种弊端，写下了中国学术史上让人惊喜的一页。他们脚下的这块土地给了他们那么多无告的陌生，那么多绝望的酸辛，但他们却无意怨恨它，反而用温热的手掌抚摸着它，让它感受文明的热量，使它进入文化的史册。

在这整个过程中，有几个代代流放的南方家族给东北所起的文化作用特别大，例如清代浙江的吕留良家族、安徽的方拱乾、方孝标家族以及浙江的杨越、杨宾父子等。近代国学大师章太炎先生在民国初年曾说到因遭文字狱而世代流放东北的吕留良(即吕用晦)家族的贡献：吕氏"后裔多以塾师、医药、商贩为业。土人称之曰老吕家，虽为台隶，求师者必于吕氏，诸犯官遣戍者，必履其庭，故土人不敢轻，其后裔亦未尝自屈也。""齐齐哈尔人知书，由吕用晦后裔谪戍者开之，至于今用夏变夷之功亦著矣。"说到方家，章太炎说："初，开原、铁岭以外皆胡地也，无读书识字者。宁古塔人知书，由孝标后裔谪戍者开之。"(《**太炎文录续编**》)　当代历史学家认为，太炎先生的这种说法史实可能有所误，评价可能略嫌高，但肯定两个家族在东北地区文教上的启蒙之功是完全不错的。

　　一个家族世世代代流放下去，对这个家族来说是莫大的悲哀，但他们对东北的开发事业却进行了一代接一代的连续性攻坚。他们是流放者，但他们实际上又成了老资格的"土著"，他们的故乡究竟在何处呢?我提这问题，在同情和惆怅中又包含着对胜利者的敬意，因为在文化意义上，他们是英勇的占领者。

　　不管怎么说，东北这块在今天的中华版图中已经一点也不显得荒凉和原始的土地，应该记住这两个家族和其他流放者，记住是他们的眼泪和汗水，是他们软软的南方口音，给这块土地播下了文明的种子。不要把视线老是停留在那些边界战役和民族抗争上，停留在那些轰轰烈烈的大事件上，那些战争和事件，其实并没有给这块土地带来多少滋养。

5

　　我希望上面这些叙述不至于构成这样一种误解，以为流放这件事从微观来说造成了许多痛苦，而从宏观来说却并不太坏。

　　不。从宏观来说，流放无论如何也是对文明的一种摧残。部分流放者从伤痕累累的苦痛中挣扎出来，手忙脚乱地创造出了那些文明，并不能给流放本身增色添彩。且不说多数流放者不再有什么文化创造，即便是我们在上文中评价最高的那几位，也无法成为我国文化史上的第一流人才。第一流人才可以受尽磨难，却不能受到超越基本生理限度和物质限度的最严重侵害。尽管屈原、司马迁、曹雪芹也受了不少苦，但宁古塔那样的流放方式却永远也出不了《离骚》、《史记》和《红楼梦》。文明可能产生于野蛮，却绝不喜欢野蛮。我们能熬过苦难，却绝不赞美苦难。我们不怕迫害，却绝不肯定迫害。

部分文人之所以能在流放的苦难中显现人性、创建文明，本源于他们内心的高贵。他们的外部身份和遭遇可以一变再变，但内心的高贵却未曾全然消蚀，这正像不管有的人如何追赶潮流或身居高位却总也掩盖不住内心的卑贱一样。

毫无疑问，最让人动心的是苦难中的高贵，最让人看出高贵之所以高贵的，也是这种高贵。凭着这种高贵，人们可以在生死存亡线的边缘上吟诗作赋，可以用自己的一点温暖去化开别人心头的冰雪，继而，可以用屈辱之身去点燃文明的火种。他们为了文化和文明，可以不顾物欲利益，不顾功利得失，义无反顾，一代又一代。从这个意义上说，这些高贵者确实是愚蠢的，而聪明的却是那些卑贱者。但是，这种愚蠢和聪明的划分本来就属于"术"的范畴而无关乎"道"，也可以说本来就属于高贵的领域之外的存在。

由此我又想到，东北这块土地，为什么总是显得坦坦荡荡而不遮遮盖盖?为什么没有多少丰厚的历史却快速地进入到一个开化的状态?至少有一部分，来自流放者心底的那份高贵。

我站在这块古代称为宁古塔的土地上，长时间地举头四顾而终究又低下头来，我向一些远年的灵魂祭奠。为他们大多来自浙江、上海、江苏、安徽那些我很熟悉的地方，更为他们在苦难中的高贵。

脆弱的都城

1

一座繁华的都城突然消失得无影无踪,这样的事情不仅会引起历史学家和考古学家们的浓厚兴趣,而且对于不管相隔多少年之后的普通老百姓也永远是一个巨大的悬念。

一千九百多年前庞贝古城的突然湮没,至今仍然是全人类一个不衰的话题。庞贝古城的遗址从十八世纪开始挖掘,一代代挖下来,挖到现在也只挖了一大半。来自世界各地的旅游者始终络绎不绝,面对着昔日繁华都市的生活遗迹,大家的心情都非常复杂。只要是人,看到一切都像自己的同类竟然在那么遥远的古代就产生了如此密集的汇聚,享受着与我们的感官需求相去不远的日常生活,不能不产生有关人类和人性的深切体认。但是,这种体认立即又被那几乎无法想像的顷刻之间的毁灭所驱赶,代之以一种难以名状的宏大恐怖。终于从恐怖中抖身而出,在一种祭奠的气氛中边走边看,脚下,是人类的庞贝。

西方应该还有一座更古老、更辉煌的都城不知到哪里去了。柏拉图在他著名的《对话录》里提到,一位埃及祭司告诉雅典著名诗人索隆,据历史记载,雅典在遥远的古代曾与一支来自大西

笔 记

洋阿特兰提斯岛的强大军队战斗，这个岛是一个壮阔而富丽的都城，都城四周挖有宽阔的淡水运河，河上帆樯如林，市内道路整饬，恍若仙境的王宫和神殿上镶满了金银和象牙，经常举行辉煌的典仪，但不知怎么回事，这座都城一昼夜之间遇到了强烈地震和海啸，整个儿都消失了。直到今天，寻找和考证阿特兰提斯的地理方位和消失原因的文章已经连篇累牍，但每年总还会冒出来大量论文。

在东方，柬埔寨吴哥窟的殒落也是一个千古之谜。在一百多年前，一名猎人在金边北部的大森林里发现了宽及十公里的雄伟

建筑群。这个发现震动了世界，据考证，才知道这个建筑群居然
代表着一个湮没于历史的王朝——公元七世纪的高棉王朝，从此

东方的历史增加了一个梦幻般的时代,而一切研究东方美学和东方雕刻、建筑的人都不可能避开这个古建筑群了。但是,人们最感兴趣的是,这么一个东方都城为什么突然被人类遗弃于丛林间而没有在史册上留下痕迹呢?大家猜测有四种可能: 一是全城传染瘟疫死得一个不剩;二是全城发生饥荒,人们只得弃城而逃;三是外族入侵,屠城后又弃城;四是都城内两派政治势力内讧,

互相残杀，最后胜利的一方又在死尸堆里感染了瘟疫。这四种可能中无论哪一种，都能出现惊心动魄的场面，闭着眼睛就能想像。

我在黑龙江省宁安县即清代著名的流放地宁古塔一带旅行的时候，知道当年的流放犯曾对着这个地区一圈巨大的城墙墙根遗迹深感惊讶。流放犯中多的是具有充分历史学造诣的大学者，他们也想不出在遥远的古代这儿曾屹立过一座什么都城。他们凭常识即可判断，拥有如此宽阔的基座的城墙一定是极为宏伟的，那么这座都城也一定气势非凡，但它为什么全然成了茫茫荒原呢？它究竟是什么呢？他们中的少数人已在心底作出了猜测，但他们是严谨的学者，身处的恶劣环境又不允许他们检阅资料、测量挖掘，他们也只能把猜测咽进肚里去了。

我不知道他们中有没有人联想到在中国流传极广的那个有关诗人李白的故事。那个故事说李白有一次因皇帝求他写点东西居然要朝中显贵杨国忠替他捧砚磨墨，高力士替他脱靴。皇帝究竟是叫他写什么重要东西可以容忍我们的诗人如此大摆架子呢？人们记得，原来皇帝收到一个叫做渤海国的番国送来的信，朝廷上下没有人能识那种文字，很丢人，后来还是贺知章推荐了李白，才解决了问题。李白要帮着皇帝写回信，当然可以摆摆架子啦。

故事只是故事，不能当作历史来相信，但流放者们发现的城墙墙基，却确确实实就是渤海国首都的所在地！

我首先看到的是外城的城墙墙基，那是两米多高的夯土基座，宽达十来米，像一道天然生成的大堤坝，延绵到远处。这个基座上面，原本应有一方方巨大的砖石砌成的雄伟高墙，可惜这儿不是吴哥窟所藏身的原始森林，而是敞亮开阔的东北平原，一座废弃的城市很难保存住一点什么,能用人力拿得走的一切都被人们拿走了,一代又一代,角角落落都搜寻得干干净净,就剩下这一道泥土夯成的基座,生着草,长着树,静静地呆着。再往里走,看到了也同样是拿不走的城门台基和柱础。据说还无意地或有计划地从地下挖出过不少零星物件,蛛丝马迹集中在一起,再加上一些史料佐证,昔日都城的规模已影影绰绰地可以想见。

从遗址看,这个被称为上京龙泉府的渤海国首都由外城、内城、宫城三重环套组成,外城周长三十余里。全城由一条贯通南北的宽阔大道分成东西两区,又用十余条主要街道分隔成许多方块区域,完全是唐朝首府长安的格局和气派。京城的北半部即是统治者办公和居住的宫城,城墙周长也有五里,内中排列着五座金碧辉煌的宫殿,东墙外则是御花园,有湖泊,有亭榭,有假山。宫城中一个最完整的遗物是文献上查得到的一口井,叫"八宝琉璃井",井壁由玄武岩石砌成,几乎没有任何损坏。我在井口边上盘桓良久,想像着千余年来在它身边发生的一切。它波光一闪,就像是一只看得太多而终于看倦了的冷眼。

一路上陪着我参观的牡丹江市文化局副局长刘平先生以前曾负责过这里的发掘和管理工作,他说,从种种材料看,这座城市在公元八世纪到九世纪之间很可能是亚洲最大的都市之一,当时不仅是渤海国的百城之首,而且是东北亚地区的贸易枢纽,把遥远的长安和日本连成一条经济通道。人们从一个简单的比较就可推断出当时这座城市的繁华:这座都城西部和北部的牡丹江上竟密密地排列着五座跨江大桥的桥墩遗迹,而今,附近很大的一片土地上数万人的现代繁忙生活,只一座桥就绰绰有余,想一想,当日该是一副何等样的景象!

这样一座城市，真会消失得如此彻底?

2

现在，我正栖身在华夏版图南端一个只有一百多年历史的世界级都市里，经常站在朝北的窗口发愣。香港实在太年轻了，但是繁华的街市、花岗岩的建筑、墙角上干枯的藤萝、藤萝下满脸皱纹的老人常常使人产生一种错觉，以为这座城市出现在这里是天造地设、不言而喻的，似乎从遥远的过去到遥远的将来都应该如此，没有改动过也不会再有大的改动，要改动也只是城市里边楼多楼少、路窄路宽的内部变化而已，怎么可能设想它的整体衰落呢?把那么多人，那么多车，那么多楼赶到哪里去?在日常市井生活中，公共汽车站挪个位，整修马路要绕个道，大家都不舒服了，一定都恢复原样才安心，几乎没有人意识到这种"原样"本身的暂时性。

更麻烦的是任何一座像样的城市都有一种看不见、摸不着的社会心理规范，言语举止、步履节奏、人情世故，都与此密不可分，说得好听一点，也可以说是每座城市都有自己独特的风情。难道，这种渗透到每一条街、每一间房、每一个人浑身上下的风情也会在某一天突然烟消云散?

中国人很早之前就感悟到世事人生的变化无常，曾经有"沧海桑田"、"一枕黄粱"等词语来形容这种变化的巨大和快速，但这些词语本身就反映了这种感悟基本上停留在农业文化的范畴之内。《红楼梦》里的"好了歌"、《长生殿》里的"弹词"以及大

量咏叹兴亡的诗词当然也涉及到城市生活,但主要还是指富贵权势的短暂,而不是指城市的整体命运。

事实上,最值得现代人深思和感慨的恰恰正是城市的整体命运。

站在朝北的窗口,我想,华夏大地在数千年间曾先后出现过多少星罗棋布的城市啊,能够保持较长久生命的有几座呢?谭其骧先生曾说,如果从社会政治影响大、延续的时间长来衡量,可称为中国"大古都"的城市只有七座,这七座里又分为三等,第一等是西安、北京、洛阳;第二等是南京、开封;第三等是安阳、杭州。这个排列无疑有充分的权威性,但从今天的眼光看去,其中有好几座城市实在谈不上全国性的社会政治影响了。即使是那几座至今仍然重要和繁华的城市,其变化之大也十分惊人,除了某些古迹外,我们几乎可以把它们当作另外的城市来看待。没有列入这个名单的城市更是如此,例如扬州,它曾经是东方世界最艳丽、舒适的生活方式的集中地,请读这些诗句:

腰缠十万贯,
骑鹤上扬州。

天下三分明月,
二分独照扬州。

十年一觉扬州梦,
赢得青楼薄幸命。

　　扬州至今犹在，但经历过太平天国的熊熊战火，又随着新的交通格局代替了运河功能，它也就失去了昔日的重要和繁华。今天我们能去的，其实是另一个扬州。

　　　　这种情景，几年前我在甘肃敦煌旅行时感受更深。日本人为了拍摄电影《敦煌》，耗费巨资在沙漠中另搭了一座唐代的敦煌城。我去时他们的电影已经拍好，只把一座空城留在那里。我在空城的街道上走着，各种店铺、住屋、车辆与真的相差无几，店铺的木牌上清楚地写着各种货品和价目,每家住屋的楼梯走廊可通达一间间房间,街道纵横交错,四周城墙上旌旗飘飘。我走得好奇,走得寂寞,终于又走得惶恐。比之于今天的敦煌县城,这里更接近使之名扬千古的唐代原城,但原城的人都到哪里去了呢?空荡荡让我一个人走着,像走在梦里。是的,它在梦里,电影艺术家只是依照梦搭建了一下,而一旦被搭建它就让我们看到了另一座也被称之为"敦煌"的现代县城的某种不真实性。从一定意义上说,一座原来的敦煌已多次消失,多次入梦。

总而言之,比之于山川湖泊、大漠荒原,都市是非常脆弱的。越是热闹的东西越是脆弱,这是中国老庄哲学早就阐述过的,然而都市的热闹却是人性的汇聚,人性汇聚到如此密集的程度还依然脆弱,这不能不说是人类的一大悲剧。

除了像庞贝古城那样纯自然力的毁坏之外,致使许多城市消失的原因还在于人类自身。人类,尤其是中国人,究竟有什么深层原因使他们既迷恋城市、觊觎城市,又与城市过不去呢?

为了索解这个问题,我在香港又想起了渤海国首都。我在高楼间想着废墟,在昔日荒凉的渔村想着昔日喧腾的华都,在一百多年后的热闹中想到一千多年前的热闹,在波光浩淼的吐露港海湾想着荒草丛中的那口八宝琉璃井。虽然相隔遥远,但香港毕竟是现代大都市,它拥有很多规模宏大、收藏齐备的图书馆,可以为我提供在徘徊废墟时得不到的资料。经过长时间的爬剔搜寻,我终于知道有关渤海国的历史资料少而又少。《旧唐书》、《新唐书》里有一些大同小异的记载,日本和朝鲜也保存了一些零星的旁佐性资料,而它自己的记录文件则已湮没得一件不剩,就像一名没有留下任何日记和自述的亡故者,只能靠周围邻居的零落记忆来拼合他的生命过程。

　　我从资料中知道,渤海国是当时东北大地上受盛唐文明影响最大,因此也是最先进的一个自治藩国。可以想象,刚刚从一种比较原始的游牧生态走过来的部落,要不要接受当时也许是世界上最高文明之一的盛唐文明,是会经历一番长期而艰苦的斗争的。翻来覆去斗争了好多年,终于以先进战胜保守,以文明战胜落后,在大仁秀时期(公元八一七至八三〇年)达到鼎盛,世称"海东盛国",其首都与唐朝长安一东一西地并立于世。但是,切莫乐观,先进真的战胜了保守吗?文明真的战胜了落后吗?未必。达尔文的进化论一搬到社会历史上来常常碰壁。"海东盛国"太招眼,太容易引起周围人们的忌恨了,它与唐朝的亲密交往也太让别的游牧部落看不惯了,它所汇集的财富太让人眼红了,它拥挤的街市太能够刺激别人的占领欲了,它播扬四海的赫赫大名太能煽起别人要来吞食它的野心了。于是,它最强盛的时期也就是它最脆弱的时期,千万不要为万众瞻仰而高兴,看看瞻仰者的眼神吧,最严重的危机已在那里埋伏。大仁秀时期才过去一百年,公元九二六年,渤海国竟一下子被契丹所灭,像是一出有声有色的戏突然来了一个出人意料的结尾,但仔细一想,这个结尾也是合乎逻辑的。

　　既然拥有如此强大的盛唐文明,怎么还会被游牧民族所灭呢?提出这个问题的朋友未免天真。不管哪一种文明在最粗浅的层面上是无法与野蛮相抗衡的,"秀才遇到兵"的可悲情景会频频出现。遥远的唐朝有时可以在实力上帮点忙,但也十分有限。唐朝自身也经历着复杂的内部斗争,后来自己也灭亡了,怎么帮得上呢?因此,渤海国中主张接受盛唐文明的先进分子注定是孤独的悲剧人物。他们很可能被说成是数典忘祖的"亲唐派"，而唐朝却又不会把他们看作自己人。在这一点上，唐玄宗时期渤海国的大门艺就是一个典型的例子。他的哥哥一度是渤海国的统治者，一直想与唐朝作对，他争执几次无效，就逃到唐朝来了。哥哥便与唐朝廷交涉，说我弟弟大门艺对抗军令躲到了你们这儿，你们应该帮我把他杀了。唐玄宗派几名外交官到渤海国，对那位哥哥说，大门艺走投无路来找我，我杀掉他说不过去，但你的意思我们也该尊重，因此已把他流放到烟瘴之地岭南。本来事情也就过去了，不想那几个外交官在渤海国住的时间长了说漏了嘴，透露出大门艺并未被流放。于是那位哥哥火了，写信给唐玄宗表示抗议，唐玄宗只得把几个外交官处分了。司马光在《资治通鉴》中对此事曾作过有趣的批评，大意是说：唐朝对于自己的隶属国应该靠威信来使它们心悦诚服。渤海国那位弟弟为了阻止一场反唐战争来投靠你，你应该有胆量宣告他是对的，没有罪，而哥哥则是错的，即便不去讨伐，也要是非分明。不想唐玄宗既没有能力制服那位哥哥，又不能堂堂正正地保护那位弟弟，竟然像市井小人一样耍弄骗人伎俩，结果被人反问得抬不起头来，只好对自己的外交官不客气，实在是丢人现眼。(参见《资治通鉴》卷二一三)司马光说得很好，但这位历史学家应该知道，一切政治家都是现实主义者，至少他们中的大多数都不会为一种远离自己的文明和文化而付出太大的代价。那位叫做大门艺的弟弟只能在长安城里躲躲藏藏，他为故乡都城的文明而奋斗，但故乡的都城却容不了他。后来，渤海国由于自身的改朝换代进一步走向了文明，但这样一来渤海国本身也就成了那位弟弟，因高度的文明而走向孤单，走向脆弱，走向无援。

　　不错,走向了文明的渤海国首都城墙内已经形成了一种强韧的心理规范和社会秩序,还不至于很快就退化,但野蛮者对此有自己的办法。契丹人占领渤海国首都之后,先是尽情地抢掠了一番,后来发现一座城市是一种无形的情绪的集中,一种文化默契的定型,哪怕是无声的砖石檐墙、大街通衢也会构成一种强大的故国之思和复仇意念,要去捕捉却又不知去向,以为没有了却又弥漫四周。契丹人恼怒了又胆怯了,胆怯与野蛮一结合总能做出世间第一等的大坏事,他们下令腾出首都,举国南迁,逃开这些街道和楼宇,拆散这些情绪和气氛,然后放一把大火把这座都城

彻底烧毁。

　　我们现在无法描述那场大火，无法想像一座亚洲大都市全部投入火海之后的怕人情景，无法猜度那无数过惯了大城市繁华生活的渤海人被迫拖儿带女跟跄南下时回头看这场大火时的心情和眼光。记得当地考古工作者告诉我，发掘遗址时，总能看到一些砖块、瓦片、石料这些不会熔化的东西竟然被烧得黏结在一起，而巨大的路石也因被火烧烤而断裂。这场火看来实在是不小，不知前后烧了多长时间。我伸头看过的那口八宝琉璃井的井水，当时一定是烧沸了的，那么，远远滋润着它的无数水源也都会连带着燥热起来，在地下蒸腾。但是蒸腾也就蒸腾罢了，过不了多久，一切又重新冷却，朔北的长风把最后一缕火焦味吹走了，厚厚的冰雪抹去了这块土地上的任何一点热量，似乎一切都没有发生过。从渤海国南迁的人四处散落，几代之后，连一个渤海人的后裔也难于找到了。

我们仍然只能说，历史，曾经在这块荒凉的土地上做过一个有关城市的梦。梦很快就碎了，醒来一片荒凉。

3

中国的其他城市，遭遇并不像渤海国的首都那样惨烈，但在社会心理气氛的处境上，又有相同之处。

《淮南子·原道训》说："鲧筑城以卫君，造郭以居人，此城郭之始也。"可见中国最早的城郭的建造主要是想达到"卫君"和"居人"这两项目的，因此随之具备了政治、军事、经济上的多方面价值，乍一看是十分强大的。但是从更本质的层面上看，辽阔的华夏大地从根子上所浸润的是一种散落的农业文明，城市的出现是一种高度集中的非农业社会运动，因此是这块土地的反叛物。这种本质对立，使城市命中注定会遇到很多麻烦。从一时一地看，城市远比农村优越；但从更广阔的视野上看，中国的农村要强大得多。

例如，城市不直接从事农业生产，但又必须吸纳大量的农产品。它离不开农村，而农村却又未必需要它。一座发育健全的都

市需要有自己发达的手工业和商业，有了发达的手工业和商业，它也就有了存在于世的充分理由，农村也离不开它了。但在中国古代城市里，手工业一直得不到长足的发展，即使有一点也与农村里的小作坊差不了多少，商业更受到传统文化观念的歧视，从商的赚了钱不干别的事，或者捐官，或者买地，仍然支付给官僚农业文明，而并不给商业本身带来多少积累。因此中国的城市可说是一种难以巍然自立的存在，很难对农村保持长久的优势。《红楼梦》中的农妇刘姥姥进几趟城，逛几趟大观园，歆羡万状，但贾府的财富来源，一是靠宫廷赏赐，二是靠田庄奉献，而宫廷赏赐一项不仅极不可靠而且入不敷出，主要还是靠田庄。让田庄支撑这么个大场面毕竟难乎其难，政治靠山一动摇只得全盘散架。城市里最富足、最有资历的府宅尚且如此，整个城市的脆弱性也可想而知。最后，连炙手可热的王熙凤的女儿，也只得靠乡下人刘姥姥来救助。

　　中国城市的寄生性从反面助长了"种瓜得瓜，种豆得豆"式的简单农业思维，在农民眼中，不直接从事农业生产而拥有财富的人，大抵是不义之人，因此需要定期地把自己直接生产的财富抢回来，农民起义军一次次攻陷城池，做的就是这件事。中国农民历来认为，在乡间打家劫舍是盗贼行径，而攻陷城池则是大快人心的壮举。城市本身的不健全，加上辽阔的农村对它的心理对抗，它也就变得更加没有自信。许多城里人都是从乡间来的，他们也对城市生态产生怀疑，有一种强烈的"客居"感，思想方式还是植根于农业文明。一个最浅近的例子，是直到今天小学语文课本里还可能收录着的宋代张俞的那首绝句：

昨日入城市，
归来泪满巾；
遍身罗绮者，
不是养蚕人！

照这首诗的逻辑，只有让养蚕人穿着遍身锦罗，种田人独享一切农产品才算合理。"遍身罗绮者，不是养蚕人"是一种极其正常的城市逻辑，一点不值得惊异，但让农村眼光的人看来却曾产生如此强烈的情感反应：竟然是"泪满巾"！首句"昨日入城市"非常确实地点明了诗作与城市的对立情绪，很有文化研究的价值。从前这首诗常被引伸为具有阶级反抗情绪，那是搞错了的，张俞本人也不会同意。有意思的是这首十分矫情的小诗竟然闹得一切受过初等教育的现代中国人都会背诵,诗中所传达的乡下人冷眼看城市的心态变成了中国的习惯心态。这些年来,我还经常听那些被家长打扮得完全达到国际大都市时髦水平的小孩,奶声奶气又强作悲愤状地背诵这首诗,心中就默默祈祷:什么时候,换一首吧!

连城市的普通生活形态也受到如此的抗拒和谴责,当然更谈不上对城市心理规则的弘扬了。中国历史上很难举得出一批真正的城市思想家。读古希腊、罗马文献,看到那些政治家、思想家一开口就朗声朗气地呼唤:"雅典城的公民们!""罗马城的公民们!"在中国古代就缺少这种呼唤声。第一个真正具备城市意识的思想家,我觉得是龚自珍,那就出现得太晚了,而且他也未能让自己的声音占领任何一座城市。

在农业社会里人们都归之于千篇一律的生产命题,因此虽然分散却思维同一;城市正相反,近在咫尺却生态各异,紧密汇集却纷纭多元。这种多元汇聚又提出了各种各样的生活需要,使城市生活变得琳琅满目;这种多元汇聚还会造成不同信息的快速沟通,使城市人成为视野开阔、思维敏捷、选择机会繁多的一群;这种多元汇聚更形成一种价值比照,使城市人对生活的质量、人生的取向、社会的走势、政局的安危产生了一种远远高于农村流散状态的比较和判断。这样一来,城市人成了中国社会中十分违背传统教化原则的人文群落,无论是对农民还是对统治者来说,都觉得不好对付。城市意识,也几乎成了异端邪说,尤其是到了中国近代,列强的武力和国际文明同时进入沿海都市之后,城市意识里又自然而然地融化进国际价值坐标和现代商业原则,更是根深蒂固的中国农业文明所难以容忍的了。两种文明的搏斗，从上世纪延续到本世纪，越演越烈。城市文明滋长得十分艰难又十分顽强，而农业文明的包围和反击则更加厉害。

现代中国城市经常领受到企图疏散城市元气的非城市化运动。或者按照农村的村落重新组织城市的居民社区，出现了大量"城市里的乡村"；或者让城市居民和工厂成批地下放到农村，把城市一点点剥蚀。直到本世纪六十年代末期，这种非城市化运动达到高潮。为了引导城市居民离开城市，曾经提出过"不在城里吃闲饭"的著名口号，这个口号包含着对城市生活的无知和蔑视，是一种把直接的农业生产看成创造财富的唯一手段的小农观念在作祟。紧接着，就出现了驱赶所有城市里的青年学生到农村去的全国性运动。这个运动之所以与知识分子支援边疆建设完全是两码事，在于它把所有的青年学生的全部人生道路都划给了农村，因此也就否定了城市在知识层面上有延续和继承的必要性，进而否定了城市存在的必要性。当时，每一所中学的毕业生都要下乡，每一家的子女都要下乡，而且都是终身性的下乡，城里剩下的只是中老年和因病实在无法下乡的青年。要是这个运动不结束，而是真的成了当时所说的"基本国策"，那么不要很多年，一座座城市不再会存在任何有生力量。苦苦思念着乡间儿孙的老人一批批死去，城里还会留下什么人呢?街道还在，楼房还在，但已成了沙漠里搭建起来的那座"敦煌"，作为一座城市已不复存在。城市消亡了，消亡在现代，消亡在强悍的小农意识的侵凌中。这一运动使广大知识青年遭受的可怖悲剧现在已经人所共知，但更为可怖的悲剧却是它直接指向着城市的消亡。幸好这一运动只延续了十年，而新时期的一个突出标志恰恰正是各个城市的自我强固,同时又在中国广大农村中渐渐渗入某种城市生态和城市意识的元素,使城市的伟力有可能来滋润万里山川。城市,终究是中国现代化的据点。

也许不是危言耸听:我们,真的躲过了一场使无数城市陷于消亡的现代灾难。须知,这些灾难一旦构成,可能是中国本世纪以来最大的倒退。

但是我们又不能过于乐观。现代城市意识在中国的崛起和普及殊非易事,有许多方面我们还需要从启蒙开始。城市的一时繁荣并不等于城市秩序的形成, 更不等于城市文明的建立。

城市文明以密集的人群为前提,因此必须呈现出一种立体构架,一层一层地分列出社会文化价值等级,并以此为依据进行有秩序的操作。没有这个构架,人群的密集会产生反面效应,这是我们以往经常看到的事实。在乱哄哄的拥挤中,哪怕是一句没有来由的流言也会翻卷成一种情绪激潮,造成灾难性的后果。中国近代以来, 一切人为的大灾难几乎都产生于城市, 便是这个道理。没有构架,那些搬弄是非、兴风作浪的好事之徒就会在人群中如鱼得水,而城市的优秀分子却会陷身于市井痞子、外来冒险家、赌徒暴发户的包围之中,无法展现自身优势,至于为数不多的可以作为城市灵魂的大智者则更会被一片市嚣所淹没。没有构架, 他们是脆弱的; 没有他们, 城市是脆弱的。

不能设想,古希腊的雅典没有亚里士多德,文艺复兴时期的伦敦没有莎士比亚,法国大革命时期的巴黎没有雨果。他们是城市的精神主宰,由他们伸发开去,一座城市的行为法则和思维默契井然有序,就像井然有序的城市交通网络和排水系统。中国也拥有过高水平的思想文化大师,但他们为了逃避无秩序的拥挤,大多藏身于草堂、茅庵、精舍，大不了躲在深山里讲学，主持着岳麓书院或白鹿洞书院，与城市关系不大。这个传统，致使我们直到今天还无法对城市文明作出高层面的把持和阐扬，而多数成功的艺术作品更是以农村或小镇为表现基点。

因此，突然热闹起来了的中国城市，还没有从根本上摆脱它们天生的脆弱性。因此，我们还不能说，今天的中国城市已经完成了对数千年的封建观念和小农意识的战胜。

城市，还有被消蚀的可能。

4

就我个人而言，有时也会被身边的烦嚣搅得头昏脑胀，很想躲开城市，进而对呼唤城市文明的必要性产生怀疑。尤其是不少西方城市人已经提出"回归自然"的口号，我们是否一定要去钻进别人已想钻出的怪圈？

由此，我又想起了发现渤海国遗迹的清代流放者们。他们被城市放逐了，离别城市那天还涕泪交加，现在突然看到一个大都市的废墟，他们会作何感想？我想，他们大多会从废墟中领悟城市里功名的无聊，从而获得平静和超越，减轻心头的苦痛。

记得离开渤海国废墟后我们去了不远处的镜泊湖。面对着镜泊湖宁谧的美景，我曾想：废墟傲视着一时功名的短暂，而镜泊湖则又进一步傲视着废墟的短暂。渤海国的废墟存在了一千多年，而镜泊湖至少已存在了一万多年。废墟是以往功业的遗留，镜泊湖完全离开了功业，因此也没有废墟，永远是一派青春、一派妩媚，妩媚了上万年也不见老，被它妩媚过的建功立业者都一一化作了尘土，而它还是妩媚着。像镜泊湖一样冷清和漠然，多好。

这么一想，我似乎获得了全然解脱，就像老庄哲学曾经给过我的，但很快我又感到了这种解脱的虚假性。有血有肉的人不可能真的把自己等同于万古湖山，事实上我就连在镜泊湖住上较长时间也会因寂寞、孤独而无法适应。我尽管喜欢安静、崇尚自然，却绝不会做隐士。作为一个现代人，我更渴望着无数生命散发出的蓬勃热能。与其长时间地遁迹山林，还不如承受熙熙攘攘的人群、匆匆忙忙的脚步，以及那既熟悉又陌生的无数面影。我绝不会皱着眉装出厌恶世人拥挤的表情来自命清雅，而只是一心企待着早晨出门，街市间一连几个不相识的人向我道一声"早"，然后让如潮的人流把我溶化。

说到底，我是一个世俗之人，我热爱城市。

我对城市的热爱，当然也包含着对它的邪恶的承认。城市的邪恶是一种经过集中、加温、发酵，然后又进行了一番装扮的邪恶，因而常常比山野乡村间的邪恶更让人反胃；但是，除非有外力的侵凌，城市的邪恶终究难于控制全局、笼罩街市，街市间顽强地铺展着最寻常的世俗生活。因此，我们即便无法消灭邪恶也能快步走过它，几步之外就是世俗人性的广阔绿洲。每天都这么走，走过邪恶，走向人性，走向人类的大拥挤和大热闹。

苏东坡突围

1

　　住在这远离闹市的半山居所里，安静是有了，寂寞也来了，有时还来得很凶猛，特别在深更半夜。只得独个儿在屋子里转着圈，拉下窗帘，隔开窗外壁立的悬崖和翻卷的海潮，眼睛时不时地瞟着床边那乳白色的电话。它竟响了，急忙冲过去，是台北《中国时报》社打来的，一位不相识的女记者，说我的《文化苦旅》一书在台湾销售情况很好，因此要作越洋电话采访。问了我许多问题，出身、经历、爱好，无一遗漏。最后一个问题是："在中国文化史上，您最喜欢哪一位文学家?"我回答：苏东坡。她又问："他的作品中，您最喜欢哪几篇?"我回答：在黄州写赤壁的那几篇。记者小姐几乎没有停顿就接道："您是说《念奴娇·赤壁怀古》和前、后《赤壁赋》?"我说对，心里立即为苏东坡高兴，他的作品是中国文人的通用电码，一点就着，那怕是半山深夜、海峡阻隔、素昧平生。

　　放下电话，我脑子中立即出现了黄州赤壁。去年夏天刚去过，印象还很深刻。记得去那儿之前，武汉的一些朋友纷纷来劝阻，理由是著名的赤壁之战并不是在那里打的，苏东坡怀古怀错

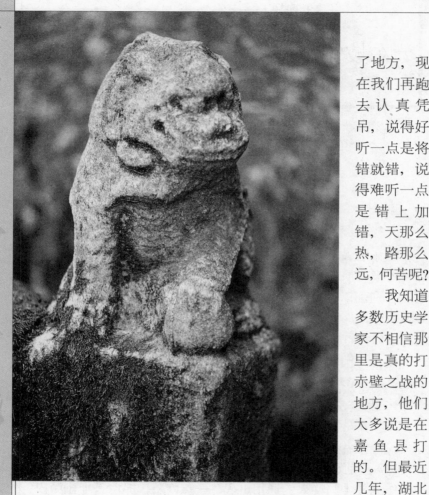

了地方，现在我们再跑去认真凭吊，说得好听一点是将错就错，说得难听一点是错上加错，天那么热，路那么远，何苦呢？

我知道多数历史学家不相信那里是真的打赤壁之战的地方，他们大多说是在嘉鱼县打的。但最近几年，湖北省的几位中青年历史学家持相反意见，认为苏东坡怀古没怀错地方，黄州赤壁正是当时大战的主战场。对于这个论争我一直兴致勃勃地关心着，不管争论前景如何，黄州我还是想去看看的，不是从历史的角度看古战场的遗址，而是从艺术的角度看苏东坡的情怀。大艺术家即便错，也会错出魅力来。好像王尔德说过，在艺术中只有美丑而无所谓对错。

　　于是我还是去了。

　　这便是黄州赤壁。赭红色的陡峭石坡直逼着浩荡东去的大江，坡上有险道可以攀登俯瞰，江面有小船可供荡桨仰望，地方不大，但一俯一仰之间就有了气势，有了伟大与渺小的比照，有了视觉空间的变异和倒错，因此也就有了游观和冥思的价值。客观景物只提供一种审美可能，而不同的游人才使这种可能获得不同程度的实现。苏东坡以自己的精神力量给黄州的自然景物注入了意味，而正是这种意味，使无生命的自然形式变成美。因此不妨说，苏东坡不仅是黄州自然美的发现者，而且也是黄州自然美的确定者和构建者。

　　但是，事情的复杂性在于，自然美也可倒过来对人进行确定和构建。苏东坡成全了黄州 ，黄州也成全了苏东坡，这实在是一种相辅相成的有趣关系。苏东坡写于黄州的那些杰作，既宣告着黄州进入了一个新的美学等级，也宣告着苏东坡进入了一个新的人生阶段，两方面一起提升，谁也离不开谁。

　　苏东坡走过的地方很多，其中不少地方远比黄州美丽，为什么一个僻远的黄州能给他如此巨大的惊喜和震动呢?他为什么能把如此深厚的历史意味和人生意味投注给黄州呢?黄州为什么能够成为他一生中最重要的人生驿站呢?这一切，决定于他来黄州的原因和心态。

　　他从监狱里走来，他带着一个极小的官职，实际上以一个流放罪犯的身份走来，他带着官场和文坛泼给他的浑身脏水走来，他满心侥幸又满心绝望地走来。他被人押着，远离自己的家眷，没有资格选择黄州之外的任何一个地方,朝着这个当时还很荒凉的小镇走来。

他很疲倦,他很狼狈,出汴梁,过河南,渡淮河,进湖北,抵黄州,萧条的黄州没有给他预备任何住所,他只得在一所寺庙中住下。他擦一把脸,喘一口气,四周一片静寂,连一个朋友也没有,他闭上眼睛摇了摇头。他不知道,此时此刻,他完成了一次永载史册的文化突围。黄州,注定要与这位伤痕累累的突围者进行一场继往开来的壮丽对话。

2

人们有时也许会傻想,像苏东坡这样让中国人共享千年的大文豪,应该是他所处的时代的无上骄傲,他周围的人一定会小心地珍惜他,虔诚地仰望他,总不愿意去找他的麻烦吧?事实恰恰相反,越是超时代的文化名人,往往越不能相容于他所处的具体时代。中国世俗社会的机制非常奇特,它一方面愿意播扬和轰传一位文化名人的声誉,利用他、榨取他、引诱他,另一方面从本质上却把他视为异类,迟早会排拒他、糟践他、毁坏他。起哄式的传扬,转化为起哄式的贬损,两种起哄都起源于自卑而狡黠的觊觎心态,两种起哄都与健康的文化氛围南辕北辙。

苏东坡到黄州来之前正陷于一个被文学史家称为"乌台诗狱"的案件中,这个案件的具体内容是特殊的,但集中反映了文化名人在中国社会中的普遍遭遇,很值得说一说。搞清了这个案件中各种人的面目,才能理解苏东坡到黄州来究竟是突破了一个什么样的包围圈。

　　为了不使读者把注意力耗费在案件的具体内容上,我们不妨先把案件的底交代出来。即便站在朝廷的立场上,这也完全是一个莫须有的可笑事件。一群大大小小的文化官僚硬说苏东坡在很多诗中流露了对政府的不满和不敬,方法是对他诗中的词句和意象作上纲上线的推断和诠释,搞了半天连神宗皇帝也不太相信,在将信将疑之间几乎不得已地判了苏东坡的罪。

　　在中国古代的皇帝中,宋神宗确实是不算坏的,在他内心并没有迫害苏东坡的任何企图 ,他深知苏东坡的才华,他的祖母光献太皇太后甚至竭力要保护苏东坡,而他又是尊重祖母的,在这种情况下,苏东坡不是非常安全吗?然而,完全不以神宗皇帝和太皇太后的意志为转移,名震九州、官居太守的苏东坡还是下了大狱。这一股强大而邪恶的力量,就很值得研究了。

　　这件事说来话长。在专制制度下的统治者也常常会摆出一种重视舆论的姿态,有时甚至还设立专门在各级官员中找岔子、寻毛病的所谓谏官,充当朝廷的耳目和喉舌。乍一看这是一件好事,但实际上弊端甚多。这些具有舆论形象的谏官所说的话,别人无法申辩,也不存在调查机制和仲裁机制,一切都要赖仗于他们的私人品质,但对私人品质的考察机制同样也不具备,因而所谓舆论云云常常成为一种歪曲事实、颠倒是非的社会灾难。这就像现代的报纸如果缺乏足够的职业道德又没有相应的法规制约,信马由缰,随意褒贬,受伤害者无处可以说话,不知情者却误以为白纸黑字是舆论所在,这将会给人们带来多大的混乱!苏东坡早就看出这个问题的严重性,认为这种不受任何制约的所谓舆论和批评,足以改变朝廷决策者的心态,又具有很大的政治杀伤力

（"言及乘舆，则天子改容，事关廊庙，则宰相待罪"），必须予以警惕，但神宗皇帝由于自身地位的不同无法意识到这一点。没想到，正是苏东坡自己尝到了他预言过的苦果，而神宗皇帝为了维护自己尊重舆论的形象，当批评苏东坡的言论几乎不约而同地聚合在一起时，他也不能为苏东坡讲什么话了。

那么，批评苏东坡的言论为什么会不约而同地聚合在一起呢?我想最简要的回答是他弟弟苏辙说的那句话："东坡何罪?独以名太高。"他太出色、太响亮，能把四周的笔墨比得十分寒碜，能把同代的文人比得有点狼狈，引起一部分人酸溜溜的嫉恨，然后你一拳我一脚地糟践，几乎是不可避免的。在这场可耻的围攻中，一些品格低劣的文人充当了急先锋。

例如舒亶。这人可称之为"检举揭发专业户"，在揭发苏东坡的同时他还揭发了另一个人，那人正是以前推荐他做官的大恩人。这位大恩人给他写了一封信，拿了女婿的课业请他提意见、辅导，这本是朋友间正常的小事往来，没想到他竟然忘恩负义地给皇帝写了一封莫名其妙的检举揭发信，说我们两人都是官员，我又在舆论领域，他让我辅导他女婿总不大妥当。皇帝看了他的检举揭发，也就降了那个人的职。这简直是东郭先生和狼的故事。就是这么一个让人恶心的人，与何正臣等人相呼应，写文章告诉皇帝，苏东坡到湖州上任后写给皇帝的感谢信中"有讥切时事之言"。苏东坡的这封感谢信皇帝早已看过，没发现问题，舒亶却苦口婆心地一款一款分析给皇帝听，苏东坡正在反您呢，反得可凶呢，而且已经反到了"流俗翕然，争相传诵，忠义之士，无不愤惋"的程度!"愤"是愤苏东坡，"惋"是惋皇上。有多少忠义之士在"愤惋"呢?他说是"无不"，也就是百分之百，无一遗漏。这种数量统计完全无法验证，却能使注重社会名声的神宗皇帝心头一咯噔。

又如李定。这是一个曾因母丧之后不服孝而引起人们唾骂的高官，对苏东坡的攻击最凶。他归纳了苏东坡的许多罪名，但我仔细鉴别后发现，他

特别关注的是苏东坡早年的贫寒出身，现今在文化界的地位和社会名声。这些都不能列入犯罪的范畴，但他似乎压抑不住地对这几点表示出最大的愤慨。说苏东坡"起于草野垢贱之余"、"初无学术，滥得时名"、"所为文辞，虽不中理，亦足以鼓动流俗"等等，苏东坡的出身引起他的不服且不去说它，硬说苏东坡不学无术、文辞不好，实在使我惊讶不已了。但他不这么说也就无法断

言苏东坡的社会名声和世俗鼓动力是"滥得"。总而言之，李定的攻击在种种表层动机下显然埋藏着一个最深秘的元素：妒忌。无论如何，诋毁苏东坡的学问和文采毕竟是太愚蠢了，这在当时加不了苏东坡的罪，而在以后却成了千年笑柄。但是妒忌一深就会失控，他只会找自己最痛恨的部位来攻击，已顾不得哪怕是装装样子的可信性和合理性了。

又如王圭。这是一个跋扈和虚伪的老人。他凭着资格和地位自认为文章天下第一，实际上他写诗作文绕来绕去都离不开"金玉锦绣"这些字眼，大家暗暗掩口而笑，他还自我感觉良好。现在，一个后起之秀苏东坡名震文坛，他当然要想尽一切办法来对付。有一次他对皇帝说："苏东坡对皇上确实有二心。"皇帝问："何以见得？"他举出苏东坡一首写桧树的诗中有"蛰龙"二字为证，皇帝不解，说："诗人写桧树，和我有什么关系？"他说："写到了龙还不是写皇帝吗？"皇帝倒是头脑清醒，反驳道："未必，人家叫诸葛亮还叫卧龙呢！"这个王圭用心如此低下，文章能好到哪儿去呢？更不必说与苏东坡来较量了。几缕白发有时能够冒充师长、掩饰邪恶，却欺骗不了历史。历史最终也没有因为年龄把他的名字排列在苏东坡的前面。

又如李宜之。这又是另一种特例，做着一个芝麻绿豆小官，在安徽灵璧县听说苏东坡以前为当地一个园林写的一篇园记中有劝人不必热衷于做官的词句，竟也写信给皇帝检举揭发，并分析说这种思想会使人们缺少进取心，也会影响取士。看来这位李宜之除了心术不正之外，智力也大成问题，你看他连诬陷的口子都找得不伦不类。但是，在没有理性法庭的情况下，再愚蠢的指控也能成立，因此对散落全国各地的李宜之们构成了一个鼓励。

为什么档次这样低下的人也会挤进来围攻苏东坡?当代苏东坡研究者李一冰先生说得很好: "他也来插上一手, 无他, 一个默默无闻的小官, 若能参加一件扳倒名人的大事, 足使自己增重。" 从某种意义上说, 他的这种目的确实也部分地达到了, 例如我今天写这篇文章竟然还会写到李宜之这个名字, 便完全是因为他参与了对苏东坡的围攻, 否则他没有任何理由被哪怕是同一时代的人写在印刷品里。我的一些青年朋友根据他们对当今世俗心理的多方位体察, 觉得李宜之这样的人未必是为了留名于历史, 而是出于一种可称作 "砸窗子" 的恶作剧心理。晚上, 一群孩子站在一座大楼前指指点点, 看谁家的窗子亮就捡一块石子扔过去, 谈不上什么目的, 只图在几个小朋友中间出点风头而已。我觉得我的青年朋友们把李宜之看得过于现代派, 也过于城市化了。李宜之的行为主要出于一种政治投机, 听说苏东坡有点麻烦, 就把麻烦闹得大一点, 反正对内不会负道义责任, 对外不会负法律责任, 乐得投井下石, 撑顺风船。这样的人倒是没有胆量像李定、舒亶和王圭那样首先向一位文化名人发难, 说不定前两天还在到处吹嘘在什么地方有幸见过苏东坡, 硬把苏东坡说成是自己的朋友甚至老师呢。

又如——我真不想写出这个名字, 但再一想又没有讳避的理由, 还是写出来吧: 沈括。这位在中国古代科技史上占有不小地位的著名科学家也因嫉妒而陷害过苏东坡, 用的手法仍然是检举揭发苏东坡的诗中有讥讽政府的倾向。如果他与苏东坡是政敌, 那倒也罢了, 问题是他们曾是好朋友, 他所检举揭发的诗句, 正是苏东坡与他分别时手录近作送给他留作纪念。这实在太不是味道了。历史学家们分析, 这大概与皇帝在沈括面前说过苏东坡的好话有关,沈括心中产生了一种默默的对比,不想让苏东坡的文化地位高于自己。另一种可能是他深知王安石与苏东坡政见不同,他投注投到了王安石一边。但王安石毕竟也是一个讲究人品的文化大师,重视过沈括,但最终却得出这是一个不可亲近的小人的结论。当然,在人格人品上的不可亲近,并不影响我们对沈括科学成就的肯定。

围攻者还有一些,我想举出这几个也就差不多了,苏东坡突然陷入困境的原因已经可以大致看清,我们也领略了一组有可能超越时空的"文化群小"的典型。他们中的任何一个人要单独搞倒苏东坡都是很难的,但是在社会上没有一种强大的反诽谤、反诬陷机制的情况下 ,一个人探头探脑的冒险会很容易地招来一堆凑热闹的人,于是七嘴八舌地组合成一种伪舆论,结果连神宗皇帝也对苏东坡疑惑起来,下旨说查查清楚,而去查的正是李定这些人。

苏东坡开始很不在意。有人偷偷告诉他,他的诗被检举揭发了,他先是一怔,后来还潇洒、幽默地说:"今后我的诗不愁皇帝看不到了。"但事态的发展却越来越不潇洒,一〇七九年七月二十八日,朝廷派人到湖州的州衙来逮捕苏东坡,苏东坡事先得知风声,立即不知所措。文人终究是文人,他完全不知道自己犯了什么罪,从气势汹汹的样子看,估计会处死,他害怕了,躲在后屋里不敢出来,朋友说躲着不是办法,人家已在前面等着了,要躲也躲不过。正要出来他又犹豫了,出来该穿什么服装呢?已经犯了罪,还能穿官服吗?朋友说,什么罪还不知道,还是穿官服吧。苏东坡终于穿着官服出来了,朝廷派来的差官装模作样地半天不说话,故意要演一个压得人气都透不过来的场面出来。苏东坡越来越慌张，说："我大概把朝廷惹恼了，看来总得死，请允许我回家与家人告别。"差官说："还不至于这样。"便叫两个差人用绳子捆扎了苏东坡，像驱赶鸡犬一样上路了。家人赶来，号啕大哭，湖州城的市民也在路边流泪。

　　长途押解，犹如一路示众，可惜当时几乎没有什么传播媒介，沿途百姓不认识这就是苏东坡。贫瘠而愚昧的国土上，绳子捆扎着一个世界级的伟大诗人，一步步行进。苏东坡在示众，整个民族在丢人。

　　全部遭遇还不知道半点起因。苏东坡只怕株连亲朋好友，在途经太湖和长江时都想投水自杀，由于看守严密而未成。当然也很可能成，那么，江湖淹没的将是一大截特别明丽的中华文明。文明的脆弱性就在这里，一步之差就会全盘改易，而把文明的代表者逼到这一步之差境地的则是一群小人。一群小人能做成如此大事，只能归功于中国的独特国情。

　　小人牵着大师，大师牵着历史。小人顺手把绳索重重一抖，于是大师和历史全都成了罪孽的化身。一部中国文化史，有很长时间一直把诸多文化大师捆押在被告席上，而法官和原告，大多是一群群挤眉弄眼的小人。

　　究竟是什么罪?审起来看!

　　怎么审?打!

　　一位官员曾关在同一监狱里，与苏东坡的牢房只有一墙之隔，他写诗道：

遥怜北户吴兴守，
诟辱通宵不忍闻。

通宵侮辱、摧残到了其他犯人也听不下去的地步，而侮辱、摧残的对象竟然就是苏东坡!

请允许我在这里把笔停一下。我相信一切文化良知都会在这里颤栗。中国几千年间有几个像苏东坡那样可爱、高贵而有魅力的人呢?但可爱、高贵、魅力之类往往既构不成社会号召力也构不成自我卫护力，真正厉害的是邪恶、低贱、粗暴，它们几乎战无不胜、攻无不克、所向无敌。现在，苏东坡被它们抓在手里搓捏着，越是可爱、高贵、有魅力，搓捏得越起劲。温和柔雅如林间清风、深谷白云的大文豪面对这彻底陌生的语言系统和行为系统，不可能作任何像样的辩驳，他一定变得非常笨拙，无法调动起码的言词，无法完成简单的逻辑。他在牢房里的应对，绝对比不过一个普通的盗贼。因此审问者们愤怒了也高兴了，原来这么个大名人竟是草包一个，你平日的滔滔文辞被狗吃掉了?看你这副熊样还能写诗作词?纯粹是抄人家的吧!接着就是轮番扑打，诗人用纯银般的嗓子哀号着，哀号到嘶哑。这本是一个只需要哀号的地方，你写那么美丽的诗就已荒唐透顶了，还不该打。打，打得你淡妆浓抹，打得你乘风归去，打得你密州出猎!

开始，苏东坡还试图拿点儿正常逻辑顶几句嘴，审问者咬定他的诗里有讥讽朝廷的意思，他说:"我不敢有此心，不知什么人有此心，造出这种意思来。"一切诬陷者都喜欢把自己打扮成某种"险恶用心"的发现者，苏东坡指出，他们不是发现者而是制造者，应该由他们自己来承担。但是，苏东坡的这一思路招来了更凶猛的侮辱和折磨，当诬陷者和办案人完全合成一体、串成一气时，只能这样。终于，苏东坡经受不住了，经受不住日复一日、通宵达旦的连续逼供，他想闭闭眼、喘口气，唯一的办法就是承认。于是，他以前的诗中有"道旁苦李"，是在说自己不被朝廷重视；诗中有"小人"字样，是讥刺当朝大人；特别是苏东坡在杭州做太守时兴冲冲去看钱塘潮，回来写了咏弄潮儿的诗"吴儿生长狎涛渊"，据说竟是在影射皇帝兴修水利!这种大胆联想，连苏东坡这位浪漫诗人都觉得实在不容易跳跃过去，因此在承认时还不容易"一步到位"，审问者有本事耗时间一点点逼过去。案卷记录上经常出现的句子是："逐次隐讳，不说情实，再勘方招。"苏东坡全招了，同时他也就知道必死无疑了。试想，把皇帝说成"吴儿"，把兴修水利说成玩水，而且在看钱塘潮时竟一心想着写反诗，那还能活?

　　他一心想着死。他觉得连累了家人，对不起老妻，又特别想念弟弟。他请一位善良的狱卒带了两首诗给苏辙，其中有这样的句子："是处青山可埋骨，他时夜雨独伤神，与君世世为兄弟，又结来生未了因。"埋骨的地点，他希望是杭州西湖。

　　不是别的，是诗句，把他推上了死路。我不知道那些天他在铁窗里是否抱怨甚至痛恨诗文。没想到，就在这时，隐隐约约地，一种散落四处的文化良知开始汇集起来了，他的诗文竟然在这危难时分产生了正面回应，他的读者们慢慢抬起了头，要说几句对得起自己内心的话了。很多人不敢说，但毕竟还有勇敢者；他的朋友大多躲避了，但毕竟还有侠义人。

　　杭州的父老百姓想起他在当地做官时的种种美好行迹，在他入狱后公开做了解厄道场，求告神明保佑他；狱卒梁成知道他是大文豪，在审问人员离开时尽力照顾生活，连每天晚上的洗脚热水都准备了；他在朝中的朋友范镇、张方平不怕受到牵连，写信给皇帝，说他在文学上"实天下之奇才"，希望宽大；他的政敌王安石的弟弟王安礼也仗义执言，对皇帝说："自古大度之君，不以言语罪人"，如果严厉处罚了苏东坡，"恐后世谓陛下不能容才"。最有趣的是那位我们上文提到过的太皇太后，她病得奄奄一息，神宗皇帝想大赦犯人来为她求寿，她竟说："用不着去赦免天下的凶犯，放了苏东坡一人就够了!"最直截了当的是当朝左相吴充，有次他与皇帝谈起曹操，皇帝对曹操评价不高，吴充立即接口说："曹操猜忌心那么重还容得下祢衡，陛下怎么容不下一个苏东坡呢?"

对这些人，不管是狱卒还是太后，我们都要深深感谢。他们有意无意地在验证着文化的广泛感召力，就连那盆洗脚水也充满了文化的热度。

据王巩《甲申杂记》记载，那个带头诬陷、调查、审问苏东坡的李定，整日得意洋洋，有一天与满朝官员一起在崇政殿的殿门外等候早朝时向大家叙述审问苏东坡的情况，他说："苏东坡真是奇才，一二十年前的诗文，审问起来都记得清清楚楚!"他以为，对这么一个轰传朝野的著名大案，一定会有不少官员感兴趣。但奇怪的是，他说了这番引逗别人提问的话之后，没有一个人搭腔，没有一个人提问，崇政殿外一片静默。他有点慌神，故作感慨状，叹息几声，回应他的仍是一片静默。这静默算不得抗争，也算不得舆论，但着实透着点儿高贵。相比之下，历来许多诬陷者周围常常会出现一些不负责任的热闹，以嘈杂助长了诬陷。

就在这种情势下，皇帝释放了苏东坡，贬谪黄州。黄州对苏东坡的重要性，不言而喻。

3

    我非常喜欢读林语堂先生的《苏东坡传》，前后读过多少遍都记不清了，但每次总觉得语堂先生把苏东坡在黄州的境遇和心态写得太理想了。语堂先生酷爱苏东坡的黄州诗文，因此由诗文渲染开去，由酷爱渲染开去，渲染得通体风雅、圣洁。其实，就我所知，苏东坡在黄州还是很凄苦的，优美的诗文，是对凄苦的挣扎和超越。

    苏东坡在黄州的生活状态，已被他自己写给李端叔的一封信描述得非常清楚。

    信中说：

      得罪以来，深自闭塞，扁舟草履，放浪山水间，与樵渔杂处，往往为醉人所推骂，辄自喜渐不为人识。平生亲友，无一字见及，有书与之亦不答，自幸庶几免矣。

我初读这段话时十分震动，因为谁都知道苏东坡这个乐呵呵的大名人是有很多很多朋友的。日复一日的应酬，连篇累牍的唱和，几乎成了他生活的基本内容，他一半是为朋友们活着。但是，一旦出事，朋友们不仅不来信，而且也不回信了。他们都知道苏东坡是被冤屈的，现在事情大体已经过去，却仍然不愿意写一两句哪怕是问候起居的安慰话。苏东坡那一封封用美妙绝伦、光照中国书法史的笔墨写成的信，千辛万苦地从黄州带出去，却换不回一丁点儿友谊的信息。我相信这些朋友都不是坏人，但正因为不是坏人，更让我深长地叹息。

总而言之，原来的世界已在身边轰然消失，于是一代名人也就混迹于樵夫渔民间不被人认识。原本这很可能换来轻松，但他又觉得远处仍有无数双眼睛注视着自己，他暂时还感觉不到这个世界对自己的诗文仍有极温暖的回应，只能在寂寞中惶恐。即使这封无关宏旨的信，他也特别注明不要给别人看。日常生活，在家人接来之前，大多是白天睡觉，晚上一个人出去蹓跶，见到淡淡的土酒也喝一杯，但绝不喝多，怕醉后失言。

他真的害怕了吗?也是也不是。他怕的是麻烦，而绝不怕大

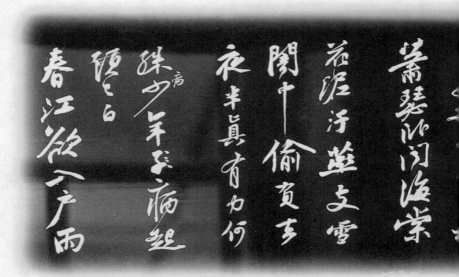

义凛然地为道义、为百姓，甚至为朝廷、为皇帝捐躯。他经过"乌台诗案"已经明白，一个人蒙受了诬陷即便是死也死不出一个道理来，你找不到慷慨陈词的目标，你抓不住从容赴死的理由。你想做个义无反顾的英雄，不知怎么一来把你打扮成了小丑；你想做个坚贞不屈的烈士，闹来闹去却成了一个深深忏悔的俘虏。无法洗刷，无处辩解，更不知如何来提出自己的抗议，发表自己的宣言。 这确实很接近有的学者提出的"酱缸文化"，一旦跳在里边，怎么也抹不干净。苏东坡怕的是这个，没有哪个高品位的文化人会不怕。但他的内心仍有无畏的一面，或者说灾难使他更无畏了。他给李常的信中说：

> 吾侪虽老且穷，而道理贯心肝，忠义填骨髓，直须谈笑于死生之际。……虽怀坎壈于时，遇事有可尊主泽民者，便忘躯为之，祸福得丧，付与造物。

这么真诚的勇敢，这么洒脱的情怀，出自天真了大半辈子的苏东坡笔下，是完全可以相信的，但是，让他在何处做这篇人生道义的大文章呢？没有地方、没有机会、没有观看者，也没有裁决者，只有一个

把是非曲直忠奸善恶染成一色的大酱缸。于是,苏东坡刚刚写了
上面这几句,支颐一想,又立即加一句:此信看后烧毁。

这是一种真正精神上的孤独无告,对于一个文化人,没有比
这更痛苦的了。那阕著名的"卜算子",用极美的意境道尽了这
种精神遭遇:

> 缺月挂疏桐,漏断人初静。谁见幽人独往来?缥缈
> 孤鸿影。
>
> 惊起却回头,有恨无人省。拣尽寒枝不肯栖,寂寞
> 沙洲冷。

正是这种难言的孤独,使他彻底洗去了人生的喧闹,去寻找

无言的山水，去寻找远逝的古人。在无法对话的地方寻找对话，于是对话也一定会变得异乎寻常。像苏东坡这样的灵魂竟然寂静无声，那么，迟早总会突然冒出一种宏大的奇迹，让这个世界大吃一惊。

然而，现在他即便写诗作文，也不会追求社会轰动了。他在寂寞中反省过去，觉得自己以前最大的毛病是才华外露，缺少自知之明。他想，一段树木靠着瘿瘤取悦于人，一块石头靠着晕纹取悦于人，其实能拿来取悦于人的地方恰恰正是它们的毛病所在，它们的正当用途绝不在这里。我苏东坡三十余年来想博得别人叫好的地方也大多是我的弱项所在，例如从小为考科举学写政论、策论，后来更是津津乐道于考论历史是非、直言陈谏曲直，做了官以为自己真的很懂得这一套了，洋洋自得地炫耀，其实我又何尝懂呢?直到一下子面临死亡才知道，我是在炫耀无知。三十多年来最大的弊病就在这里。现在终于明白了，到黄州的我是觉悟了的我，与以前的苏东坡是两个人。(参见致李端叔书)

　　苏东坡的这种自省，不是一种走向乖巧的心理调整，而是一种极其诚恳的自我剖析，目的是想找回一个真正的自己。他在无情地剥除自己身上每一点异己的成分，哪怕这些成分曾为他带来过官职、荣誉和名声。他渐渐回归于清纯和空灵。在这一过程中，佛教帮了他大忙，使他习惯于淡泊和静定。艰苦的物质生活，又使他不得不亲自垦荒种地，体味着自然和生命的原始意味。

　　这一切，使苏东坡经历了一次整体意义上的脱胎换骨，也使他的艺术才情获得了一次蒸馏和升华，他，真正地成熟了——与古往今来许多大家一样，成熟于一场灾难之后，成熟于灭寂后的再生，成熟于穷乡僻壤，成熟于几乎没有人在他身边的时刻。幸好，他还不年老，他在黄州期间，是四十四岁至四十八岁，对一个男人来说，正是最重要的年月，今后还大有可为。中国历史上，许多人觉悟在过于苍老的暮年，刚要享用成熟所带来的恩惠，脚步却已踉跄蹒跚；与他们相比，苏东坡真是好命。

　　成熟是一种明亮而不刺眼的光辉，一种圆润而不腻耳的音响，一种不再需要对别人察言观色的从容，一种终于停止向周围申诉求告的大气，一种不理会哄闹的微笑，一种洗刷了偏激的淡漠，一种无须声张的厚实，一种并不陡峭的高度。勃郁的豪情发过了酵，尖利的山风收住了劲，湍急的溪流汇成了湖，结果——

　　引导千古杰作的前奏已经鸣响，一道神秘的天光射向黄州，《念奴娇·赤壁怀古》和前、后《赤壁赋》马上就要产生。

千年庭院

1

二十七年前一个深秋的傍晚，我一个人在岳麓山上闲逛。岳麓山地处湘江西岸，对岸就是湖南省的省会长沙。这是我第一次来到这儿，乘着当时称之为"革命大串连"的浪潮，不由自主地被撒落在这个远离家乡的陌生山梁上。

我们这一代，很少有人在"文化大革命"初期完全没有被"大串连"的浪潮裹卷过，但又很少有人能讲得清这是怎么回事。先是全国停课，这么大的国土上几乎没有一间教室能够例外，学生不上课又不准脱离学校，于是就在报纸、电台的指引下斗来斗去，大家比赛着谁最厉害、谁最出格。现在的青年天天在设计着自己的"潇洒"，他们所谓的"潇洒"大体上似乎是指离开世俗规范的一种生命自由度；二十七年前的青年不大用"潇洒"一词，却也在某种气氛的诱导下追慕着一种踩踏规范的生命状态。敢于在稍一犹豫之后咬着牙撕碎书包里所有的课本吗?敢于嗫嚅片刻然后学着别人吐出一句平日听着都会皱眉的粗话吗?敢于把自己的手按到自己最害怕的老师头上去吗?敢于把图书馆里那些读起来半懂不懂的书统统搬到操场上放一把火烧掉吗?敢于拿着一根木棍试试贝多芬、肖邦的塑像是空心还是实心的吗?说实话，这些逆反性的冥想，恐怕任何一个国家任何一个时代的学生都有可能在心中一闪而过，暗自调皮地一笑，谁也没有想到会有实现的可能，但突然，竟有一个国家的一个时期，这一切全被允许了，于是终于有一批学生脱颖而出，冲破文明的制约，挖掘出自己心底某种已经留存不多的顽童泼劲，快速地培植、张扬，装扮成金刚怒目。硬说他们是具有政治含义的"造反派"其实是很过分的，昨天还和我们坐在一个课堂里，知道什么上层政治斗争呢?无非是叨念几句报纸上的社论，再加上一点道听途说的政治传闻罢了，乍一看吆五喝六，实际上根本不存在任何政治上的主动性。反过来，处于他们对立面的"保守派"，学生也未必有太多的政治意识，多数只是在一场突如其来的颠荡中不太愿意或不太习惯改变自己原先的生命状态而已。我当时也忝列"保守派"行列，回想起来，一方面是对"造反派"同学的种种强硬行动看着不顺眼，一方面又暗暗觉得自己太窝囊，优柔寡断，赶不上潮流，后来发觉已被"造反派"同学所鄙视，无以自救，也就心灰意懒了。这一切当时看来很像一回事，其实都是胡闹，几年以后老同学相见，只知一片亲热，连彼此原来是什么派也都忘了。

记得胡闹也就是两三个月吧，一所学校的世面是有限的，年轻人追求新奇，差不多的事情激动过一阵也就无聊了。突然传来消息，全国的交通除了飞机之外都向青年学生开放，完全免费，随你到哪儿去都可以，到了哪儿都不愁吃住，也不要钱，名之为"革命大串连"。我至今无法猜测作出这一浪漫决定的领导人当时是怎么想的，好像是为"造反派"同学提供便利，好让他们到全国各地去煽风点火;好像又在为"保守派"同学提供机会，迫使他们到外面去感受革命风气，转变立场。总之，不管是什么派，只要是学生，也包括一时没有被打倒的青年教师，大学的、中学的，乃至小学高年级的，城市的、乡村的，都可以，一齐涌向交通线，哪一站上，哪一站下，悉听尊便。至于出去之后是否还惦念着革命，那更是毫无约束，全凭自觉了。这样的美事，谁会不去呢?

接下来出现的情景是完全可以想像的。学生们像蚂蚁一样攀上了一切还能开动的列车，连货车上都爬得密密麻麻，全国的铁路运输立即瘫痪。列车还能开动，但开了一会儿就会长时间地停下，往往一停七八个小时。车内的景象更是惊人，我不相信自从火车发明以来会有哪个地方曾经如此密集地装载过活生生的人。没有人坐着，也没有人站着，好像是站，但至多只有一只脚能够着地，大伙拥塞成密不透风的一团，行李架上、座位底下，则横塞着几个被特殊照顾的病人。当然不再有过道、厕所，原先的厕所里也挤满了人。谁要大小便只能眼巴巴地等待半路停车，一停车就在大家的帮助下跳车窗而下。但是，很难说列车不会正巧在这一刻突然开动，因此跳窗而下的学生总是把自己小小的行李包托付给挤在窗口的几位，说如果不巧突然开车了，请把行李包扔下来。这样的事常常发生在夜晚，列车启动在前不着村、后不着店的荒山野岭之间，几个行李包扔下去，车下的学生边追边呼叫，隆隆的车轮终于把他们抛下了。多少年来我一直在想这件事：他们最终找到了下一站吗?那可是山险林密、虎狼出没的地方啊。

扔下车去的行李包与车上学生抱着的行李包一样，小小的、轻轻的，两件换洗衣服，一条毛巾包着三四个馒头，几块酱菜，大同小异。不带书、不带笔，也不带钱，一身轻松又一身虚浮，如离枝的叶，离花的瓣，在狂风中漫天转悠，极端洒脱又极端低贱，低贱到谁也认不出谁，低贱到在一平方米中拥塞着多少个都无法估算。

只知道他们是学生，但他们没有书包、没有老师、没有课堂，而且将一直没有下去，不久他们又将被驱赶到上山下乡的列车上，一去十几年，依然是没有书包、没有老师、没有课堂，依然是被称之为学生。因为是学生，因为他们的目光曾与一个个汉字相遇，因为他们的手指曾翻动过不多的纸页，他们就要远离家乡，去冲洗有关汉字与纸页的记忆。"大串连"的列车，开出了这一旅程的第一站。

历史上一切否定文化的举动，总是要靠文化自己来打头阵，但是按照毫无疑问的逻辑，很快就要否定到打头阵的人自身。列车上的学生们横七竖八地睡着了，睡梦中还残留着轰逐一切的激动，他们不知道，古往今来任何一个社会，都不可能长时间地容纳一群不做建树的否定者，一群不再读书的读书人，一群不要老师的伪学生。当他们终于醒来的时候，一切都已太晚了，列车开出去太远了，最终被轰逐的竟然就是这帮横七竖八地睡着的年轻人。

也许我算是醒得较早的一个，醒在列车的一次猛烈晃荡中，醒在鼾声和汗臭的包围里，一种莫名的恐惧击中了我，我从哪里来?我到哪里去?我是谁?心底一阵寒噤。我想下车，但列车此刻不会停站，这里也没有任何人来注意某个个人的呼喊。只好听天由命，随着大流，按照当时的例行公事，该停的地方停，该下的地方下，呼隆呼隆跟着走，整个儿迷迷瞪瞪。

　　长沙和岳麓山，是当时最该停、最该下的地方，到处都摩肩接踵、熙熙攘攘，连岳麓山的山道上都是这样。那个著名的爱晚亭照理是应该有些情致的，但此刻也已被漆得浑身通红，淹没在一片喧嚣中。我举头回顾，秋色已深，枫叶灿然，很想独个儿在什么地方静一静、喘口气，就默默离开人群，找到了一条偏僻的小路。

　　野山毕竟不是广场通衢，要寻找冷清并不困难，几个弯一转，几丛树一遮，前前后后只剩下了我一个人。这条路很狭，好些地方几乎已被树丛拦断，拨开枝桠才能通过。渐渐出现了许多坟堆，那年月没人扫坟，荒草迷离。几个最大的坟好像还与辛亥革命有关，坟前有一些石碑，苍苔斑剥。一阵秋风，几声暮鸦，我知道时间不早，该回去了。但回到哪儿去呢？哪儿都不是我的地方。不如壮壮胆，还是在小路上毫无目的地走下去，看它把我带到什么地方。

　　暮色压顶了，山渐渐显得神秘起来。我边走边想，这座山也够劳累的，那一头，爱晚亭边上，负载着现实的激情；这一头，层层墓穴间，埋藏着世纪初的强暴。我想清静一点，从那边躲到这边，没想到这边仍然让我在沉寂中去听那昨日的咆哮。听说它是南岳之足，地脉所系，看来中国的地脉注定要衍发出没完没了的动荡。在浓重暮霭中越来越清静的岳麓山，你究竟是一个什么样的所在？你的绿坡赭岩下，竟会蕴藏着那么多的强悍和狂躁？

　　正这么想着，眼前出现了一堵长长的旧墙，围住了很多灰褐色的老式房舍。这是什么地方？沿墙走了几步，就看到一个边门，轻轻一推，竟能推开，我迟疑了一下就一步跨了进去。我走得有点害怕，假装着咳嗽几声，直着嗓子叫"有人吗"，都没有任何回应。但走着走着，我似乎被一种神奇的力量控制了，脚步慢了下来，不再害怕。这儿没有任何装点，为什么会给我一种莫名的庄严?这儿我没有来过，为什么处处透露出似曾相识的亲切?这些房子和庭院可以有各种用途，但它的原本用途是什么呢?再大家族的用房也用不着如此密密层层，每一个层次又排列得那么雅致和安详，这儿应该聚集过很多人，但绝对不可能是官衙或兵营。

这个庭院，不知怎么撞到了我心灵深处连自己也不大知道的某个层面。这个层面好像并不是在我的有生之年培植起来的，而要早得多。如果真有前世，那我一定来过这里，住过很久，我隐隐约约找到自己了。自己是什么?是一个神秘的庭院。哪一天你不小心一脚踏入后再也不愿意出来了，觉得比你出生的房屋和现在的住舍还要亲切，那就是你自己。

我在这个庭院里独个儿磨磨蹭蹭舍不得离开，最后终于摸到一块石碑，凭着最后一点微弱的天光我一眼就认出了那四个大字: 岳麓书院。

2

没有任何资料，没有任何讲解，给了我如此神秘的亲切感的岳麓书院究竟是一个什么样的所在，我当时并不很清楚。凭直感，这是一个年代久远的文化教育机构，与眼下轰轰烈烈的"文化大革命"正好大异其趣，但它居然身处洪流近旁而安然无恙，全部原因只在于，有一位领袖人物青年时代曾在它的一间屋子里住过一些时日。岳麓书院很识时务，并不抓着这个由头把自己打扮成革命的发祥地，朝自己苍老的脸颊上涂紫抹红，而是一声不响地安坐在山坳里，依然青砖石地、粉墙玄瓦，一派素净。苟全性命于乱世，不求闻达于诸侯，谁愿意来看看也无妨，开一个边门等待着，于是就有了我与它的不期而遇，默然对晤。

据说世间某些气功大师的人生履历表上，有一些时间是空缺的，人们猜想那一定是他们在某种特殊的遭遇中突然悟道得气的机缘所在。我相信这种机缘。现在常有记者来询问我在治学的长途中有没有几位关键的点拨者，我左思右想，常常无言以对。我无法使他们相信，一个匆忙踏入的庭院，也不太清楚究竟是什么用的，也没有遇见一个人，也没有说过一句话，竟然是我人生中的一个"关键"。完全记不清在里边逗留了多久，只知道离开时我一脸安详，就像是那青砖石地、粉墙玄瓦。记得下山后我很快回了上海，以后的经历依然坎坷曲折，却总是尽力与书籍相伴。书籍中偶尔看到有关岳麓书院的史料，总会睁大眼睛多读几遍。近年来，自己又多次去长沙讲学，一再地重访书院，终于我可以说，我开始了解了我的庭院，我似乎抓住了二十七年前的那个傍晚，那种感觉。

岳麓书院存在于世已经足足一千年了，可以毫不夸张地说，这是世界上最老的高等学府。中国的事，说"老"人家相信，说"高等学府"之类常常要打上一个问号，但这个问号面对岳麓书院完全可以撤销。一千多年来，岳麓书院的教师中集中了大量海内最高水平的教育家，其中包括可称世界一流的文化哲学大师朱熹、张栻、王阳明，而它培养出来的学生更可列出一份让人叹为观止的名单，千年太长，光从清代而论，我们便可随手举出哲学

大师王夫之、理财大师陶澍、启蒙思想家魏源、军事家左宗棠、学者政治家曾国藩、外交家郭嵩焘、维新运动领袖唐才常、沈荩，以及教育家杨昌济等等。岳麓书院的正门口骄傲地挂着一副对联："惟楚有才，于斯为盛"，把它描绘成天下英才最辉煌的荟萃之地，口气甚大，但低头一想，也不能不服气。你看整整一个清代，那些需要费脑子的事情，不就被这个山间庭院吞吐得差不多了？

　　这个庭院的力量，在于以千年韧劲弘扬了教育对于一个民族的极端重要性。我一直在想，历史上一切比较明智的统治者都会重视教育，他们办起教育来既有行政权力又有经济实力，当然会像模像样，但为什么没有一种官学能像岳麓书院那样天长地久呢？汉代的太学，唐代的宏文馆、崇文馆、国子学等等都是官学，但政府对这些官学投注了太多政治功利要求，控制又严，而政府控制一严又必然导致繁琐哲学和形式主义成风，教育多半成了科举制度的附庸，作为一项独立事业的自身品格却失落了。说是教育，却着力于实利、着意于空名、着眼于官场，这便是中国历代官学的通病，也是无数有关重视教育的慷慨表态最终都落实得不是地方的原因。当然，其中也不乏一些文化品格较高的官员企图从根本上另辟蹊径，但他们官职再大也摆脱不了体制性的重重制约，阻挡不了官场和社会对于教育的直接索讨，最终只能徒呼奈何。那么，干脆办一点不受官府严格控制的私学吧，但私学毕竟太琐小、太分散，汇聚不了多少海内名师，招集不了多少天下英才，而离开了这两方面的足够人数，教育就会失去一种至关重要的庄严氛围，就像宗教失去了仪式，比赛失去了场面，做不出多少事情来。

正是面对这种两难，一群杰出的教育家先后找到了两难之间的一块空间。有没有可能让几位名家牵头，避开闹市，在一些名山之上创办一些"民办官助"的书院呢?书院办在山上，包含着学术文化的传递和研究所必需的某种独立精神和超逸情怀；但又必须是名山，使这些书院显示出自身的重要性，与风水相接，与名师相称，在超逸之中追求着社会

的知名度和号召力。立足于民办，使书院的主体意志不是根据一时的政治需要而是根据文人学士的文化逻辑来建立，教育与学术能够保持足够的自由度；但又必须获得官府援助，因为没有官府援助麻烦事甚多，要长久而大规模地办成一种文化教育事业是无法想像的。当然获得官府的援助需要付出代价，甚至也要接受某种控制，这就需要两相周旋了，最佳的情景是以书院的文化品格把各级官员身上存在的文化品格激发出来，让他们以文化人的身份来参与书院的事业，又凭借着权力给予实质性的帮助。这种情

景，后来果然频频地出现了。

　　由此可见，书院的出现实在是一批高智商的文化构想者反复思考、精心设计的成果，它既保持了一种清风朗朗的文化理想，又大体符合中国国情，上可摩天，下可接地，与历史上大量不切实际的文化空想和终于流于世俗的短期行为都不一样，实在可说是中国文化史上一个让人赞叹不已的创举。中国名山间出现过的书院很多，延续状态最好，因此也最有名望的是岳麓书院和庐山的白鹿洞书院。

　　岳麓书院的教学体制在今天看来还是相当合理的。书院实行"山长负责制"，山长这个称呼听起来野趣十足，正恰与书院所在的环境相对应，但据我看来，这个称呼还包含着对朝廷级别的不在意，显现着幽默和自在，尽管事实上山长是在道德学问、管理能力、社会背景、朝野声望等方面都非常杰出的人物。他们只想好生管住一座书院，以及满山的春花秋叶、夏风冬月，管住一个独立的世界。名以山长，自谦中透着自傲。山长薪俸不低，生活优裕，我最近一次去岳麓书院还专门在历代山长居住的百泉轩流连良久，那么清丽优雅的住所，实在令人神往。在山长的执掌下，书院采取比较自由的教学方法，一般由山长本人或其他教师十天半月讲一次课，其他时间以自学为主，自学中有什么问题随时可向教师咨询，或学生间互相讨论。这样乍一看容易放任自流，实际上书院有明确的学规，课程安排清晰有序，每月有几次严格的考核，此外，学生还必须把自己每日读书的情况记在"功课程簿"上，山长定期亲自抽查。课程内容以经学、史学、文学、文字学(即小学)为主，也要学习应付科举考试的八股文和试帖诗，到了清代晚期，则又加入了不少自然科学方面的课程。可以想像，这种极有弹性的教学方式是很能酿造出一种令人心醉的学习气氛的,而这种气氛有时可能比课程本身还能熏陶人、感染人。直到外患内忧十分深重的一八四〇年,冯桂芬还在《重儒官议》中写道:

> 今天下惟书院稍稍有教育人才之意,而省城为最。余所见湖南之岳麓、城南两书院,山长体尊望重,大吏以礼宾之,诸生百许人列屋而居,书声彻户外,皋比之坐,问难无虚日,可谓盛矣!

这种响彻户外的书声,居然在岳麓山的清溪茂林间回荡了上千年!

在这种气氛中,岳麓书院的教学质量一直很高,远非官学所能比拟。早在宋代,长沙一带就出现了三个公认的教学等级:官办的州学学生成绩优秀者,可以升入湘西书院;在湘西书院里的高材生,可升入岳麓书院。在这个意义上,岳麓书院颇有点像我们现在的研究生院,高标独立,引人仰望。

办这样一个书院,钱从哪儿来呢?仔细想来,书院的开支不会太小,在编制上,除山长外,还有副山长、助教、讲书、监院、首事、斋长、堂长、管干等教学行政管理人员,还要

有相当数量的厨子、门夫、堂夫、斋夫、更夫、藏书楼看守、碑亭看守等勤杂工役，这些人都要发给薪金；每个学生的吃、住、助学金、笔墨费均由书院供给，每月数次考核中的优胜者还要发放奖金；以上还都是日常开支，如果想造点房子、买点书、整修一个苑囿什么的，花费当然就更大了。书院的上述各项开支，主要是靠学田的收入。所谓学田，是指学院的田庄。政府官员想表示对书院的重视，就拨些土地下来，有钱人家想资助书院，往往也这么做，而很少直接赠送银两。书院有了这些田，就有了比较稳定的经济收入，即便是改朝换代，货币贬值，也不太怕了。学田租给人家种，有田租可收，一时用不了的，可投入典商生息，让死钱变成活钱。从现存书院的账目看，书院的各项开支总的说来都比较节俭，管理十分严格，绝无奢靡倾向。但学田的收入又往往少于支出，那就需要向官府申请补助了。我想，那些划给书院的土地是很值得自豪的，一样是黑色的泥土，一样是春种秋收，但千百年来却是为中国文化、为华夏英才提供着滋养，这与它们近旁的其他土地有多么的不同啊。现在我的案头有一本二十年前出版的书中谈到书院的学田，说书院借着学田"以地租和高利贷的剥削收入作为常年经费"，愤懑之情溢于言表。按照这种思维逻辑，地租和典息都是"剥削收入"，书院以此作为常年经费也就逃不脱邪恶了。为了这种莫名其妙的小农意识，宁肯不要教学和文化!中国的土地那么大，可以任其荒芜，可以沦为战场，只是划出那么微不足道的一小块而搞成了一项横贯千年的文明大业，竟还有人不高兴，这并不是笑话，而是历史上一再出现的事实。中国的教学和文化始终阻力重重，岳麓书院和其他书院常常陷于困境，也都与此有关。而我，则很想下一次去长沙时察访一下那些学田的所在，好好地看一看那些极其平常又极其不平常的土地。

3

岳麓书院能够延绵千年，除了上述管理操作上的成功外，更重要的是有一种人格力量的贯注。对一个教学和研究机构来说，这种力量便是一种灵魂。一旦散了魂，即便名山再美，学田再多，也成不了大气候。

教学，说到底，是人类的精神和生命在一种文明层面上的代代递交。这一点，历代岳麓书院的主持者们都是很清楚的。他们所制订的学规、学则、堂训、规条等等几乎都从道德修养出发对学生的行为规范提出要求，最终着眼于如何做一个品行端庄的文化人。事实上，他们所讲授的经、史、文学也大多以文化人格的建设为归结，尤其是后来成为岳麓书院学术支柱的宋明理学，在很大程度上几乎可以看作是中国古代的一门哲学——文化人格学。因此，山明水秀、书声琅琅的书院，也就成了文化人格的冶炼所。与此相应，在书院之外的哲学家和文化大师们也都非常看重书院的这一功能，在信息传播手段落后的古代，他们想不出有比在书院里向生徒们传道授业更理想的学术弘扬方式了，因此几乎毫无例外的企盼着有朝一日能参与这一冶炼工程。书院，把教学、学术研究、文化人格的建设和传递这三者，融合成了一体。

在这一点上，我特别想提一提朱熹和张栻这两位大师，他们无疑是岳麓书院跨时代的精神楷模。朱熹还对庐山的白鹿洞书院作出过类似的贡献，影响就更大了。我在岳麓书院漫步的时候，恍惚间能看到许多书院教育家飘逸的身影，而看得最清楚的则是朱熹，尽管他离开书院已有八百年。

朱熹是一位一辈子都想做教师的大学者。他的学术成就之高，可以用伟大诗人辛弃疾称赞他的一句话来概括："历数唐尧千载下，如公仅有两三人。"以一般眼光看来，这样一位大学问家，既没有必要也没有时间再去做教师了，若就社会地位论，他的官职也不低，更不必靠教师来显身扬名，但朱熹有着另一层面的思考。他说："人性皆善，而其类有善恶之殊者，气习之染也。故君子有教，则人皆可以复于善，而不当复论其类之恶矣！"（《论语集注》）又说："惟学为能变化气质耳。"（《答王子合》）他把教育看成是恢复人性、改变素质的根本途径，认为离开了这一途径，几乎谈不上社会和国家的安定和发展。"若不读书，便不知如何而能修身，如何而能齐家、治国"。（《语类》）在这位文化大师眼中，天底下没有任何一种事业比这更重要，因此他的目光一直注视着崇山间的座座书院，捕捉从那里传播出来的种种信息。

他知道比自己小三岁的哲学家张栻正主讲岳麓书院，他以前曾与张栻见过面，畅谈过，但有一些学术环节还需要进一步探讨。有没有可能，把这种探讨变成书院教学的一种内容呢？一一六七年八月，他下了个狠心，从福建崇安出发，由两名学生随行，不远千里地朝岳麓山走来。

朱熹抵达岳麓书院后就与张栻一起进行了中国文化史上极为著名的"朱、张会讲"。所谓会讲是岳麓书院的一种学术活动，不同学术观点的学派在或大或小的范围里进行探讨和论辩，学生也可旁听，既推动了学术又推动了教学。朱熹和张栻的会讲是极具魅力的，当时一个是三十七岁，一个是三十四岁，却都已跻身中国学术文化的最前列，用精密高超的思维探讨着哲学意义上人和人性的秘密，有时连续论争三天三夜都无法取得一致意见。除了当众会讲外他们还私下交谈，所取得的成果是：两人都越来越佩服对方，两人都觉得对方启发了自己，而两人以后的学术道路确实也都更加挺展了。《宋史》记载，张栻的学问"既见朱熹，相与博约，又大进焉"；而朱熹自己则在一封信中说，张栻的见解"卓然不可及，从游之久，反复开益为多"。朱熹还用诗句描述了他们两人的学术友情：

> 忆昔秋风里，
> 寻朋湘水旁。
> 胜游朝挽袂，
> 妙语夜连床。
> 别去多遗恨，
> 归来识大方。
> 惟应微密处，

犹欲细商量。

……

《《有怀南轩呈伯崇择之二首》》

　　除了与张栻会讲外，朱熹还单独在岳麓书院讲学，当时朱熹的名声已经很大，前来听讲的人络绎不绝，不仅讲堂中人满为患，甚至听讲者骑来的马都把池水饮干了，所谓"一时舆马之众，饮池水立涸"，几乎与我二十七年前见到的岳麓山一样热闹了，只不过热闹在另一个方位，热闹在一种完全相反的意义上。朱熹除了在岳麓书院讲学外，又无法推却一江之隔的城南书院的邀请，只得经常横渡湘江，张栻愉快地陪着他来来去去，这个渡口，当地百姓后来就名之为"朱张渡"，以纪念这两位大学者的教学热忱。此后甚至还经常有人捐钱捐粮，作为朱张渡的修船费用。两位教育家的一段佳话，竟如此深入地铭刻在这片山川之间。

　　朱、张会讲后七年，张栻离开岳麓书院到外地任职，但没有几年就去世了，只活了四十七岁。张栻死后十四年即一一九四年，朱熹在再三推辞而未果后终于接受了湖南安抚使的职位再度来长沙。要么不来，既然来到长沙做官就一定要把旧游之地岳麓书院振兴起来，这时离他与张栻"挽袂"、"连床"已整整隔了二十七年，两位青年才俊不见了，只剩下一个六十余岁的老人。但是今天的他，德高望重又有职有权，有足够的实力把教育事业按照自己的心意整治一番，为全国树一个榜样。他把到长沙之前就一直在心中盘算的扩建岳麓书院的计划付诸实施，聘请了自己满意的人来具体负责书院事务，扩充招生名额，为书院置学田五十顷，并参照自己早年为庐山白鹿洞书院制订的学规颁发了《朱子书院教条》。如此有力的措施接二连三地下来，岳麓书院重又显现出一派繁荣。朱熹白天忙于官务，夜间则渡江过来讲课讨论，回答学生提问，从不厌倦。他与学生间的问答由学生回忆笔记，后来也成为学术领域的重要著作。被朱熹的学问和声望所吸引，当时岳麓书院已云集学者千余人，朱熹开讲的时候，每次都到"生徒云集，坐不能容"的地步。

每当我翻阅到这样的一些史料时总是面有喜色，觉得中华民族在本性上还有崇尚高层次文化教育的一面，中国历史在战乱和权术的漩涡中还有高洁典雅的篇章。只不过，保护这些篇章要拼耗巨大的人格力量。就拿书院来说吧，改朝换代的战火会把它焚毁，山长的去世、主讲的空缺会使它懈弛，经济上的入不敷出会使它困顿，社会风气的诱导会使它变质，有时甚至远在天边的朝廷也会给它带来意想不到的灾难。朝廷对于高层次的学术文化教育始终抱着一种矛盾心理，有时会真心诚意地褒奖、赏赐、题匾，有时又会怀疑这一事业中是否会有智力过高的知识分子"学术偏颇，志行邪伪"、"倡其邪说，广收无赖"，最终构成政治上的威胁，因此，历史上也不止一次地出现过由朝廷明令"毁天下书院"、"书院立即拆去"的事情(参见《野获编》、《皇明大政纪》等资料)。

这类风波，当然都会落在那些学者教育家头上，让他们短暂的生命去活生生地承受。说到底，风波总会过去，教育不会灭亡，但对具体的个人来说，置身其间是需要有超人的意志才能支撑住的。譬如朱熹，我们前面已经简单描述了他以六十余岁高龄重振岳麓书院时的无限风光，但实际上，他在此前此后一直蒙受着常

人难以忍受的诬陷和攻击，他的讲席前听者如云，而他的内心则积贮着无法倾吐的苦水。大约在他重返长沙前的十年左右时间内，他一直被朝廷的高官们攻击为不学无术，欺世盗名，携门人而妄自推尊，实为乱人之首，宜摈斥勿用之人。幸好有担任太常博士的另一位大哲学家叶适出来说话，叶适与朱熹并不是一个学派，互相间观点甚至还很对立，但他知道朱熹的学术品格，在皇帝面前大声斥责那些诬陷朱熹的高官们"游辞无实，谗言横生，善良受害，无所不有"，才使朱熹还有可能到长沙来做官兴学。

朱熹在长沙任内忍辱负重地大兴岳麓书院的举动没有逃过诬陷者们的注意，就在朱熹到长沙的第二年，他向学生们讲授的理学已被朝廷某些人宣判为"伪学"；再过一年，朱熹被免职，他的学生也遭逮捕，有一个叫余嘉的人甚至上奏皇帝要求处死朱熹：

> 枭首朝市，号令天下，庶伪学可绝，伪徒可消，而悖逆有所警。不然，作孽日新，祸且不测，臣恐朝廷之忧方大矣。

又过一年，"伪学"进一步升格为"逆党"，并把朱熹的学生和追随者都记入"伪学逆党籍"，多方拘捕。朱熹虽然没有被杀，但著作被禁，罪名深重，成天看着自己的学生和朋友一个个地因自己而受到迫害，心里实在不是味道。

但是，他还是以一个教育家的独特态度来面对这一切。例如——九七年官府即将拘捕他的得意门生蔡元定的前夕，他闻讯后当即召集一百余名学生为蔡元定饯行，席间有的学生难过得哭起来了，而蔡元定却从容镇定，为自己敬爱的老师和他的学说去受罪，无怨无悔。

朱熹看到蔡元定的这种神态很是感动，席后对蔡元定说：我已老迈，今后也许难与你见面了，今天晚上与我住在一起吧。这天晚上，师生俩在一起竟然没有谈分别的事，而是通宵校订了《参同契》一书，直到东方发白。

蔡元定被官府拘捕后杖枷三千里流放，历尽千难万苦，死于道州。一路上，他始终记着那次饯行，那个通宵。世间每个人都会死在不同的身份上，却很少有人像蔡元定，以一个地地道道的学生的身份，踏上生命的最后跑道。

既然学生死得像个学生，那么教师也就更应该死得像个教师。蔡元定死后的第二年，——九八年，朱熹避居东阳石洞，还是没有停止讲学。有人劝他，说朝廷对他正虎视眈眈呢，赶快别再召集学生讲课了，他笑而不答。直到——九九年，他觉得真的已走到生命尽头了，自述道：我越来越衰弱了，想到那几个好学生都已死于贬所，而我却还活着，真是痛心，看来支撑不了多久了。果然这年三月九日，他病死于建阳。

这是一位真正的教育家之死。他晚年所受的灾难完全来自于他的学术和教育事业，对此，他的学生们最清楚。当他的遗体下葬时，散落在四方的学生都不怕朝廷禁令纷纷赶来，官府怕这些学生议论生事，还特令加强戒备。不能来的也在各地聚会纪念："讣告所至，从游之士与夫闻风慕义者，莫不相与为位为聚哭焉。禁锢虽严，有所不避也。"(《行状》)辛弃疾在挽文中写出了大家的共同感受：

　　　　　　所不朽者，垂万世名。孰谓公死，凛凛犹生。

　　果然不久之后朱熹和他的学说又备受推崇，那是后话，朱熹自己不知道了。让我振奋的不是朱熹死后终于被朝廷所承认，而是他和他的学生面对磨难竟然能把教师和学生这两个看似普通的称呼背后所蕴藏的职责和使命，表现得如此透彻，如此漂亮。在我看来，蔡元定之死和朱熹之死是能写出一部相当动人的悲剧作品来的。他们都不是死在岳麓书院，但他们以教师和学生的身份走向死亡的步伐是从岳麓书院迈出的。

　　朱熹去世三百年后，另一位旷世大学问家踏进了岳麓书院的大门，他便是我的同乡王阳明先生。王阳明先生刚被贬谪，贬谪地在贵州，路过岳麓山，顺便到书院讲点学。他的心情当然不会愉快，一天又一天在书院里郁郁地漫步，朱熹和张栻的学术观点他是不同意的，但置身于岳麓书院，他不能不重新对这两位前哲的名字凝神打量，然后吐出悠悠的诗句："缅思两夫子，此地得徘徊……"

　　是的，在这里，时隔那么久，具体的学术观点是次要的了，让人反复缅思的是一些执着的人和一项不无神圣的事业。这项事业的全部辛劳、苦涩和委屈，都曾由岳麓书院的庭院见证和承载，包括二十七年前我潜身而入时所看到的那份空旷和寥落。空旷和寥落中还残留着一点淡淡的神圣，我轻轻一嗅，就改变了原定的旅程。

当然我在这个庭院里每次都也嗅到一股透骨的凉气。本来岳麓书院可以以它千年的流泽告诉我们，教育是一种世代性的积累，改变民族素质是一种历时久远的磨砺，但这种积累和磨砺是否都是往前走的呢?如果不是，那么，漫长的岁月不就组接成了一种让人痛心疾首的悲哀?你看我初次踏进这个庭院的当时，死了那么多年的朱熹又在遭难了，全国性的毁学狂潮，则比历史上任何一个朝代都盛。谁能说，历代教育家一辈子又一辈子浇下的心血和汗水，一定能滋养出文明的花朵，而这些花朵又永不凋谢?诚然，过一段时期总有人站出来为教育和教师张目，琅琅书声又会响彻九州，但岳麓书院可以作证，这一切也恰似潮涨潮落。不知怎么回事，我们这个文明古国有一种近乎天然的消解文明的机制，三下两下，琅琅书声沉寂了，代之以官场寒暄、市井嘈杂、小人哄闹。我一直疑惑，在人的整体素质特别在文化人格上，我们究竟比朱熹、张栻们所在的那个时代长进了多少?这一点，作为教育家的朱熹、张栻预料过吗?而我们，是否也能由此去猜想今后?

4

是的，人类历史上，许多燥热的过程、顽强的奋斗最终仍会组接成一种整体性的无奈和悲凉。教育事业本想靠着自身特殊的温度带领人们设法摆脱这个怪圈，结果它本身也陷于这个怪圈之中。对于一个真正的教育家来说，自己受苦受难不算什么，他们在接受这个职业的同时就接受了苦难；最使他们感到难过的也许是他们为之献身和苦苦企盼的"千年教化之功"，成效远不尽如人意。"履薄临深谅无几，且将余日付残编"，老一代教育家颓然老去，新一代教育家往往要从一个十分荒芜的起点重新开始。也许在技术传授上好一点，而在人性人格教育上则几乎总是这样。因为人性人格的造就总是生命化的，而一个人的生命又总是有限的，当一代学生终于衰老死亡，他们的教师对他们的塑造也就随风飘散了。这就是为什么几个学生之死会给朱熹带来那么大的悲哀。当然，被教师塑造成功的优秀学生会在社会上传播美好的能量，但这并不是教师所能明确期待和有效掌握的。更何况，总会有很多学生只学"术"而不学"道"，在人格意义上所散布的消极因素很容易把美好的东西抵消掉。还会有少数学生，成为有文化的不良之徒，与社会文明对抗，使善良的教师不得不天天为之而自责自嘲。

我自己，自从二十七年前的那个傍晚闯入岳麓书院后也终于做了教师，一做二十余年，其间还在自己毕业的母校，一所高等艺术学院担任了几年院长，说起来也算是尝过教育事业的甘苦了。我到很晚才知道，教育固然不无神圣，但并不是一项理想主义、英雄主义的事业，一个教师所能做到的事情十分有限。我们无力与各种力量抗争，至多在精力许可的年月里守住那个被称作学校的庭院，带着为数不多的学生参与一场陶冶人性人格的文化传递，目的无非是让参与者变得更像一个真正意义上的人，而对这个目的所能达到的程度，又不能期望过高。

突然想起了一条新闻，外国有个匪徒闯进了一家幼儿园，以要引爆炸药为威胁向政府勒索钱财，全世界都在为幼儿园里孩子们的安全担心，而幼儿园的一位年轻的保育员却告诉孩子们这是一个没有预告的游戏，她甚至把那个匪徒也描绘成游戏中的人物，结果，直到事件结束，孩子们都玩得很高兴。保育员无力与匪徒抗争，她也没有办法阻止这场灾难，她所能做的，只是在一个庭院里铺展一场温馨的游戏。孩子们也许永远不知道这场游戏的意义，也许长大以后会约略领悟到其中的人格内涵。我想，这就是教育工作的一个缩影。面对社会历史的风霜雨雪，教师掌握不了什么，只能暂时地掌握这个庭院，这间课堂，这些学生。

为此，在各种豪情壮志——消退，一次次人生试验都未见多少成果之后，我和许多中国文化人一样，把师生关系和师生情分看成了自己生命的一个组成部分。我不否认，我对自己老师的尊敬和对自己学生的偏护有时会到盲目的地步。我是个文化人，我生命的主干属于文化，我活在世上的一项重要使命是接受文化和传递文化。因此，当我偶尔一个人默默省察自己的生命价值的时候，总会禁不住在心底轻轻呼喊：我的老师!我的学生!我就是你们!

我们拥有一个庭院，像岳麓书院，又不完全是，别人能侵凌它，毁坏它，却夺不走它。很久很久了，我们一直在那里，做着一场文化传代的游戏。至于游戏的结局，我们都不要问。

抱愧山西

1

　　我在山西境内旅行的时候，一直抱着一种惭愧的心情。

　　长期以来，我居然把山西看成是我国特别贫困的省份之一，而且从来没有对这种看法产生过怀疑。也许与那首动人的民歌《走西口》有关吧，《走西口》山西、陕西都唱，大体是指离开家乡到"口外"去谋生，如果日子过得下去，为什么要一把眼泪一把哀叹地背井离乡呢?也许受到了赵树理和其他被称之为"山药蛋派"作家群的感染，他们对山西人民贫穷和反抗的描写，以一种朴素的感性力量让人难以忘怀。当然，最具有决定性影响的还是山西东部那个叫做大寨的著名村庄，它一度被当作中国农村的缩影，那是过分了，但在大多数中国人的心目中它作为山西的缩影却是毋庸置疑的。满脸的皱纹，沉重的镢头，贫瘠的山头上开出了整齐的梯田，起早摸黑地种下了一排排玉米……最大的艰苦连接着最低的消费，憨厚的大寨人没有怨言，他们无法想像除了反复折腾脚下的泥土外还有什么其他过日子的方式，而对这些干燥灰黄的泥土又能有什么过高的要求呢?

　　直到今天，我们都没有资格去轻薄地嘲笑这些天底下最老实、最忠厚的农民。但是，当这个山村突然成了全国朝拜的对象，不远千里而来的参观学习队伍浩浩荡荡地挤满山路的时候，我们就不能不在形式主义的大热闹背后去寻找某种深层的蕴含了。我觉得，大寨的走红，是因为它的生态方式不经意地碰撞到了当时不少人心中一种微妙的尺度。大家并不喜欢贫困，却又十分担心富裕。大家花费几十年时间参与过的那场社会革命，是以改变贫困为号召的，改变贫困的革命方法是剥夺富裕，为了说明这种剥夺的合理性，又必须在逻辑上把富裕和罪恶画上等号。结果，既要改变贫困又不敢问津贫困的反面，不追求富裕却又想像着一个朦胧的远景，这就是人们在这个山村中找到的尺度。

　　当然，一种经过着力夸张的精神激情，毕竟无法掩盖事实上的贫困。来自全国各地的参观学习者们看到了一切，眼圈发红，半是感动半是同情。

　　但是，这一切是不公平的。大概是八九年前的某一天，我在翻阅一堆史料的时候发现了一些使我大吃一惊的事实，便急速地把手上的其他工作放下，专心致志地研究起来。很长一段时间，我查检了一本又一本的书籍，阅读了一篇又一篇的文稿，终于将信将疑地接受了这样一个结论：在上一世纪乃至以前相当长的时期内，中国最富有的省份不是我们现在可以想像的那些地区，而竟是山西！直到本世纪初，山西，仍是中国堂而皇之的金融贸易中心。北京、上海、广州、武汉等城市里那些比较像样的金融机构，最高总部大抵都在山西平遥县和太谷县几条寻常的街道间，这些大城市只不过是腰缠万贯的山西商人小试身手的码头而已。

　　山西商人之富，有许多天文数字可以引证，本文不作经济史的专门阐述，姑且省略了吧，反正在清代全国商业领域，人数最多、资本最厚、散布最广的是山西人；每次全国性募捐，捐出银两数最大的是山西人；要在全国排出最富的家庭和个人，最前面的一大串名字大多也是山西人；甚至，在京城宣告歇业回乡的各路商家中，携带钱财最多的又是山西人。

按照我们往常的观念，富裕必然是少数人残酷剥削多数人的结果，但事实是，山西商业贸易的发达、豪富人家奢华的消费，大大提高了所在地的就业幅度和整体生活水平，而那些大商人都是在千里万里间的金融流通过程中获利的，并不构成对当地人民的勒索。因此与全国相比，当时山西城镇百姓的一般生活水平也不低。有一份材料有趣地说明了这个问题。一八二二年，文化思想家龚自珍在《西域置行省议》一文中提出了一个大胆的政治建议，他认为自乾隆末年以来，民风腐败，国运堪忧，城市中"不士、不农、不工、不商之人，十将五六"，因此建议把这种无业人员和河北、河南、山东、陕西、甘肃、江西、福建等省人多地少地区的人大规模西迁，使之无产变为有产，无业变为有业。他觉得内地只有两个地方可以不考虑（"毋庸议"），一是江浙一带，那里的人民筋骨柔弱，吃不消长途跋涉；二是山西省：

山西号称海内最富，土著者不愿徙，毋庸议。

（《龚自珍全集》上海人民出版社106页）

龚自珍这里所指的不仅仅是富商，而且也包括土生土长的山西百姓，他们都会因"海内最富"而不愿迁徙，龚自珍觉得天经地义。

其实，细细回想起来，即便在我本人有限的所见所闻中，可以验证山西之富的事便也曾屡屡出现，可惜我把它们忽略了。例如现在苏州有一个规模不小的"中国戏曲博物馆"，我多次陪外国艺术家去参观，几乎每次都让客人们惊叹不已。尤其是那个精妙绝伦的戏台和演出场所，连贝聿铭这样的国际建筑大师都视为奇迹，但整个博物馆的原址却是"三晋会馆"，即山西人到苏州来做生意时的一个聚会场所。说起来苏州也算富庶繁华的了，没想到山西人轻轻松松来盖了一个会馆就把风光占尽。要找一个南方戏曲演出的最佳舞台作为文物永久保存，找来找去竟在人家山西人的一个临时俱乐部里找到了。记得当时我也曾为此发了一阵呆，却没有往下细想。

又如翻阅宋氏三姊妹的多种传记，总会读到宋霭龄到丈夫孔祥熙家乡去的描写，于是知道孔祥熙这位国民政府的财政部长也正是从山西太谷县走出来的。美国人罗比·尤恩森写的那本传记中说："霭龄坐在一顶十六个农民抬着的轿子里，孔祥熙则骑着马，但是，使这位新娘大为吃惊的是，在这次艰苦的旅行结束时，她发现了一种前所未闻的最奢侈的生活。……因为一些重要的银行家住在太谷，所以这里常常称为'中国的华尔街'。"我初读这本传记时也一定会在这些段落间稍稍停留，却也没有进一步去琢磨让宋霭龄这样的人物吃惊、被美国传记作家称为"中国的华尔街"，意味着什么。

看来，山西之富在我们上一辈人的心目中一定是世所共知的常识，我对山西的误解完全是出于对历史的无知。唯一可以原谅的是，在我们这一辈，产生这种误解的远不止我一人。

误解容易消除，原因却深可玩味，我一直认为，这里包含着我和我的同辈人在社会经济观念上的一大缺漏，一大偏颇，极须从根子上进行弥补和矫正。因此好些年来，我一直小心翼翼地期待着一次山西之行。记得在复旦大学、同济大学、华东师范大学等学校演讲时总有学生问我下一步最想考察的课题是什么，我总是提到清代的山西商人。

2

我终于来到了山西。为了平定一下慌乱的心情，与接待我的主人、山西电视台台长陆嘉生先生和该台的文艺部主任李保彤先生商量好，先把一些著名的常规景点游览完，最后再郑重其事地逼近我心里埋藏的那个大问号。

我的问号吸引了不少山西朋友，他们陪着我在太原一家家书店的角角落落寻找有关资料。黄鉴晖先生所著的《山西票号史》是我自己在一个书架的底层找到的，而那部洋洋一百二十余万言，包罗着大量账单报表的大开本《山西票号史料》则是一直为我开车的司机李俊文先生从一家书店的库房里挖出来的，连他，也因每天听我在车上讲这讲那，知道了我的需要。待到资料搜集得差不多，我就在电视编导章文涛先生、歌唱家单秀荣女士等山西朋友的陪同下，驱车向平遥和祁县出发了。在山西最红火的年代，财富的中心并不在省会太原，而在平遥、祁县和太谷，其中又以平遥为最。黄文涛先生在车上笑着对我说，虽然全车除了我之外都是山西人，但这次旅行的向导应该是我，原因只在于我读过一些史料。连"向导"也是第一次来，那么这种旅行自然也就成了一种寻找。

　　我知道，首先该找的是平遥西大街上中国第一家专营异地汇兑和存、放款业务的"票号"——大名鼎鼎的"日昇昌"的旧址。这是今天中国大地上各式银行的"乡下祖父"，也是中国金融发展史上一个里程碑的所在。听我说罢，大家就对西大街上每一个门庭仔细打量起来。这一打量不要紧，才两三家，我们就已被一种从未领略过的气势所压倒。这实在是一条神奇的街，精雅的屋宇接连不断，森然的高墙紧密呼应，经过一二百年的风风雨雨，处处已显出苍老，但苍老而风骨犹在，竟然没有太多的破败感和潦倒感。许多与之年岁仿佛的文化宅第早已倾坍，而这些商用建

筑却依然虎虎有生气,这使我联想到文士和商人的差别,从一般意义上说,后者的生命活力是否真的要大一些呢?

街道并不宽,每个体面门庭的花岗岩门坎上都有两道很深的车辙印痕,可以想见当年这条街道上是如何车水马龙的热闹。这些车马来自全国各地,驮载着金钱驮载着风险驮载着骄傲,驮载着九州的风俗和方言,驮载出一个南来北往经济血脉的大流畅。

西大街上每一个像样的门庭我们都走进去了,乍一看都像是气吞海内的日昇昌,仔细一打听又都不是,直到最后看到平遥县文物局立的一块说明牌,才认定日昇昌的真正旧址。一个机关占用着，但房屋结构基本保持原样，甚至连当年的匾额楹联还静静地悬挂着。我站在这个院子里凝神遥想，就是这儿，在几个聪明的山西人的指挥下，古老的中国终于有了一种专业化、网络化的货币汇兑机制，南北大地终于卸下了实银运送的沉重负担而实现了更为轻快的商业流通，商业流通所必需的存款、贷款，又由这个院落大口吞吐。

我知道每一家被我们怀疑成日昇昌的门庭当时都在做着近似于日昇昌的大文章，不是大票号就是大商行。如此密集的金融商业构架必然需要更大的城市服务系统来配套，其中包括适合来自全国不同地区的商家的旅馆业、餐饮业和娱乐业，当年平遥城会繁华到何等程度，我们已约略可以想见。平心而论，今天的平遥县城也不算萧条，但有不少是在庄严沉静的古典建筑外部添饰一些五颜六色的现代招牌，与古典建筑的原先主人相比，显得有点浮薄。我很想找山西省的哪个领导部门建议，下一个不大的决心，尽力恢复平遥西大街的原貌。现在全国许多城市都在建造"唐代一条街"、"宋代一条街"之类，那大多是根据历史记载和想像在依稀遗迹间的重起炉灶，看多了总不大是味道；平遥西大街的恢复就不必如此，因为基本的建筑都还保存完好，只要洗去那些现代涂抹，便会洗出一条充满历史厚度的老街，洗出山西人上一世纪的自豪。

平遥西大街是当年山西商人的工作场所，那他们的生活场所又是怎么样的呢？离开平遥后我们来到了祁县的乔家大院，一踏进大门就立即理解了当年宋霭龄女士在长途旅行后大吃一惊的原因。与我们同行的歌唱家单秀荣女士说："到这里我才真正明白了什么叫富贵。"其实单秀荣女士长期居住在北京，见过很多世面，并不孤陋寡闻。就我而言，全国各地的大宅深院也见得多了，但一进这个宅院，记忆中的诸多名园便立即显得过于柔雅小气。进门一条气势宏伟的甬道把整个住宅划分成好些个独立的世界，而每个世界都是中国古典建筑学中叹为观止的一流构建。张艺谋在这里拍摄了杰出的影片《大红灯笼高高挂》，那只是取了其中的一些角落而已。事实上，乔家大院真正的主人并不是过着影片中那种封闭生活，你只要在这个宅院中徜徉片刻，便能强烈地领略到一种心胸开阔、敢于驰骋华夏大地的豪迈气概。万里驰骋收敛成一个宅院，宅院的无数飞檐又指向着无边无际的云天。钟鸣鼎食的巨室不是像荣国府那样靠着先祖庇荫而碌碌无为地寄生，恰恰是天天靠着不断的创业实现着巨大的资金积累和财富滚动。因此，这个宅院没有像其他远年宅院那样传递给我们种种避世感、腐朽感或诡秘感，而是处处呈现出一种心态从容的中国一代巨商的人生风采。

　　乔家大院吸引着很多现代游客，人们来参观建筑，更是来领略这种逝去已久的人生风采。乔家的后人海内外多有散落，他们，是否对前辈的风采也有点陌生了呢？至少我感觉到，乔家大院周围的乔氏后裔，与他们的前辈已经是山高水远。大院打扫得很干净，每一进院落的冷僻处都标注着"卫生包干"的名单，一一看去，大多姓乔，后辈们是前辈宅院的忠实清扫者；至于宅院的大墙之外，无数称之为"乔家"的小店铺、小摊贩鳞次栉比，在巨商的脚下作着最小的买卖。

　　乔家，只是当年众多山西商家中的一家罢了。其他商家的后人又怎么样了呢？他们能约略猜度自己祖先的风采吗？

　　其实，这是一个超越家族范畴的共同历史课题。这些年来，连我这个江南人也经常悬想：创建了"海内最富"奇迹的人们，你们究竟是何等样人，是怎么走进历史又从历史中消失的呢?我只有在《山西票号史料》中看到过一幅模糊不清的照片，日昇昌票号门外，为了拍照，端然站立着两个白色衣衫的年长男人，意态平静，似笑非笑，这就是你们吗?

3

在一页页陈年的账单报表间，我很难把他们切实抓住。能够有把握作出判断的只是，山西商人致富，既不是由于自然条件优越，又不是由于祖辈的世袭遗赠。他们无一不是经历过一场超越环境、超越家世的严酷搏斗，才一步步走向成功的。

山西平遥、祁县、太谷一带，自然条件并不好，没有太多的物产。查一查地图就知道，它们其实离我们的大寨并不远。经商的洪流从这里卷起，重要的原因恰恰在于这一带客观环境欠佳。

万历《汾州府志》卷二记载："平遥县地瘠薄，气刚劲，人多耕织少。"

乾隆《太谷县志》卷三说太谷县"民多而田少，竭丰年之谷，不足供两月。故耕种之外，咸善谋生，跋涉数千里，率以为常。士俗殷富，实由此焉。"

读了这些疏疏落落的官方记述，我不禁对山西商人深深地敬佩起来。家乡那么贫困那么拥挤，怎么办呢?可以你争我夺、蝇营狗苟，可以自甘潦倒、忍饥挨饿，可以埋首终身、聊以糊口，当然，也可以破门入户、抢掠造反，——按照我们所熟悉的历史观，过去的一切贫困都出自政治原因，因此唯一值得称颂的道路只有让所有的农民都投入政治性的反抗。但是，在山西这几个县，竟然有这么多农民做出了完全不同于以上任何一条道路的选择，他们不甘受苦，却又毫无政权欲望；他们感觉到了拥挤，却又不愿意倾轧乡亲同胞；他们不相信不劳而获，却又不愿将一生的汗水都向一块狭小的泥土上灌浇。他们把迷惘的目光投向家乡之外的辽阔天地，试图用一个男子汉的强韧筋骨走出另外一条摆脱贫困的大道。他们几乎都没有多少文化，却向中国古代和现代的人生哲学和历史观念，提供了一些不能忽视的材料。

　　他们首先选择的，正是"走西口"。口外，为数不小的驻防军队需要粮秣，大片的土地需要有人耕种；耕种者、军人和蒙古游牧部落需要大量的生活用品，期待着一支民间贸易队伍；塞北的毛皮、呢绒原料是内地贵胄之家的必需品，为商贩们留出了很多机会；商事往返的频繁又呼唤着大量旅舍、客店、饭庄的出现……总而言之，只要敢于走出去悉心寻求、刻苦努力，口外确实能创造出一块生气勃勃的生命空间。从清代前期开始，山西农民"走西口"的队伍越来越大，于是我们在本文开头提到过的那首民歌也就响起在许多村口、路边：

> 哥哥你走西口，
> 小妹妹我实在难留。
> 手拉着哥哥的手，
> 送哥送到大门口。
>
> 哥哥你走西口，

小妹妹我有话儿留：
走路要走大路口，
人马多来解忧愁。

紧紧拉着哥哥的手，
汪汪泪水扑沥沥地流。
只恨妹妹我不能跟你一起走，
只盼哥哥早回家门口。
……

　　我怀疑我们以前对这首民歌的理解过于浮浅了。我怀疑我们直到今天也未必有理由用怜悯、同情的目光去俯视一对对年轻夫妻的哀伤离别。听听这些多情的歌词就可明白，远行的男子在家乡并不孤苦伶仃，他们不管是否成家，都有一份强烈的爱恋，都有一个足可生死以之的伴侣，他们本可过一种艰辛却很温馨的日子了此一生的，但他们还是狠狠心踏出了家门，而他们的恋人竟然也都能理解，把绵绵的恋情从小屋里释放出来，交付给朔北大漠。哭是哭了，唱是唱了，走还是走了。我相信，那些多情女子在大路边滴下的眼泪，为山西终成"海内最富"的局面播下了最初的种子。

　　这不是臆想，你看乾隆初年山

西"走西口"的队伍中，正挤着一个来自祁县乔家堡村的贫苦的青年农民，他叫乔贵发，来到口外一家小当铺里当了伙计。就是这个青年农民，开创了乔家大院的最初家业。乔贵发和他后代的奋斗并不仅仅发达了一个家族，他们所开设的"复盛公"商号，奠定了整整一个包头市的商业基础，以至出现了这样一句广泛流传的民谚："先有复盛公，后有包头城。"谁能想到，那一个个擦一把眼泪便匆匆向口外走去的青年农民，竟然有可能成为一座偌大的城市、一种宏伟的文明的缔造者!因此，当我看到山西电视台拍摄的专题片《走西口》以大气磅礴的交响乐来演奏这首民歌时，不禁热泪盈眶。

山西人经商当然不仅仅是走西口，到后来，他们东南西北几乎无所不往了。由走西口到闯荡全中国，多少山西人一生都颠簸在漫漫长途中。当时交通落后、邮递不便，其间的辛劳和酸楚也实在是说不完、道不尽的。一个成功者背后隐藏着无数的失败者，在宏大的财富积累后面，山西人付出了极其昂贵的人生代价。黄鉴晖先生曾经根据史料记述过乾隆年间一些山西远行者的心酸故事——

临汾县有一个叫田树楷的人从小没有见过父亲的面，他出生的时候父亲就在外面经商，一直到他长大，父亲还没有回来，他依稀听说，父亲走的是西北一路，因此就下了一个大决心，到陕西、甘肃一带苦苦寻找、打听。整整找了三年，最后在酒泉街头遇到一个山西老人，竟是他从未见面的父亲;

阳曲县的商人张瑛外出做生意，整整二十年没能回家。他的大儿子张廷材听说他可能在宣府，便去寻找他，但张廷材去了多年也没有了音讯。小儿子张廷枢长大了再去找父亲和哥哥，找了一年多谁也没有找到，自己的盘缠却用完了，成了乞丐。在行乞时遇见一个农民似曾相识，仔细一看竟是哥哥，哥哥告诉他，父亲的消息已经打听到了，在张家口卖菜；

交城县徐学颜的父亲远行关东做生意二十余年杳无音信，徐学颜长途跋涉到关东寻找，一直找到吉林省东北端的一个村庄，才遇到一个乡亲，乡亲告诉他，他父亲早已死了七年；

……

不难想像，这一类真实的故事可以没完没了地讲下去，而一切走西口、闯全国的山西商人，心头都埋藏着无数这样的故事。于是，年轻恋人的歌声更加凄楚了：

> 哥哥你走西口，
> 小妹妹我苦在心头，
> 这一去要多少时候，
> 盼你也要白了头！

被那么多失败者的故事重压着，被恋人凄楚的歌声拖牵着，山西商人却越走越远，他们要走出一个好听一点的故事，他们迈出的步伐，既悲怆又沉静。

4

义无反顾的出发，并不一定能到达预想的彼岸，在商业领域尤其如此。

　　山西商人全方位的成功，与他们良好的整体素质有关。这种素质，特别适合于大规模的商业活动，因此也可称之为商业人格。我接触的材料不多，只是朦胧感到，山西商人在人格素质上至少有以下几个方面十分引人注目——

　　其一，坦然从商。做商人就是做商人，没有什么遮遮掩掩、羞羞答答的。这种心态，在我们中国长久未能普及。士、农、工、商，是人们心目中的社会定位序列，商人处于末位，虽不无钱财却地位卑贱，与仕途官场几乎绝缘。为此，许多人即便做了商人也竭力打扮成"儒商"，发了财则急忙办学，让子弟正正经经做个读书人。在这一点上最有趣的是安徽商人，本来徽商也是一支十分强大的商业势力，完全可与山西商人南北抗衡(由此想到我对安徽也一直有误会，把它看成是南方的贫困省份，容以后有机会专门说说安徽的事情)，但徽州民风又十分重视科举，使一大批很成功的商人在自己和后代的人生取向上左右为难、进退维谷。这种情景在山西没有出现，小孩子读几年书就去学生意了，大家都觉得理所当然。最后连雍正皇帝也认为山西的社会定位序列与别处不同，竟是：第一经商，第二务农，第三行伍，第四读书(见雍正二年对刘于义奏疏的朱批)。在这种独特的心理环境中，山西商人对自身职业没有太多的精神负担，把商人做纯粹了。

其二，目光远大。山西商人本来就是背井离乡的远行者，因此经商时很少有空间框范，而这正是商业文明与农业文明的本质差异。整个中国版图都在视野之内，谈论天南海北就像谈论街坊邻里，这种在地理空间上的心理优势，使山西商人最能发现各个地区在贸易上的强项和弱项、潜力和障碍，然后像下一盘围棋一样把它一一走通。你看，当康熙皇帝开始实行满蒙友好政策、停息边陲战火之后，山西商人反应最早，很快知道自己该干什么了，面向蒙古、新疆乃至西伯利亚的庞大商队组建起来，光"大盛魁"的商队就拴有骆驼十万头，这是何等的眼光。商队带出关的商品必须向华北、华中、华南各地采购，因而他们又把整个中国的物产特色和运输网络掌握在手中。又如，清代南方诸商业中以盐业赚钱最多，但盐业由政府实行专卖，许可证都捏在两淮盐商手上，山西商人本难插足，但他们不着急，只在两淮盐商资金紧缺的时候给予慷慨的借贷，条件是稍稍让给他们一点盐业经营权。久而久之，两淮盐业便越来越多地被山西商人所控制。可见山西商人始终凝视着全国商业大格局，不允许自己在那个重要块面上有缺漏，不管这些块面处地多远，原先与自己有没有关系。人们可以称赞他们"随机应变"，但对"机"的发现，正由于视野的开阔，目光的敏锐。当然，最能显现山西商人目光的莫过于一系列票号的建立了，他们先人一步看出了金融对于商业的重要，于是就把东南西北的金融命脉梳理通畅，稳稳地把自己放在全国民间钱财流通主宰者的地位上。这种种作为，都是大手笔，与投机取巧的小打小闹完全不可同日而语。我想拥有如此的气概和谋略，大概与三晋文明的深厚蕴藏、表里山河的自然陶冶有关，我们只能抬头仰望了。

其三，讲究信义。山西商人能快速地打开大局面，往往出自于结队成帮的群体行为，而不是偷偷摸摸的个人冒险。只要稍一涉猎山西的商业史料，便立即会看到一批又一批的所谓"联号"。或是兄弟，或是父子，或是朋友，或是乡邻，组合成一个有分有合、互通有无的集团势力，大模大样地铺展开去，不仅气势压人，而且呼应灵活、左右逢源，构成一种商业大气候。其实山西商人即便对联号系统之外的商家，也会尽力帮衬。其他商家借了巨款而终于无力偿还，借出的商家便大方地一笔勾销，这样的事情在山西商人间所在多有，不足为奇。例如我经常读到这样一些史料：有一家商号欠了另一家商号白银六万两，到后来实在还不出了，借入方的老板就到借出方的老板那里磕了个头，说明困境，借出方的老板就挥一挥手，算了事了；一个店欠了另一个店千元现洋，还不出，借出店为了照顾借入店的自尊心，就让它象征性地还了一把斧头、一个箩筐，哈哈一笑也算了事。山西人机智而不小心眼，厚实而不排他，不愿意为了眼前小利而背信弃义，这很可称之为"大商人心态"，在南方商家中虽然也有，但不如山西坚实。不仅如此，他们在具体的产业行为上也特别讲究信誉，否则那些专营银两汇兑、资金存放的山西票号，怎么能取得全国各地百姓长达百余年的信任呢？众所周知，当时我国的金融信托事业并没多少社会公证机制和监督机制，即便失信也几乎不存在惩处机制，因此一切全都依赖信誉和道义。金融信托事业的竞争，说到底是信誉和道义的竞争，而在这场竞争中，山西商人长久地处于领先地位，他们竟能给远远近近的异乡人一种极其稳定的可靠感，这实在是很了不得的事情。商业同行相互间的道义和商业行为本身的道义加在一起，使山西商人给中国商业文明增添了不少人格意义上的光彩，也为中国思想史上历时千年的"义利之辩"(例如很多人习惯地认为只要经商必然见利忘义)增加了新的思考方位。

其四，严于管理。山西商人最发迹的年代，朝廷对商业、金融业的管理基本上处于无政府状态，例如众多的票号就从来不必向官府登记、领执照、纳税，也基本上不受法律的约束，面对如许的自由，厚重的山西商人却很少有随心所欲的放纵习气，而是加紧制订行业规范和经营守则，通过严格的自我约束，在无序中求得有序，因为他们明白，一切无序的行为至多得利于一时，不能立业于长久。我曾恭敬地读过上世纪许多山西商家的"号规"，不仅严密、切实，而且充满智慧，即便从现代管理科学的眼光去

143

看也很有价值,足可证明在当时山西商人的队伍中已经出现了一批真正的管理专家,而其中像日升昌票号总经理雷履泰这样的人,则完全可以称之为商业管理大师而雄视一代。历史地来看,他们制订和执行的许多规则,正是他们的事业立百年而不衰的秘诀所在。例如不少山西大商家在内部机制上改变了一般的雇佣关系,把财东和总经理的关系纳入规范,总经理负有经营管理的全责,财东老板除发现总经理有积私肥己的行为可以撤换外,平时不能随便地颐指气使;职员须订立从业契约,并划出明确等级,收入悬殊,定期考察升迁,数目不小的高级职员与财东共享股份,到期分红,使整个商行上上下下在利益上休戚与共、情同一家;总号对于遍布全国的分号容易失控,因此进一步制定分号向总号和其他分号的报账规则、分号职工的书信、汇款、省亲规则……凡此种种,使许多山西商号的日常运作越来越正常,一代巨贾也就分得出精力去开拓新的领域,不必为已有产业搞得精疲力竭了。

以上几个方面,不知道是否大体勾勒出了山西商人的商业人格?不管怎么说,有了这几个方面,当年走西口的小伙子们也就像模像样地做成了大生意,掸一掸身上的尘土,堂堂正正地走进了一代中国富豪的行列。

何谓山西商人?我的回答是:走西口的哥哥回来了,回来在一个十分强健的人格水平上。

然而,一切逻辑概括总带有"提纯"后的片面性,实际上,只要再往深处窥探,山西商人的人格结构中还有脆弱的一面。他们人数再多,在整个中国还是一个稀罕的群落,他们敢作敢为,却也经常遇到自信的边界。他们奋斗了那么多年,却从来没有遇到过一个能够代表他们说话的思想家。他们的行为缺少高层理性力量的支撑，他们的成就没有被赋予雄辩的历史理由。严密的哲学思维、精微的学术头脑似乎一直在躲避着他们。他们已经有力地改变了中国社会，但社会改革家们却一心注目于政治，把他们冷落在一边。说到底，他们只能靠钱财发言，但钱财的发言又是那样缺少道义力量，究竟能产生多少精神效果呢?而没有外在的精神效果，他们也就无法建立内在的精神王国，即便在商务上再成功也难于抵达人生的大安详。

是时代，是历史，是环境，使这些商业实务上的成功者没能成为历史意志的觉悟者。一群缺少皈依的强人，一拨精神贫乏的富豪，一批在根本性的大问题上不大能掌握得住自己的掌柜。他们的出发地和终结点都在农村，他们能在前后左右找到的参照物只有旧式家庭的深宅大院，因此，他们的人生规范中不得不融化进大量中国式的封建色彩，当他们成功发迹而执掌一大门户时，封建家长制的权威是他们可追摹的唯一范本。于是他们的商业人格不能不自相矛盾乃至自相分裂，有时还会逐步走到自身优势的反面，做出与创业时判若两人的作为。在我看来，这一切，正是山西商人在风光百年后终于困顿、迷乱 内耗、败落的内在原因。

在这里，我想谈一谈几家票号历史上发生的一些不愉快的人事纠纷，可能会使我们对山西商人人格构成的另一面有较多的感性了解。

最大的纠纷发生在上文提到过的日昇昌总经理雷履泰和第一副总经理毛鸿翙之间。毫无疑问，两位都是那个时候堪称全国一流的商业管理专家，一起创办了日昇昌票号，因此也是中国金融史上一个新阶段的开创者，都应该名垂史册。雷履泰气度恢宏，能力超群，又有很大的交际魅力，几乎是天造地设的商界领袖；毛鸿翙虽然比雷履泰年轻十七岁，却也是才华横溢、英气逼人。两位强人撞到了一起，开始是亲如手足、相得益彰，但在事业获得成功之后却不可避免地遇到了一个中国式的大难题：究竟谁是第一功臣？

一次，雷履泰生了病在票号中休养，日常事务不管，遇到大事还要由他拍板。这使毛鸿翙觉得有点不大痛快，便对财东老板说："总经理在票号里养病不太安静，还是让他回家休息吧。"财东老板就去找了雷履泰，雷履泰说，我也早有这个意思，当天就回家了。过几天财东老板去雷家探视，发现雷履泰正忙着向全国各地的分号发信，便问他干什么，雷履泰说："老板，日昇昌票号是你的，但全国各地的分号却

是我安设在那里的，我正在一一撤回来好交待给你。"老板一听大事不好，立即跪在雷履泰面前，求他千万别撤分号，雷履泰最

后只得说:"起来吧,我也估计到让我回家不是你的主意。"老板求他重新回票号视事,雷履泰却再也不去上班。老板没办法,只好每天派伙计送酒席一桌,银子五十两。毛鸿翙看到这个情景,知道不能再在日昇昌待下去了,便辞职去了蔚泰厚布庄。

这事件乍一听都会为雷履泰叫好,但转念一想又觉得不是味道。是的,雷履泰获得了全胜,毛鸿翙一败涂地,然而这里无所谓是非,只是权术。用权术击败的对手是一段辉煌历史的共创者,于是这段历史也立即破残。中国许多方面的历史总是无法写得痛快淋漓、有声有色,很大一部分原因就在于这种有代表性的历史人物之间必然会产生的恶性冲突。商界的竞争较量不可避免,但一旦脱离业务的轨道,在人生的层面上把对手逼上绝路,总与健康的商业动作规范相去遥遥。

毛鸿翙当然也要咬着牙齿进行报复,他到了蔚泰厚之后就把日升昌票号中两个特别精明能干的伙计挖走并委以重任,三个人配合默契,把蔚泰厚的商务快速地推上了台阶。雷履泰气恨难纾,竟然写信给自己的各个分号,揭露被毛鸿翙勾走的两名"小卒"出身低贱,只是汤官和皂隶之子罢了。事情做到这个份上,这位总经理已经很失身份,但他还不罢休,不管在什么地方,只要一有机会就拆蔚泰厚的台,例如由于雷履泰的谋划,蔚泰厚的苏州分店就无法做分文的生意。这就不是正常的商业竞争了。

最让我难过的是,雷、毛这两位智商极高的杰出人物在勾心斗角中采用的手法越来越庸俗,最后竟然都让自己的孙子起一个与对方一样的名字,以示污辱:雷履泰的孙子叫雷鸿翙,而毛鸿翙的孙子则叫毛履泰!这种污辱方法当然是纯粹中国化的,我不知道他们在憎恨敌手的同时是否还爱惜儿孙,我不知道他们用这种名字呼叫孙子的时候会用一种什么样的口气和声调。

可敬可佩的山西商人啊,难道这是你们给后代的遗赠?你们创业之初的吞天豪气和动人信义都到哪里去了?怎么会让如此无聊的诅咒来长久地占据你们日渐苍老的心?

也许,最终使他们感到温暖的还是早年跨出家门时听到的那首《走西口》,但是,庞大的家业也带来了家庭内情感关系的复杂化,《走西口》所吐露的那种单纯性已不复再现。据乔家后裔回忆,乔家大院的内厨房偏院中曾有一位神秘的老妪在干粗活,玄衣愁容,旁若无人,但气质又绝非佣人。有人说这就是"大奶奶",主人的首席夫人。主人与夫人产生了什么麻烦,谁也不清楚,但毫无疑问,当他们偶尔四目相对,《走西口》的旋律立即就会走音。

写到这里我已知道,我所碰撞到的问题虽然发生在山西却又

远远超越了山西。由这里发出的叹息，应该属于我们父母之邦的
更广阔的天地。

5

当然，我们不能因此而把山西商人败落的原因，全然归之于
他们自身。就一二家铺号的兴衰而言，自身的原因可能至关重
要；然而一种牵涉到山西无数商家的世纪性繁华的整个败落，一
定会有更深刻、更宏大的社会历史原因。

商业机制的时代性转换固然是一个原因。政府银行的组建、
国际商业的渗透、沿海市场的膨胀，都可能使那些以山西腹地几
个县城为总指挥部的家族式商业体制受到严重挑战，但这还不是
它们整体败落的主要理由。因为政府银行不能代替民间金融事
业，国际商业无法全然取代民族资本，市场重心的挪移更不会动
摇已把自己的活动网络遍布全国各地的山西商行，更何况庞大的
晋商队伍历来有随机应变的本事，它的领袖人物和决策者们长期
驻足北京、上海、武汉，一心只想适应潮流，根本不存在冥顽不
化地与新时代对抗的决心。说实话，中国在变又没有大变，积数
百年经商经验的山西人在中国的土地上继续活跃下去的余地是很
大的，即便到了今天，我们仍然很难断言中国已进入了一种全新
的商业文明，换言之，如果没有其他原因使晋商败落，他们在今
天也未必会显得多么悖时落伍。

那么，使山西商人整体破败的根本原因究竟在哪里呢？

我认为，是上个世纪中叶以来连续不断的激进主义的暴力冲

撞，一次次阻断了中国经济自然演进的路程，最终摧毁了山西商人。

　　一切可让史料作证。

　　先是太平天国运动。我相信许多历史学家还会继续热烈地歌颂这次规模巨大的农民起义,但似乎也应该允许我们好好谈一谈它无法掩盖的消极面吧,至少在经济问题上。事实是,这次历时十数年的暴力行动,只要是所到的城镇,几乎所有的商业活动都遭到严重破坏,店铺关门、商人逃亡、金融死滞、城镇人民的生活无法正常进行。史料记载,太平军到武昌后,"汉地惊慌至极,大小居民、铺户四处乱逃",票号、银号、当铺"一律歇闭"、"荡然无存",多种商事,"兵燹以后无继起者"。太平军到苏州后,"商贾流离"、"江路不通"、"城内店铺亦歇,相继逃散"。太平军逼近天津时,账局停歇,街市十三行中所有自食其力的劳动者"皆已失业"。受其影响,北京也是"各行业闭歇,居民生活处于困境"。至于全国各地一般中小城镇,兵伍所及,"一路蹂躏"、"死伤遍野",经济上更是"商贾裹足,厘源梗塞"。十余年间,有不少地方太平军和清军进行过多次拉锯战,每次又把灾难重复一遍。到最后太平天国自己内讧,石达开率十万余人马离开天京在华东、华中、西南地区独立作战,重把沿途的经济大规模地洗刷了一遍,所谓"荡然无存"往往已不是夸张之言。

面对这种情况,山西商号在全国各地的分号只得纷纷撤回。我看到一份材料,一八六一年一月,日升昌票号总部接成都分号信,报告"贼匪扰乱不堪",总部立即命令成都分号归入重庆分号"暂作躲避",又命令广州分号随时观察重庆形势;但三个月后,已经必须命令广州分号也立即撤回了,命令说:"务以速归早回为是,万万不可再为迟延,早回一天,即算有功,至要至要!"一个大商号的慌乱神情溢于言表。面对着在中国大地上流荡不已的暴力洪流,山西商人只能慌忙地龟缩回家乡的小县城里去了,他们的事业遭受到何等的创伤,不言而喻。

令人惊叹的是，在太平天国之后，山西商家经过一段时间的休养生息，竟又重整旗鼓，东山再起。后来一再地经历英法联军入侵、八国联军进犯、庚子赔款摊派等七灾八难居然都能艰难撑持、绝处逢生，甚至获得可观的发展。这证明，人民的生活本能、

生存本能、经济本能是极其强大的，就像野火之后的劲草，岩石底下的深根，不屈不挠。在我看来，一切社会改革的举动，都以保护而不是破坏这种本能为好，否则社会改革的终极目的又算是什么呢?可惜慷慨激昂的政治家们常常忘记了这一点，离开了世俗寻常的生态秩序，只追求法兰西革命式的激动人心。在激动人心的呼喊中，人民的经济生活形态和社会生存方式是否真正进步，却很少有人问津。

终于，又遇到了辛亥革命。这场革命最终推翻了清王朝的统治，自有其历史意义，但无可讳言的是，无穷无尽的社会动乱、军阀混战也从此开始，山西商家怎么也挺立不住了。

民军与清军的军事对抗所造成的对城市经济的破坏可以想像，各路盗贼趁乱抢劫、兵匪一家扫荡街市更是没完没了，致使各大城市工商企业破产关闭的情景比太平天国时期还要严重。工商企业关门了，原先票号贷给他们的巨额款项也收不了，而存款的民众却在人心惶惶中争相挤兑，票号顷刻之间垮得气息奄奄。本来山西商家的业务遍及全国各地，辛亥革命后几个省份一独立，业务中断，欠款不知向谁索要，许多商家的经理、伙计害怕别人讨账竟然纷纷相率逃跑，一批批票号、商号倒闭清理，与它们有关系的民众怨声如沸又束手无策。

走投无路的山西商人傻想，北洋政府总不会眼看着一系列实业的瘫痪而见死不救吧，便公推六位代表向政府请愿，希望政府能贷款帮助，或由政府担保向外商借贷。政府对请愿团的回答是：山西商号信用久孚，政府从保商恤商考虑，理应帮助维持，可惜国家财政万分困难，他日必竭力斡旋。

满纸空话，一无所获，唯一落实的决定十分出人意外：政府看上了请愿团首席代表范元澍，发给月薪二百元，委派他到破落了的山西票号中物色能干的伙计到政府银行任职。这一决定如果不是有意讽刺，那也足以说明，这次请愿活动是真正地惨败了。国家财政万分困难是可信的，山西商家的最后一线希望彻底破灭。"走西口"的旅程，终于走到了终点。

于是，人们在一九一五年三月份的《大公报》上读到了一篇发自山西太原的文章，文中这样描写那些一一倒闭的商号：

> 彼巍巍灿烂之华屋，无不铁扉双锁，黯淡无色。门前双眼怒突之小狮，一似泪涔涔下，欲作河南之吼，代主人喝其不平。前月北京所宣传倒闭之日升昌，其本店耸立其间，门前尚悬日升昌金字招牌，闻其主人已宣告破产，由法院捕其来京矣。

这便是一代财雄们的下场。

如果这是社会革新的代价，那么革新了的社会有没有为民间商业提供更大的活力呢?有没有创建山西商人创建过的世纪性繁华呢?

对此，我虽然代表不了什么，却要再一次向山西抱愧，只为我也曾盲目地相信过某些经不住如此深问的糊涂观念。

6

我的山西之行结束了，心头却一直隐约着一群山西商人的面影, 怎么也排遣不掉。细看表情, 仍然像那张模糊的照片上的, 似笑非笑。

离开太原前, 当地作家华而实先生请我吃饭, 一问之下他竟然也在关注前代山西商人。但他没有多说什么, 只是递给我他写给今天山西企业家们看的一篇文章, 题目叫做《海内最富》。我一眼就看到了这样一段:

> 海内最富!海内最富!
> 山西在全国经济结构中曾经占据过这样一个显赫的地位!
>
> 很遥远了吗?晋商的鼎盛春秋长达数百年, 它的衰落也不过是近几十年的事。

——底下还有很多话, 慢慢再读不迟, 我抬起头来, 看着华而实先生的脸, 他竟然也是似笑非笑。

席间听说, 今天, 连大寨的农民也已开始经商。

155

乡关何处

1

本文的标题，取自唐代诗人崔颢《黄鹤楼》一诗中的名句"日暮乡关何处是?烟波江上使人愁。"看来崔颢是在黄昏时分登上黄鹤楼的，孤零零一个人，突然产生了一种强烈的被遗弃感。被谁遗弃?不是被什么人，而是被时间和空间。在时间上，古人飘然远去不再回来，空留白云千载；在空间上，眼下虽有晴川沙洲、茂树芳草，而我的家乡在哪里呢?

崔颢的家乡在河南开封，离黄鹤楼有点远又不太远，这是很多人都知道的，那他为什么还要这样发问呢?我想任何一个早年离乡的游子在思念家乡时都会有一种两重性：他心中的家乡既具体又不具体。具体可具体到一个河湾，几棵小树，半壁苍苔；但是如果仅仅如此，焦渴的思念完全可以转换成回乡的行动，然而真的回乡又总是失望，天天萦绕我心头的这一切原来是这样的吗?就像在一首激情澎湃的名诗后面突然看到了一幅太逼真的插图，诗意顿消。因此，真正的游子是不大愿意回乡的，即使偶尔回去一下也会很快出走，走在外面又没完没了地思念，结果终于傻傻地问自己家乡究竟在哪里。

据说李白登黄鹤楼时看到了崔颢题在楼壁上的这首诗很为赞赏，认为既然有了这样的诗，自己也就用不着写了。我觉得，高傲的李白假如真的看上了这首诗，一定不在于其他方面，而在于这种站在高处自问家乡何在的迷茫心态。因为在这一点上，李白深有共鸣。

只要是稍识文墨的中国人大概没有不会背李白"床前明月光，疑是地上霜，举头望明月，低头思故乡"这首诗的，一背几十年大家都成了殷切的思乡者。但李白的家乡在哪里呢？没有认真去想过。"文化大革命"中几乎完全没书看的那几年，突然出了一本郭沫若的《李白与杜甫》，赶快找来看，郭沫若对杜甫的批判和嘲弄是很少有人能接受的，但他对李白祖籍和出生地的详尽考证，却使我惆怅万分。郭沫若考定李白的出生地西域碎叶是在苏联的一个地方，书籍出版时中苏关系正紧张着。因此显得更遥远、更隔膜，几乎是在另外一个世界。李白看罢明月低下头去思念的竟是那个地方吗？

奇怪的是，这位写下中华第一思乡诗的诗人总也不回故乡。是忙吗？不是，他一生都在旅行，也没有承担多少推卸不了的要务，回乡并不太难，但他却老是找陌生的路去跋涉。到了一个十字路口，一条路直通故乡，一条路伸向异乡，李白或许会犹豫片刻，但狠狠心还是走了第二条路。日本学者松浦友久说李白一生要努力使自己处于"置身异乡"的体验之中，因此成了一个不停步的流浪者，我看说得很有道理。

置身异乡的体验非常独特。乍一看，置身异乡所接触的全是陌生的东西，原先的自我一定会越来越脆弱，甚至会被异乡同化掉。其实事情远非如此简单。异己的一切会从反面、侧面诱发出有关自己的思考，异乡的山水更会让人联想到自己生命的起点，因此越是置身异乡越会勾起浓浓的乡愁。乡愁越浓越不敢回去，越不敢回去越愿意把自己和故乡连在一起——简直成了一种可怖的循环，结果，一生都避着故乡旅行，避一路，想一路。

> 谁家玉笛暗飞声，
> 散入春风满洛城。
> 此夜曲中闻折柳，
> 何人不起故园情!

> 兰陵美酒郁金香，
> 玉碗盛来琥珀光。
> 但使主人能醉客，
> 不知何处是他乡。

你看，只有彻底醉倒他才会丢掉异乡感，而表面上，他已四海为家。

我想，诸般人生况味中非常重要的一项就是异乡体验与故乡意识的深刻交糅，漂泊欲念与回归意识的相辅相成。这一况味，跨国界而越古今，作为一个永远充满魅力的人生悖论而让人品咂不尽。

前两年著名导演潘小扬拍摄艾芜的《南行记》，最让我动心的镜头是艾芜老人被年岁折磨得满脸憔悴，表情漠然地坐在轮椅上。画面外歌声响起，大意是：妈妈，我还要远行，世上没有比远行更让人销魂。这是老人在心底呼喊吗?他已不能行走，事实

上那时已接近他生命的终点，但在这歌声中他的眼睛突然发亮，而且颤动欲泪。他昂然抬起头来，饥渴地注视着远方。一切远行者的出发点总是与妈妈告别，走得再远也一直心存一个妈妈，一路上暗暗地请妈妈原谅，而他们的终点则是衰老，不管是否落脚于真正的故乡。他们的妈妈当然已经不在，因此归来的远行者从一种孤儿变成了另一种孤儿。这样的回归毕竟是凄楚的，无奈衰老的躯体使他们无法再度出走，只能向冥冥中的妈妈表述这种愿望。暮年的老者呼喊妈妈是不能不让人动容的，一声呼喊道尽了回归也道尽了漂泊。

不久前读到冰心老人的一篇短小散文，题目就叫《我的家在哪里》。这位九十四高龄的老作家最早也是以一个远行者的形象受到广大读者关注的，她周游世界，曾在许多不同国家不同城市居住，最后在北京定居，可真正称得上个"不知何处是他乡"的放达之人了。但是，老人这些年来在梦中常常不经意地出现回家的情节。回哪里的家呢?照理，一个女性在自己成了家庭主妇，有了完整的家庭意识后的家才是真正的家，冰心老人在梦中完全应该回到成年后安家的任何一个门庭，不管它在哪座城市；然而奇怪的是，她在梦中每次遇到要回家的场合，回的总是少女时代的那个家。一个走了整整一个世纪的圈子终于回到了原地，白发老人与天真少女融成了一体。那么，冰心老人的这些回家梦是否从根本上否定了她一生的漂泊旅程呢?当然不是。如果冰心老人始终没离开过早年的那个家，那么今天的回家梦也就失去了任何意义。在一般意义上，家是一种生活，在深刻意义上，家是一种思念。只有远行者才有对家的殷切思念，因此只有远行者才有深刻意义上的家。

艾芜心底的歌，冰心梦中的家，虽然走向不同却遥相呼应。都是世纪老人，都有艺术家的良好感觉，人生旅程的大结构真是被他们概括尽了。

无论是李白、崔颢，还是冰心、艾芜，他们都是很能写的人，可以让我们凭借着他们的诗文来谈论，而实际上，许多更强烈的漂泊感受和思乡情绪是难于言表的，只能靠一颗小小的心脏去满满地体验，当这颗心脏停止跳动，这一切也就杳不可寻，也许失落在海涛间，也许掩埋在丛林里，也许凝冻于异国他乡一栋陈旧楼房的窗户中。因此，从总体而言，这是一首无言的史诗。中国历史上每一次大的社会变动都会带来许多人的迁徙和远行，或义无反顾，或无可奈何，但最终都会进入这首无言的史诗，哽哽咽咽又回肠荡气。你看现在中国各地哪怕是再僻远的角落，也会有

远道赶来的白发华侨怆然饮泣，匆匆来了又匆匆去了，不会不来
又不会把家搬回来，他们不说理由也不向自己追问理由，抹干眼
泪又须发飘飘地走向远方。

2

　　我的家乡是浙江省余姚县桥头乡车头村，我在那里出生、长
大、读书，直到小学毕业离开。十几年前，这个乡划给了慈溪县，
因此我就不知如何来称呼家乡的地名了。在各种表格上填籍贯的
时候总要提笔思忖片刻，十分为难。有时想，应该以我在那儿的
时候为准，于是填了余姚；但有时又想，这样填了，有人到现今
的余姚地图上去查桥头乡却查不到，很是麻烦，于是又填了慈
溪。当然也可以如实地填上"原属余姚，今属慈溪"之类，但一
般表格的籍贯栏挤不下那么多字，即使挤得下，自己写着也气
闷：怎么连自己是哪儿人这么一个简单问题，都签得如此支支吾
吾、暧昧不清！

　　我不想过多地责怪改动行政区划的官员，他们一定也有自己
的道理。但他们可能不知道，这种改动对四方游子带来的迷惘是
难于估计的。就像远飞的燕子，当它们随着季节在山南海北绕了
一大圈回来的时候，屋梁上的鸟巢还在，但屋宇的主人变了，屋
子的结构也变了，它们只能唧唧啾啾地在四周盘旋，盘旋出一个
崔颢式的大问号。

　　其实我比那些燕子还要怆惶，因为连旧年的巢也找不到了。
我出生和长大的房屋早已卖掉，村子里也没有严格意义上的亲

戚，如果像我现在这个样子回去，谁也不会认识我，我也想不出可在哪一家吃饭、宿夜。这居然就是我的故乡，我在这个世界上唯一的故乡！早年离开时的那个清晨，夜色还没有褪尽而朝雾已经迷蒙，小男孩瞌睡的双眼使夜色和晨雾更加浓重。这么潦草的告别，总以为会有一次隆重的弥补，事实上世间的一切都无法弥

补,我就潦草地踏上了背井离乡的长途。

我所离开的是一个非常贫困的村落。贫困到哪家晚饭时孩子不小心打破一个粗瓷碗就会引来父母疯狂的追打,而左邻右舍都觉得这种追打理所当然。这儿没有正儿八经坐在桌边吃饭的习惯,至多在门口泥地上搁上一张歪斜的木几,家人在那里盛了饭再拨一点菜,托

着碗东蹲西站、晃晃悠悠地往嘴里扒,因此孩子打破碗的机会很多。粗黑的手掌在孩子身上疾风暴雨般地抢过,然后小心翼翼地捡起碎碗片拼合着,几天后挑着担子的补碗师傅来了,花费很长的时间把破碗补好。补过和没补过的粗瓷碗里很少能够盛出一碗白米饭,尽管此地盛产稻米。偶尔哪家吃白米饭了,饭镬里通常还蒸着一碗霉干菜,于是双重香味在还没有揭开镬盖时已经飘洒全村,而这双重香味直到今天我还认为是一种经典搭配。雪白晶莹的米饭顶戴着一撮乌黑发亮的霉干菜,色彩的组合也是既沉着又强烈。

　　说是属于余姚，实际上离余姚县城还有几十里地。余姚在村民中唯一可说的话题是那儿有一所高山仰止般的医院叫"养命医院"，常言道只能医病不能医命，这家医院居然能够养命，这是何等的本事，何等的气派!村民们感叹着，自己却从来没有梦想过会到这样的医院去看病。没有一个人是死在医院里的，他们认为宁肯早死多少年也不能不死在家里。乡间的出丧比迎娶还要令孩子们高兴，因为出丧的目的地是山间，浩浩荡荡跟了去，就是一次热热闹闹的集体郊游。这一带的丧葬地都在上林湖四周的山坡上，送葬队纸幡飘飘，哭声悠扬，一转入山坳全都松懈了，因为山坳里没有人家，纸幡和哭声失去了视听对象。山风一阵使大家变得安静也变得轻松，刚刚还两手直捧的纸幡已随意地斜扛在肩上，满山除了坟茔就是密密层层的杨梅树，村民们很在行，才扫了两眼便讨论起今年杨梅的收成。

　　杨梅收获的季节很短，超过一两天它就会泛水、软烂，没法吃了。但它的成熟又来势汹汹，刹那间从漫山遍野一起涌出的果实都要快速处理，殊非易事。在运输极不方便的当时，村民们唯一能做的事情就是放开肚子拼命吃。也送几篓给亲戚，但亲戚都住得不远，当地每座山都盛产杨梅，赠送也就变成了交换。家家户户屋檐下排列着附近不同山梁上采来的一筐筐杨梅，任何人都可以蹲在边上慢慢吃上几个时辰，咕咕哝哝地评述着今年各座山的脾性，哪座山赌气了，哪座山在装傻，就像评述着自己的孩子。孩子们到哪里去了?他们都上了山，爬在随便哪一棵杨梅树上边摘边吃。鲜红的果实碰也不会去碰，只挑那些红得发黑但又依然硬扎的果实，往嘴里一放，清甜微酸、挺韧可嚼，扪嘴嘬足一口浓味便把梅核用力吐出，手上的一颗随即又按唇而入。这些日子

他们可以成天在山上逗留，杨梅饱人，家里借此省去几碗饭，家长也认为是好事。只是傍晚回家时一件白布衫往往是果汁斑斑，暗红浅绛，活像是从浴血拼杀的战场上回来。母亲并不责怪，也不收拾。这些天再洗也洗不掉，只待杨梅季节一过，渍迹自然消退，把衣服在河水里轻轻一搓便什么也看不见了。

　　孩子们爬在树上摘食杨梅，时间长了，满嘴会由酸甜变成麻涩。他们从树上爬下来，腆着胀胀的肚子，呵着失去感觉的嘴唇，向湖边走去，用湖水漱漱口，再在湖边上玩一玩。上林湖的水很清，靠岸都是浅滩，杨梅收获季节赤脚下水还觉得有点凉，但欢叫两声也就下去了。脚下有很多滑滑的硬片，弯腰捞起来一看，是瓷片和陶片，好像这儿打碎过很多器皿。一脚一脚趟过去，全是。那些瓷片和陶片经过湖水多年的荡涤，边角的碎口都不扎手了，细细打量，釉面锃亮，厚薄匀整，弧度精巧，比平日在家打碎的粗瓷饭碗不知好到哪里去了。这究竟是怎么回事?难道这里曾安居过许多钟鸣鼎食的豪富之家?但这儿没有任何房宅的遗迹，周围也没有一条像样的路，豪富人家的日子怎么过?捧着碎片仰头四顾，默默的山，呆呆的云，谁也不会回答孩子们。孩子们用小手把碎片摩挲一遍，然后侧腰低头，把碎片向水面平甩过去，看它能跳几下。这个游戏叫做削水片，几个孩子比赛开了，神秘的碎片在湖面上跳跃奔跑，平静的上林湖犁开了条条波纹。不一会儿，波纹重归平静，碎瓷片、碎陶片和它们所连带着的秘密全都沉入湖底。

　　我曾隐隐地感觉到，故乡也许是一个曾经很成器的地方，它

的"大器"不知碎于何时。碎得如此透彻，像轰然山崩，也像渐然家倾。为了不使后代看到这种痕迹，所有碎片的残梦都被湖水淹没，只让后代捧着几个补过的粗瓷碗。盛着点儿白米饭霉干菜木然度日。如果让那些补碗的老汉也到湖边来，孩子们捞起一堆堆精致的碎瓷片碎陶片请他们补，他们会补出一个什么样的物件来?一定是硕大无朋又玲珑剔透的吧?或许会嗡嗡作响或许会寂然无声?补碗老汉们补完这一物件后必然又会被它所惊吓，不得不蹑手蹑脚地重新把它推入湖底然后仓皇逃离。

　　我是一九五七年离开家乡的，吃过了杨梅，拜别上林湖畔的祖坟，便来到了余姚县城，也来不及去瞻仰一下心仪已久的"养命医院"，立即就上了去上海的火车。那年我正好十周岁，在火车窗口与送我到余姚县城的舅舅挥手告别，怯生生地开始了孤旅。我的小小的行李包中，有一瓶酒浸杨梅，一包霉干菜，活脱脱一个最标准的余姚人。一路上还一直在后悔，没有在上林湖里捡取几块碎瓷片随身带着，作为纪念。

3

　　我到上海是为了考中学。父亲原本一个人在上海工作，我来了之后不久全家都迁移来了，从此回故乡的必要性和可能性都已不大，故乡的意义也随之而越来越淡，有时，淡得几乎看不见了。

　　摆脱故乡的第一步是摆脱方言。余姚虽然离上海不远，但余姚话和上海话差别极大，我相信一个纯粹讲余姚话的人在上海街头一定是步履维艰的。余姚话与它的西邻绍兴口音和东邻宁波口音也不一样，记得当时在乡下，从货郎、小贩那里听到几句带有绍兴口音或宁波口音的话，孩子们都笑弯了腰，一遍遍夸张地模仿和嘲笑着，嘲笑天底下怎么还有这样不会讲话的人。村里的老年人端然肃然地纠正着外乡人的发音，过后还边摇头边感叹，说外乡人就是笨。这种语言观念自从我踏上火车就渐渐消解，因为我惊讶地发现，那些非常和蔼地与我交谈的大人们听我的话都很吃力，有时甚至要我在纸上写下来他们才恍然大悟，哈哈大笑，笑声中我讲话的声音越来越小，到后来甚至不愿意与他们讲话了。到了上海，几乎无法用语言与四周沟通，成天郁郁寡欢。有一次大人把我带到一个亲戚家里去，那是一个拥有钢琴的富贵家庭，钢琴边坐着一个比我小三岁的男孩，照辈分我还该称呼他表舅舅。我想同样是孩子，又是亲戚，该谈得起来了吧，他见到我也很高兴，友好地与我握手，但

才说了几句，我能听懂他的上海话，他却听不懂我的余姚话，彼此扫兴，各玩各的了。最伤心的是我上中学的第一天，老师不知怎么偏偏要我站起回答问题，我红着脸憋了好一会儿终于把满口的余姚话倾泻而出，我相信当时一定把老师和全班同学都搞糊涂了，完全不知道在说什么。等我说完，憋住的是老师，他不知所

措的眼光在厚厚的眼镜片后一闪,终于转化出和善的笑意,说了声"很好,请坐。"这下轮到同学们发傻了,老师说了很好?他们以为上了中学都该用这种奇怪的语言回答问题,全都慌了神。

幸亏当时十岁刚出头的孩子们都非常老实,同学们一下课就与我玩,从不打听我的语言渊源,我也就在玩耍中快速地学会了他们的口音,仅仅一个月后,当另外一位老师叫我站起来回答问题的时候,我说出来的已经是一口十分纯正的上海话了。短短的语言障碍期跳跃得如此干脆,以至我的初中同学直到今天还没有一个人知道我是从余姚赶到上海来与他们坐在一起的。

这件事现在回想起来仍感到十分惊讶,我竟然一个月就把上海话学地道了,而上海话又恰恰是特别难学的。上海话的难学不在于语言的复杂而在于上海人心态的怪异,广东人能容忍外地人讲极不标准的广东话,北京人能容忍羼杂着各地方言的北京话,但上海人就不允许别人讲不伦不类的上海话。有人试着讲了,几乎所有的上海人都会求他"帮帮忙",别让他们的耳朵受罪。这一帮不要紧,使得大批在上海生活了四十多年的"南下干部",至今不敢讲一句上海话。我之所以能快速学会是因为年纪小,对语言的敏感能力强而在自尊、自羞方面的敏感能力还比较弱,结果反而进入了一种轻松状态,无拘无碍,一学就会。我从上海人自鸣得意的心理防范中一头蹿了过去,一下子也成了上海人。有时也想,上海人凭什么在语言上自鸣得意呢?他们的前辈几乎都是从外地闯荡进来的,到了上海才渐渐甩掉四方乡音,归附上海话;而上海话又并不是这块土地原本的语言,原本的语言是松江话、青浦话、浦东话,却为上海人所耻笑。上海话是一种类似于"人造蟹肉"之类的东西,却能迫使各方来客挤掉本身的鲜活而进入它的盘碟。

一个人或一个家庭一旦进入上海就等于进入一个魔圈,要小心翼翼地洗刷掉任何一点非上海化的印痕,特别是自己已经学会的上海话中如果还带着点儿乡音的遗留,就会像对付寻常苍蝇、蚊子一样努力把它们清除干净。我刚到上海那会儿,街市间还能

经常听到一些年纪较大的人口中吐出的宁波口音或苏北口音,但这种口音到了他们下一代基本上就不存在了,现在你已经无法从一个年轻的上海人的谈吐中判断他的原籍所在。与口音一样,这些上海人与故乡的联系也基本消解,但他们在填写籍贯的时候又不可能把上海写上去。于是上海人成了无根无基的一群,不知自己从何而来,不知自己属于哪块土地,既得意洋洋又可怜兮兮。

由此倒羡慕起那些到老仍不改乡音的前辈,他们活生生把一个故乡挂在嘴边, 一张口, 就告示出自己的生命定位。

我天天讲上海话, 后来随着我生存空间的进一步扩大, 则开始把普通话作为交流的基本语言, 余姚话隐退得越来越远, 最后已经很难从我口中顺畅吐出了。我终于成为一个基本上不大会说余姚话的人, 只有在农历五月杨梅上市季节, 上海的水果摊把一切杨梅都标作余姚杨梅在出售的时候, 我会稍稍停步, 用内行的眼光打量一下杨梅的成色, 脑海中浮现出上林湖的水光云影, 但一转眼, 我又汇入了街市间雨点般的脚步。

故乡, 就这样被我丢失了。

故乡, 就这样把我丢失了。

4

重新捡回故乡是在上大学之后, 但捡回来的全是碎片。我与故乡做着一种捉迷藏的游戏: 好像是什么也找不到了, 突然又猛地一下直竖在眼前, 正要伸手去抓却空空如也, 一转身它又在某个角落出现⋯⋯

进大学后不久就下乡劳动, 那年月下乡劳动特别多, 上一趟大学有一半多时间在乡下。那乡下当然不是我的故乡, 同样的茅舍小河, 同样的草树庄稼, 我却没完没了地在异乡的泥土间劳作, 那么当初又为什么离乡呢?正这么想着, 一位同样是下乡来劳动的书店经理站到了我身边, 他看着眼前的土地好一会儿不说话, 终于轻轻问我: "你是哪儿人?"

"余姚。浙江余姚。"我答道。

"王阳明的故乡，了不得!"当年的书店经理有好些是读了很多书的人，他好像被什么东西点燃了，突然激动起来，"你知道吗，日本有一位大将军一辈子裤带上挂着一块牌，上面写着'一生崇拜王阳明!'①连蒋介石都崇拜王阳明，到台湾后把草山改成阳明山! 你家乡现在大概只剩下一所阳明医院了吧?"

我正在吃惊，一听他说阳明医院就更慌张了，"什么?阳明医院?那是纪念王阳明的?"原来我从小不断从村民口中听到的"养命医院"竟然是这么回事!

我顾不得书店经理了，一个人在田埂上呆立着，为王阳明叹息。他狠狠地为故乡争了脸，但故乡并不认识他，包括我在内。我，王阳明先生，比你晚生五百多年的同乡学人，能不能开始认识你，代表故乡、代表后代，来表达一点歉疚?

从此我就非常留心有关王阳明的各种资料。令人生气的是，当时大陆几乎所有的书籍文章只要一谈及王阳明都采取否定的态度，理由是他在哲学上站在唯心主义的立场，在政治上站在农民起义的对立面，是双料的反动。我不知道中国数千年历史上有哪一位真正堪称第一流的大学者是彻底的唯物主义者又坚定地站在农民起义一边的，我只觉得有一种非学术的卫护本能从心底升起: 怎么能够这样欺侮我们余姚人!得了他多少年的声名还痛骂他，天底下哪有这样的道理?

我点点滴滴地搜集与他有关的一切，终于越来越明白，即使

---

① 后从姚业鑫先生的大著《名邑余姚》中得知，那是日本海军大将东乡平八郎，在随身携带的一颗印章上刻着"一生低首拜阳明"七字。

他不是余姚人，我也会深深地敬佩他，而正因为他是余姚人，我由衷地为他和故乡骄傲。中国历史上能文能武的人很多，但在两方面都臻于极致的却寥若晨星。三国时代曹操、诸葛亮都能打仗，文才也好，但是在文化的综合创建上毕竟未能俯视历史；身为文化大师而又善于领兵打仗的有谁呢?宋代的辛弃疾算得上一个，但总还不能说他是杰出的军事家。好像一切都要等到王阳明的出现，才能让奇迹真正的产生。王阳明是无可置疑的军事天才，为了社会和朝廷的安定，他打过起义军，也打过叛军，打的都是大仗，从军事上说都是独具谋略、娴于兵法、干脆利落的漂亮动作，也是当时全国最重要的军事行为。明世宗封他为"新建伯"，就是表彰他的军事贡献。我有幸读到过他在短兵相接的前线写给父亲的一封问安信，这封信，把连续的恶战写得轻松自如，把复杂的军事谋略和政治谋略说得如同游戏，把自己在瘴疠地区终于得病的大事更是毫不在意一笔带过，满纸都是大将风度。《明史》说，整个明代，文臣用兵，没有谁能与他比肩。但他又不是一般的文臣，而是中国历史上屈指可数的几个最伟大的哲学家之一，因此他的特殊性就远不止在明代了。我觉得文臣用兵真正用到家的还有清代的曾国藩，曾国藩的学问也不错，但与王阳明比显然还差了一大截。王阳明一直被人们诟病的哲学，在我看来是中华民族智能发展史上的一大成就,能够有资格给予批评的人其实并不太多。请随便听一句：

　　你未看此花时，此花与汝同归于寂；你来看此花时，则此花颜色一时明白起来……

这是多高超的悟性，多精致的表达!我知道有不少聪明人会拿着花的"客观性"来愤怒地反驳他，但那又是多么笨拙的反驳啊。又如他提出的"致良知"的千古命题，对人本如此信赖，对教条如此轻视，甚至对某种人类共通规范的自然滋长抱有如此殷切的期盼，至少对我来说，只有恭敬研习的份。

王阳明夺目的光辉也使他受了不少难，他入过监狱、挨过廷杖、遭过贬谪、逃过暗算、受过冷落，但他还要治学讲学、匡时济世，因此决定他终生是个奔波九州的旅人，最后病死在江西南安的船上，只活了五十七岁。临死时学生问他遗言，他说"此心光明，亦复何言!"

王阳明一生指挥的战斗正义与否，他的哲学观点正确与否都可以讨论，但谁也不能否定他是一个特别的强健的人，我为他骄傲首先就在于此。能不能碰上打仗是机遇问题，但作为一个强健的人，即便不在沙场也能在文化节操上坚韧得像个将军。

我在王阳明身上看到了一种楷模性的存在，但是为了足以让自己的生命安驻，还必须被补充范例。翻了几年史籍，发现在王阳明之后的中国文化史上最让我动心的很少几位大师中仍有两位是余姚人，他们就是黄宗羲和朱舜水。

黄宗羲和朱舜水都可称为满腹经纶的血性汉子。生逢乱世，他们用自己的嶙峋傲骨支撑起了全社会的人格坐标。因此乱世也就获得了一种精神引渡。黄宗羲先生的事迹我在以前的几篇散文中已多次提到，可知佩服之深，今天还想说两句。你看他十九岁那年在北京，为报国仇家恨，手持一把铁锥，见到魏忠贤余孽就朝他们脸上直刺过去，一连刺伤八人，把整个京城都轰动了。这难道就是素称儒雅的江南文士吗?是的，是江南余姚文士!浑身刚烈，足以让齐鲁英雄、燕赵壮士也为之一震。在改朝换代之际，他又敢于召集义军、结寨为营，失败后立即投身学术，很快以历史学泰斗和百科全书式的文化巨人的形象巍然挺立。

朱舜水也差不多，在刀兵行伍间奔走呼唤多年而未果之后，毅然以高龄亡命海外，把中国文化最深致最感性的部分完整地向日本弘扬，以连续二十余年的努力创造了中日文化交流史、亚洲文化发展史上的宏大业绩。白发苍苍的他一次次站在日本的海边向西远望，泣不成声，他至死都在想念着家乡余姚，而虔诚崇拜他的日本人民却把他的遗骨和坟墓永久性地挽留住了。

梁启超在论及明清学术界王阳明、朱舜水、黄宗羲家族和邵晋涵家族时，不能不对余姚钦佩不已了。他说：

> 余姚以区区一邑，而自明中叶迄清中叶二百年间，硕儒辈出，学风沾被全国以及海东。阳明千古大师，无论矣；朱舜水以孤忠羁客，开日本德川氏三百年太平之局；而黄氏自忠端以风节历世，梨洲、晦木、主一兄弟父子①，为明清学术承先启后之重心；邵氏自鲁公、念鲁公以迄二云②，间世崛起，绵绵不绝。……生斯邦者，闻其风，汲其流，得其一绪则足以卓然自树立。

---

① 忠端即黄宗羲父黄尊素，梨洲即黄宗羲，晦木即黄宗炎，主一即黄百家。
② 鲁公即邵曾可，念鲁公即邵廷采，二云即邵晋涵。

梁启超是广东新会人，他从整个中国文化的版图上来如此激情洋溢地褒扬余姚，并没有同乡自夸的嫌疑。我也算是梁启超所说的"生斯邦者"吧，虽说未曾卓然自立却也曾经是"闻其风，汲其流"的，不禁自问，那究竟是一种什么"风"、什么"流"呢？我想那是一种神秘的人格传递，而这种传递又不是直接的，而是融入到了故乡的山水大地、风土人情，无形而悠长。这使我想起范仲淹的名句：

　　　　云山苍苍，江水泱泱，先生之风，山高水长。

写下这十六个字后我不禁笑了，因为范仲淹的这几句话是在评述汉代名士严子陵时说的，而严子陵又是余姚人。对不起，让他出场实在不是我故意的安排。

由此，我觉得真正找到了自己的故乡。

5

我发现故乡也在追踪和包围我，有时还会达到很有趣的地步。

最简单的例子是我进上海戏剧学院读书后，发现当时全院学术威望最高的朱端钧教授和顾仲彝教授都是余姚人。这是怎么搞的，我不是告别余姚了吗，好不容易进了大学又一头撞在余姚人的手下。

近几年怪事更多了。有一次我参加上海市的一个教授评审组，好几个来自各大学的评审委员坐在一起发觉彼此乡音靠近，三言两语便认了同乡，然后都转过头来询问没带多少乡音的我是哪儿人，我的回答使他们怀疑我是冒充同乡来凑趣，直到我几乎要对天发誓他们才相信。这时正好走进来新任评审委员的复旦大学王水照教授，大家连忙问他，王教授十分文静地回答："余姚人。"

就在这次评审回家，母亲愉快地告诉我，有一个她不认识的乡下朋友来过电话，用地道的余姚话与她交谈了很久。问了半天我才弄明白，那是名扬国际的英语语言学家陆谷孙教授，我原先以为他似乎理所当然应该是英国籍的世界公民。

前两年我对旧上海世俗社会的心理结构产生了兴趣，在研究中左挑右筛，选中了"海上闻人"黄金荣和"大世界"的创办者黄楚九作为重点剖析对象，还曾戏称为"二黄之学"。但研究刚开始遇到二黄的籍贯我不禁颓然废笔，傻坐良久。这两位同乡在上海一度发挥的奇异威力使我对故乡的内涵有了另一方面的判断。

故乡也有很丢人的时候。"文化大革命"时期把严子陵、王阳明、黄宗羲、朱舜水的纪念碑亭全部砸烂，这虽然痛心却也可以想像，因为当时整个中国大陆没有一个地方不是这样做的，但余姚发生的武斗之惨烈和长久，则是出乎想像之外的。余姚人打杀余姚人，打到长长的铁路线独独因余姚而瘫痪在那里，上海的街头贴满了武斗双方的宣言书，实在丢人现眼，让一切在外的余姚人都抬不起头来。难道黄宗羲、朱舜水的刚烈之风已经演变成这个样子了?王阳明呼唤的良知已经纤毫无存?在那些人心惶惶的夜晚，我在上海街头寻找着那些宣言书，既怕看又想看。昏黄的灯光照着血腥的词句，就文词而言，也许应该说是当时全国各地同类宣言书中写得最酣畅漂亮的，但这使我更加难过，就像听到用华丽的男中音骂出了一串脏话，而这个男中音又恰恰是从我家旧门庭传出，如何消受得住。如果前后左右没有人看见，我会从墙上撕下这些宣言书，扯成最细的纸丁，塞进阴沟，然后做贼般逃走。

我怕有人看见，却又希望故乡能在冥冥中看到我的这些举动。我怀疑它看到了，我甚至能感觉到它苍老的颤抖。它多么不愿意掏出最后的老底来为自己正名，苦苦憋了几年，终于忍不住，就在武斗现场附近，一九七三年，袒露出一个震惊世界的河姆渡!袒露在不再有严子陵、王阳明、黄宗羲、朱舜水任何遗迹的土地上，袒露在一种无以言表的荒凉之中。要不然，有几位大师在前面光彩着，河姆渡再晚个千把年展示出来也是不慌的。

河姆渡着实又使家乡风光顿生。一个整整七千年的文化遗址，而人们平日说起华夏历史总是五千年。河姆渡雄辩地证明，长江流域并不历来是茹毛饮血的南蛮之地而愧对黄河文明，恰恰相反，这儿也是中华民族的温暖故乡。当自己的故乡突然变成了全民族的故乡，这种心理滋味是很复杂的，既有荣耀感又有失落感。总算是一件不同凡响的好事吧，从七十年代开始，中国的一切历史教科书的前面几页都有了余姚河姆渡这个名称。

后来，几位大师逐一恢复名誉，与河姆渡遥相呼应，故乡的文化分量就显得有点超重。记得前年我与表演艺术家张瑞芳和画家程十发一起到日本去，在东京新大谷饭店的一个宴会厅里，与一群日本的汉学家坐在一起闲聊，不知怎么说起了我的籍贯，好几个日本朋友夸张地瞪起了眼，嘴里发出"嗬——嗬——"的感叹声，像是在倒吸冷气。他们虽然不太熟悉严子陵和黄宗羲，却大谈王阳明和朱舜水，最后又谈到了河姆渡，倒吸冷气的声音始终不断。他们一再把手按在我的手背上要我确信，我的家乡是神土，是福地。

同桌只有两位陶艺专家平静地安坐着，人们向我解释，他们来参加宴会是因为过几天也要去中国大陆考察古代陶瓷。我想中止一下倒吸冷气的声音，便把脸转向他们，随口问他们将会去中国什么地方，他们的回答译员翻不出来，只能请他们写，写在纸条上的字居然是"慈溪——上林湖"！

我无法说明慈溪也是我的家乡，因为这会使刚才还在为余姚喝彩的日本朋友疑惑不解，但我实在压抑不住内心的激动，告诉两位陶艺专家："上林湖，是我小时候三天两头去玩水的地方。"两位陶艺专家惊讶地看了我一眼，从口袋里取出一叠照片，上面照的全是陶瓷的碎片。

——一点不错，这正是我当年与小朋友一起从湖底摸起，让它们在湖面上跳跃奔跑的那些碎片！

两位陶艺专家告诉我，据他们所知，上林湖就是名垂史册的越窑所在地，从东汉直至唐、宋，那里曾分布过一百多个窑场，既有官窑又有民窑，国际陶瓷学术界已经称上林湖为举世罕见的露天青瓷博物馆。我专注而又失神地听着，连点头也忘了。竟然是这样！一个从小留在心底的谜，轻轻地解开于异国他乡。谜底的辉煌，超过我曾经作过的最大胆的想像。想想从东汉到唐、宋这段漫长的风华年月吧，曹操、唐明皇、武则天的盘盏，王羲之、陶渊明、李白的酒杯，都有可能烧成于上林湖边。家乡细洁的泥土，家乡清澈的湖水，家乡热烈的炭火，曾经铸就过无数美丽的载体，天天送到那些或是开朗、或是苦涩的嘴边。这便是我从小就想寻找的属于故乡的"大器"吗?我不知道今天上林湖边，村民们是否还在用易碎的粗瓷饭碗，不知道今天上林湖底，是否还沉积着那么多碎片，听这两位日本陶艺专家说，这些碎片现今在国际市场上的价格，极其昂贵。

6

从日本回来后，我一直期待着一次故乡之行，对于一个好不容易修补起来了的家乡，我不应该继续躲避。正好余姚市政府聘请我担任文化顾问，我就在今年秋天回去了一次。一直好心陪着我的余姚乡土文化的研究者姚业鑫先生执意要我在进余姚城之前先去看看河姆渡博物馆，博物馆馆长邵九华先生为了等我，前一夜没有回家，在馆中过夜。两位学者用余姚话给我详细介绍了河姆渡的出土文物，那一些是足够写几篇大文章的，留待以后吧;我在参观中最惊讶的发现是，这儿，七千年前，人们已经有木构建筑，已经在摘食杨梅，已经在种植稻谷，已经在烧制炊具，甚至在陶甑所盛的香喷喷白米饭上已经有可能也盖着一层霉干菜!有的学者根据一个陶碗上所刻的驯良的野猪图形，判断当时的河姆渡人不仅烧食猪肉，而且极有可能正是由霉干菜烧成。

难道故乡的生态模式，早在七千年前就已经大致形成?如此说来，七千年过得何其迅速又何其缓慢。

我在河姆渡遗址上慢慢地徘徊，在这块小小的空间里，漫长的时间压缩在一起，把洋洋洒洒永远说不完道不尽的历史故事压缩在泥土层的尺寸之间。我想，文明的人类总是热衷于考古，就是想把压缩在泥土里的历史扒剔出来，舒展开来，窥探自己先辈的种种真相。那么，考古也就是回乡，也就是探家。探视地面上的家乡往往会有岁月的唏嘘、难言的失落，使无数游子欲往而退；探视地底下的家乡就没有那么多心理障碍了，整个儿洋溢着历史的诗情、想像的愉悦。我把这个意思说给了陪着我的两位专家听，他们点头，但转而又说，探视地底下的家乡也不轻松。

我终于约略明白了他们的意思。就在我们脚下，当一批批七千年前的陶器、木器、骨器大量出土引起人们对河姆渡的先人热烈欢呼的时候，考古学者在陶釜和陶罐里发现了煮食人肉的证据，而且，煮食的是婴儿。多么不希望是这样，他们郑重地请来了著名古人类学家贾兰坡教授，老教授亲自鉴定后作出了确证无疑的结论。此外，又挖掘出了很多无头的骨架，证明这里盛行过可以称为"猎首"的杀人祭奠仪式。当然这一切绝不仅仅发现在河姆渡遗址中，但这儿的发现毕竟说明，使故乡名声大震的悠久文化中包含着大量无法掩饰的蒙昧和野蛮。

可以为祖先讳，可以为故乡讳，但讳来讳去只是一种虚假的安慰。远古的祖先在地底下大声咆哮，儿孙们，让我真实，让我自在，千万别为我妆扮！于是，远年的荣耀负载出远年的恶浊，精美的陶器贮存着怵目的残忍。我站在这块土地上离祖先如此逼近，似乎伸手便能搀扶他们，但我又即跳开了，带着恐惧和陌生。

美国人类学家摩尔根指出，蒙昧——野蛮——文明这三个段落，是人类文化和社会发展的普遍阶梯。文明是对蒙昧和野蛮的摆脱，人类发展的大过程如此，每个历史阶段的小过程也是如此。王阳明他们的产生，也同样是为了摆脱蒙昧和野蛮吧，摆脱种种变相的食人和猎首。直到今天，我们大概还躲不开与蒙昧和野蛮的周旋，因此文明永远显得如此珍贵。蒙昧和野蛮并不是一回事，蒙昧往往有朴实的外表，野蛮常常有勇敢的假相，从历史眼光来看，野蛮是人们逃开蒙昧的必由阶段，相对于蒙昧是一种进步；但是，野蛮又绝不愿意就范于文明，它会回过身去与蒙昧结盟，一起来对抗文明。结果，一切文明都会遇到两种对手的围攻：外表朴实的对手和外表勇敢的对手，前者是无知到无可理喻，后者是强蛮到无可理喻。更麻烦的是，这些对手很可能与已有的文明成果混成一体，甚至还会悄悄地潜入人们的心底，使我们在寻找它们的时候常常寻找到自己的父辈，自己的故乡，自己的历史。

我们的故乡，不管是空间上的故乡还是时间上的故乡，究竟是属于蒙昧、属于野蛮，还是属于文明?我们究竟是从何处出发，走向何处?我想，即便是家乡的陶瓷器皿也能证明：文明有可能盛载过野蛮，有可能掩埋于蒙昧；文明易碎，文明的碎片有可能被修补，有可能无法修补，然而即便是无法修补的碎片，也会保存着某种光彩，永久地让人想像。能这样，也就够了。

告别河姆渡遗址后，几乎没有耽搁，便去余姚市中心的龙泉山拜谒重新修复的四位先贤的碑亭。一路上我在想，区区如我，毕生能做的，至多也是一枚带有某种文明光泽的碎片罢了，没有资格跻身某个遗址等待挖掘，没有资格装点某种碑亭承受供奉，只是在与蒙昧与野蛮的搏斗中碎得于心无愧。无法躲藏于家乡的湖底，无法奔跑于家乡的湖面，那就陈之于异乡的街市吧，即便被人踢来踢去，也能铿然有声。偶尔有哪个路人注意到这种声音了，那就顺便让他看看一小片淡青色的明亮。

7

　　第二天我就回上海了。出生的村庄这次没有去，只在余姚城里见了一位远房亲戚：比我小三岁的表舅舅。记得吗？当年我初到上海时在钢琴边与我握手的小男孩，终于由于语言不通玩不起来；后来"文化大革命"中阴错阳差他到余姚来工作了，这次相见我们的语言恰好倒转，我只能说上海话而他则满口乡音。倒转，如此轻易。

　　我就算这样回了一次故乡？不知怎么，疑惑反而加重了：远古沧桑、百世英才，但它属于我吗？我属于它吗？身边多了一部《余姚志》，随手翻开姓氏一栏，发觉我们余姓在余姚人数不多。也查过姓氏渊源，知道余姓是秦代名臣由余氏的后裔，唐代之后世居安徽歙州，后由安徽繁衍到江西南昌。历史上姓余的名人很少，勉强称得上第一个的，大概是宋代天圣年间的官僚余靖，但他是广东人。后来又从福建和湖北走出过几个稍稍有点名气的姓余的人。我的祖先，是什么时候漂泊到浙江余姚的呢？我口口声声说故乡、故乡，究竟该从什么时候说起呢？河姆渡、严子陵时代的余姚，越窑鼎盛时期的上林湖，肯定与我无关，我真正的故乡在哪儿呢？

　　正这么傻想着，列车员站到了我眼前，说我现在坐的是软席，乘坐需要有级别，请我出示级别证明。我没有这种证明，只好出示身份证，列车员说这没用，为了保护软席车厢旅客的安全，让我到硬席车厢去。车厢里大大小小持有"经理"证明或名片的旅客和他们的家属开始用提防的眼光注视我,我赶紧抱起行李低头逃离。可是我车票上的座位号码本不在硬席车厢,怎么可能在那里找到座位呢?只好站在两节车厢的接口处,把行李放在脚边。我突然回想起三十多年前第一次离开余姚到上海去时坐火车的情景,也是这条路,也是这个人,但那时是有座位的,行李里装着酒浸杨梅和霉干菜,嘴上咕哝着余姚话;今天,座位没有了,身份模糊了,乡音丢失了,行李里也没有土产了,哐唧哐唧地又在这条路上走一趟。

从一个没有自己家的家乡,到一个有自己家的异乡,离别家乡恰恰是为了回家,我的人生旅行,怎么会变得如此怪诞?

火车外面,陆游、徐渭的家乡过去了,鲁迅、周作人的家乡过去了,郁达夫、茅盾的家乡过去了,丰子恺、徐志摩的家乡过去了……

他们中有好多人,最终都没有回来。有几个,走得很远,死得很惨。

其中有一个曾经洒脱地吟道:

> 悄悄的我走了,
> 　正如我悄悄的来;
> 我挥一挥衣袖,
> 　不带走一片云彩。

车窗外的云彩暗了,时已薄暮,又想起了崔颢的诗句。淅淅沥沥,好像下起雨来了。

天涯故事

1

　　几年前读到一篇外国小说，作家的国别和名字已经忘记，但基本情节还有印象。一对亲亲热热的夫妻，约了一位朋友到山间去野营狩猎，一路上丈夫哼着曲子在开车，妻子和朋友坐在后座。但突然，丈夫嘴上的曲子戛然而止，因为他在反光镜中瞥见妻子的手和朋友的手悄悄地握在一起。丈夫眩晕了，怒火中烧又不便发作，车子开得摇晃不定，恨不得出一次车祸三人同归于尽。好不容易到了野营地，丈夫一声不吭骑上一匹马独个儿去狩猎了，他发疯般地纵马狂奔，满心都是对妻子和朋友的痛恨。他发现了一头鹿，觉得那就是让他排遣痛恨的对象，那就是自己不忠诚的妻子的借体，便握缰狠追，一再举枪瞄准，那头鹿当然拼命奔逃。不知道追了多远，跑了多久，只知道耳边生风、群山急退，直到暮色苍茫。突然那头鹿停步了，站在一处向他回过头来，他非常惊讶，抬头一看，这儿是山地的尽头，前面是深不可测的悬崖。鹿的目光，清澈而美丽，无奈而凄凉。他木然地放下猎枪，颓然回缰，早已认不得归去的路了，只能让马驮着一步步往前走。仍然不知走了多久，忽然隐隐听到远处一个女人呼喊自己名字的声音，走近前去，在朦胧月光下，妻子脸色苍白，她的目光，清澈而美丽，无奈而凄凉。

我约略记得，这篇小说在写法上最让人注目的是心理动态和奔驰动态的漂亮融合，但对我来说，挥之不去的是那头鹿面临绝境时猛然回首的眼神。

这种眼神对全人类都具有震撼力，一个重要证据是中国居然也有一个相似的民间故事。故事发生在海南岛，一个年轻的猎手也在追赶着一头鹿，这头鹿不断向南奔逃，最后同样在山崖边突然停住，前面是一望无际的大海，它回过头来面对猎手，双眼闪耀出渴求生命的光彩。猎手被这种光彩镇住，刹那间两相沟通，这头鹿变成一位少女与他成婚。这个故事的结尾当然落入了中国式的套数，但落入套数之前的那个眼神，仍然十分动人。

两个故事的成立有一个根本的前提，那就是必须发生在前面已经完全没有路可走的地方。如果还有路可走，那回首的目光就成了一种半途而废的求和，味道不大对了。只有在天涯海角、绝壁死谷，生命被逼到了最后的边界，一切才变得深刻。

进入这种境地，可能是被人追逼的，也可能是不小心自己闯入的，也可能是有意去寻找什么的；一旦进入，可能仓皇逃离，可能不再回返，可能由兽变人，可能由人变兽，可能焕发哲思，可能逆转情感，可能蔑视寻常，也可能渴求寻常，总之，全都升腾得不同一般。上面所说的两个故事都是以恋情为构架的，如果把这种构架拆除，天涯海角、绝壁死谷可能会产生一种更加恢宏的深刻。

海明威在他的《乞力马扎罗的雪》一开头写道：

> 乞力马扎罗是一座海拔一万九千七百一十英尺高的长年积雪的高山，据说它是非洲最高的一座山。西高峰叫马塞人的"鄂阿奇鄂阿伊"，即上帝的庙殿。在西高峰的近旁，有一具已经风干冻僵的豹子的尸体。豹子到这样高寒的地方来寻找什么，没有人作过解释。

这头豹子，就比那两头鹿庄严。

我们海南岛那头鹿的厉害之处，在于它从传说跳到了地面：岛的南端，真有一个山崖叫"鹿回头"，山崖前方，真叫"天涯海角"，再前方，便是茫茫大海。人们知道，尽管海南岛的南方海域中还有一些零星小岛，就整块陆地而言那儿正恰是中华大地的南端，于是，那儿也便成了中华民族真正的天涯海角。既然如此，那头鹿的回头也就回得非同小可了。中国的帝王面南而坐，中国的民居朝南而筑，中国发明的指南针永远神奇地指向南方，中国大地上无数石狮、铁牛、铜马、陶俑也都面对南方站立着或匍匐着，这种种目光穿过群山、越过江湖，全都迷迷茫茫地探询着碧天南海，探询着一种宏大的社会心理走向的终点，一种延绵千年的争斗和向往的极限，而那头美丽的鹿一回头，就把这所有的目光都兜住了。这一来，它比海明威的豹子更庄严了。

这些年，海南岛成了一个热闹的去处，我的许多朋友和学生经常从那里打电话来报告各种消息，他们兴高采烈地在那里创业和冒险，我自己也已去过不止一次。与大陆相比，即便是与大陆的沿海开放区域相比，那儿的生活也是奇特而新鲜的。在"鹿回头"的巨大塑像下，在"天涯海角"的石刻前，在通什的山寨中，在椰林夹道的环岛公路上，我一直在想，这究竟是一个什么样的岛屿呢?它对于隔海相望的大陆有什么独特的意义?一切踏上了它的土地而又自称为"闯海者"的大陆人，是否能够真正领悟它?前不久读到海外作家陈若曦写海南岛的一篇文章，一种小心翼翼的爱惜之情令人感动。至今没有找到过一部完整、系统地记述海南岛历史的著作，据说有一个日本人写过一本，也还未曾读到。不管怎么说，大家对海南的历史都知之甚少，这是无法掩盖的事实。不太认识它而又偏偏让它来承担现代的重任，我觉得对它是不公正的。这些年我在对中原大地上各个地域文化逐一进行探测的时候，总会隐隐感到一种从天涯海角向中原大地回首的遥远目光。我开始关注它，在历史资料中扒剔点点滴滴有关它的远年信号。今天，我觉得已经有可能来粗略地谈谈它的故事了。

2

海南岛很早就有人住，这些人很早就与大陆有过往来，往来过程中有过友情也有过怨仇，这些都是没有问题的。在漫长的时期中，不管是海南岛还是南粤基本上都处于荒昧状态。荒昧中为数不多的先民保持着一种我们今天很难猜度的原始生态。战国时的《尚书·禹贡》和《吕氏春秋》中所划定的九州中最南的两州是扬州和荆州，可见海南还远处于文明的边界之外。战国顾名思义是政治家和军事家特别繁忙的年代，而在海南岛，只听到一个个熟透的椰子从树上静静地掉下来，啪哒、啪哒，掉了几千年。椰树边，海涛日夜翻卷，藤葛垂垂飘拂。

看起来，大陆人比较认真地从行政眼光打量这座岛屿是在汉代。打量者是两个都被称之为"伏波将军"的南征军官,西汉时的路博德和东汉时的马援。他们先后在南中国的大地上左右驰骋、开疆拓土,顺便也把这个孤悬于万顷碧波之外的海岛粗粗地光顾了一下,然后设了珠崖、儋耳两郡,纳入中华版图。但是这种纳入实在是很潦草的,土著的俚族与外来的官吏士兵怎么也合不来,一次次地爆发尖锐的冲突,连那些原先自然迁来的大陆移民也成了土著轰逐的对象。有很长一段时间,所有的外来人不得不统统撤离,挤上木船渡海回大陆,让海南岛依然处于一种自在状态。当然过后又会有军人前去征服,但要在那里安安静静地待下去几乎是不可能的。几番出入进退,海南岛成了一个让人害怕的地方。害怕的原因又不能说是对付不了本地人反抗,这会引起统治者的气恼:我圣朝雄威、坚兵重甲,还能被这些土人抵挡住?因此将军们只能说是水土不服,地气有毒,容易染病,兵士们去了回不来。

前些日子为找海南的资料随手翻阅二十五史,在《三国志》中读到一段资料,说赤乌年间东吴统治者孙权一再南征海南岛,群臣一致拥护,惟独有一位叫全琮的浙江人竭力反对。他说:

> 圣朝之威,何向而不克?然殊方异域,隔绝障海,水土气毒,自古有之。兵入民出,必生疾病,转相污染,往者惧不能返,所获何可多?
>
> (上海古籍出版社、上海书店一九八六年版《二十五史》第二册,《三国志》第一六八页)

孙权没有听他的,意气昂昂地派兵向海南进军了。结果是,如此遥远的路途，走了一年多，士兵死亡百分之八九十。孙权后悔了，又与全琮谈及此事，称赞全琮的先见之明，全琮说，当时君臣中有不少人也是明白的，但他们不提反对意见，我认为是不忠。

三国是一个英雄的时代，而英雄也未能真正征服海南。那么，海南究竟是等待一个什么样的人物呢？

完全出乎人们意料，在孙权南征的二百多年之后，一个出生在今天广东阳江的姓冼的女子，以自己的人格魅力几乎是永久地安顿了海南。公元五二七年，亦即特别关心中华版图的地理学家郦道元去世的那一年，这位姓冼的女子嫁给了高凉太守冯宝，便开始有力地辅佐丈夫管起中华版图南端傍海的很大一块地面，海南岛也包括在内。丈夫冯宝因病去世，中原地区频繁的战火也造成南粤的大乱，这位已届中年的女子只得自己跨上了马背。为了安定，为了民生，为了民族间的和睦，她几十年一直指挥若定，威柔并施。终于，她成了南粤和海南岛很大一部分地区最有声望的统治者，"冼夫人"的称呼在椰林海滩间响亮地翻卷。直到隋文帝统一中国，冼夫人以近似于"女酋长"的身份率领属下各州县归附，迎接中央政权派来的官员，消灭当地的反叛势力，使岭南与中原真正建立了空前的亲和关系。

冼夫人是个高寿的女人，如果说结婚是她从政的开始，那么到她去世，她从政长达七十余年。从中原文化的坐标去看，那是一个刘勰写《文心雕龙》、颜之推写《颜氏家训》的时代；而他们的南方，一个女人，正威镇海天。她不时回首中原，从盈盈秋波到朦胧慈目，始终是那样和善。中原人士从"隔绝障海"、"水土气毒"的方向看到这种目光很是惊讶和慌乱，此间情景正有点像那个追鹿的青年。

191

　　那么，收起弓箭，勒住马缰，也报以温暖的笑容吧。隋朝政
府先册封她为宋康郡夫人，后又册封她为谯国夫人，她去世后，
又追谥为诚敬夫人。没有什么资料可以让我们知道冼夫人年轻时
的容貌和风采，但她的魅力似乎是不容怀疑的。直到一千多年后
的今天，琼州海峡两岸还有几百座冼夫人庙，每年都有纪念活
动，自愿参与者动辄数十万，令人吃惊。我的学生文新国毕业后
在广东工作，被一个女性保持着千余年的巨大魅力所震撼，花费
整整十年时间研究冼夫人，写出了一系列成功的文学作品。在他
笔下，冼夫人是现今黎族的先辈俚人，而她的丈夫冯宝则是汉
人。这使我突然想起，在我国众多的少数民族中，长相特别美丽
的民族有好几个，而黎族则是其中之一。黎族姑娘的美首先是眼
睛，大海的开阔深沉、热带的炽烈多情全都躲藏在睫毛长长的忽
闪间。冼夫人把这种眼神投注给了中华历史，这在中华历史中显
得既罕见又俏皮。

　　一种在依然荒昧、原始背景下的女性化存在——这便是盛唐
之前便已确立的海南岛形象。此后，中国将在无穷无尽的民族纷
争中走过千百年血腥残杀的路程，但在海南岛却大体平静。

3

　　由唐至宋，中国的人文版图渐渐发生了变化，越来越多的文
明因子向南倾注。海南岛，是这种整体变化的终极性领受者。

　　本来中国自殷商以来一直以黄河中下游的中原地区为经济、
政治中心，但是，因重要而产生争夺，因争夺而产生战乱，因战

乱而产生流离，每次中原的战乱总引起百姓的纷纷南逃。晋永嘉年间曾发生过因战乱而有数十万北方士人南迁的典故，这典故在唐宋年间越演越烈。诗人李白曾多次看到北方人因社会大乱而像永嘉年间那样夺命南奔的景象，写诗道："三川北虏乱如麻，四海南奔似永嘉"。除了大规模的南奔之外，在政治倾轧中失败的势力常常被贬谪到岭南，某些有隐潜思想的仕人则通过多方选择把这里看作安全地带。

欧阳修编撰的《新五代史》卷六十五中有一篇传记写一位叫刘隐的岭南军官如何保护由于种种原因而南下的"中朝人士"的，其中提到当时的整体背景：

　　　　是时天下已乱，中朝人士以岭外最远，可以辟地，
　　多游焉；唐世名臣谪死南方者往往有子孙，或当时仕宦
　　遭乱不得还者，皆客岭表。
　　　　（上海古籍出版社、上海书店一九八六年版《二十五史》第六册，
　　《新五代史》第八十七页）

这里"唐世名臣谪死南方者往往有子孙"一句，可以李德裕为证。李德裕是唐朝名相李吉甫的儿子，自己也做过宰相，在宦海风波中数度当政，最后被政敌贬到海南岛崖州(即今琼山县)，才过一年就去世了。这么一个高官的流放，势必是拖家带口的，因此李德裕的子孙就在海南岛代代繁衍，据说，今天岛上乐东县大安乡南仇村的李姓，基本上都是他的后裔。在岛上住了一千多年，当然已经成了再地道不过的海南人，这些生息于椰林下的普通村民不知道，他们家族在海南的传代系列是在一种强烈的异乡

感中开始的。

在交通工具十分落后的古代,水急浪高的琼州海峡所造成的心理障碍几乎难以逾越。当时朝廷的当权者也因为这个海峡的存在而把流放海南看作是最严厉、也是最后的一个流放等级,离满门抄斩只有几步之遥了。像李德裕这样被流放到这儿还保留着浓重的"帝京意识"的人,痛苦自然就更大。从留下的诗作看,他也注意到了海南岛的桃榔、椰叶、红槿花,但这一切反都引发起他对故乡风物的思念,结果全成了刺心的由头,什么美感也谈不上了。他没有想到,这种生态环境远比他时时关切的政治环境重要,当他的敌人和朋友全都烟消云散之后,他的后代却要在这种生态环境中永久性地生活下去。他竟然没有擦去泪花多看一眼,永远的桃榔、椰叶、红槿花。

海南岛人民把他和其他贬谪海南的四位官员爱称为"五公"进行纪念,认认真真造了庙,端端正正塑了像,一代又一代。"五公"中其他四位都产生在宋代,都是为主张抗金而流放海南的,而且都是宰相、副宰相的级别。一时间海南来了那么些宰相,煞是有趣。主张求和的当权者似乎想对这些慷慨激昂的政敌开个小玩笑:你们怎么老是盯着北方疆土做文章,没完没了地念叨着抗金、抗金?那就抗去吧—— 一下被扔到了最南面。

但这些人不管谁来了都是岛上大事,都应该说几句。

先说李纲。宋高宗时做宰相,后来宋高宗自己改变了主意,也就把他流放到海南岛万安(今万宁)来了。一一二八年十一月李纲和儿子渡海到琼州,向人打听万安的去处,人家说,万安离这里还有五百里路程,僻陌之地,去了根本找不到生活用品。走山路过去难免遭到抢劫,一般人总是先到文昌搭海船过去,如果运气好遇到顺风，三天可以到达那里。李纲一听，大吃一惊，已经到了琼州竟然还有那么多艰难的路程要走!他摇摇头长叹一声，先找一个地方住下来准备上路，没想才三天，大陆方面来人急急通报，他已经被赦免了。那是求之不得的大喜事。涕泪交加地高兴了好几天，选了一个吉日，于十二月十六日渡海回去，在海南岛共逗留了三十来天，像一次短期旅游。短期就短期吧，海南岛依然认账，认认真真地算你来过了，而且算你带着冤屈带着气节来过了，供奉在庙堂里永久地纪念下去。

再说赵鼎。也在宋高宗时两度担任宰相，因主张抗金与秦桧闹翻，贬谪海南岛吉阳军(今崖城)。他是一一四五年上岛的，门人故吏不敢再与他通信往来，而秦桧却时时隔海关注着他，他又一直在疾病和饥饿中挣扎。上岛第三年他托人渡海带话给儿子："秦桧不会放过我，我如果死了，你们也没事了，我如果不死，你们却会麻烦。"于是绝食而死，死前为自己手书了出丧铭旌，文为：

身骑箕尾归天上，
气作山河壮本朝。

与赵鼎同案的是曾任副宰相的李光和曾任枢密院编修官的胡铨，他们也在差不多的时候被流放到海南岛。李光与赵鼎有过诗作上的唱和，胡铨来时赵鼎刚刚绝食自尽。李光和胡铨在海南岛住的时间很长，直到一一五六年秦桧死后才返回大陆。这样，他们就有可能平心静气地来体验海南岛了。尤其是李光，他在海南岛居留十余年直至八十多岁，他的案子曾祸及五十余家，跟随自己一起来海南岛的长子又死在自己前面，自己的案情由于不断被人告发而一再升级，实在也是够惨的，但他的心态越来越强健，原因是他与海南岛产生了认同，可以有滋有味地享受四周的自然风物了。生活十分艰苦，但只要听说市上有猪肉卖，他也会乐呵呵地让小兵通知几个朋友来吃饭：

> 颜乐箪瓢孔饭蔬，
> 先生休叹食无鱼。
> 小兵知我须招客，
> 市上今晨报有猪。

　　李光喜欢上了海南，由衷地希望它好起来。他支持发展当地的教育事业，遥想当年孔子曾希望鲁国变成一个文明的周王朝，如果海南也能大力推进儒学教化，孔子的理想说不定要在这里实现呢！"尼父道行千载后，坐令南海变东周。"——他用诗句写出了自己对海南岛的信心。郡学落成那一天，他比谁都高兴。
　　他甚至并不盼望自己被赦回归，而是浪漫地幻想着如何在琼州海峡间架起一座长桥，把海南岛与大陆联结起来：

> 海北与海南，
> 各在天一方。
> 我老归无期，
> 两地遥相望。
> 宴坐桄榔庵，
> 守此岁月长。

> 愿子一呲嗟，
> 跨空结飞梁。
> 度此往来人，
> 鱼盐变耕桑!

实在是一种异想天开的祝愿，海南岛已经让他放不下了。

这便是"海南五公"。五公祠二楼的大柱上有一副引人注目的楹联，文曰:

> 唐宋君王非寡德，
> 琼崖人士有奇缘。

意思是，这些气节学识都很高的人杰被流放到海南岛，并不是唐代和宋代的统治者缺德，而是我们海南岛的一种缘分，要不然我们怎么结交得了这样的大人物呢!这番意思，这番语句，出于海南人之手，真是憨厚之至，我仰头一读就十分感动。

在被贬海南岛的大人物中，比"五公"更有名的还是那位苏东坡。苏东坡流放到海南岛时已六十多岁，那些与他为敌的政界小人捉弄了他那么多年依然不放过他，最终还要把他驱赶到孤岛上来，要说他对此很超然是不真实的。原先他总以为贬谪到远离京城、远离故乡的广东惠州也就完了，辛辛苦苦在那里造了一栋房，把儿孙一一接过来聚居，刚喘一口气，又一声令下要他渡海。苏东坡想，已经这么老了，到了海南先做一口棺材，再找一块墓地，安安静静等死，葬身海外算了。一到海南，衣食住行都遇到严重困难。他自己耕种，自己酿酒，想写字还自己制墨，忧伤常常爬上心头。然而，他毕竟是他，很快在艰难困苦中抬起了专门发现生趣、发现美色的双眼，开始代表中国文明的最高层次，来评价海南岛。

他发现海南岛其实并没有传闻中的所谓毒气，明言"无甚瘴也"。他在流放地凭吊了冼夫人庙，把握住了海岛的灵魂。由此伸发开去，他对黎族进行了考察，还朝拜了黎族的诞生地黎母山，题诗道："黎母山头白玉簪，古来人物盛江南"，认为历来海南岛所产生的优秀人物之多并不比江南差。

苏东坡在海南过得越来越兴致勃勃。病弱，喝几口酒，脸红红的，孩子们还以为他返老还童了：

> 寂寂东坡一病翁，
> 白须萧散满霜风。
> 小儿误喜朱颜在，
> 一笑哪知是酒红！

有时酒没有了，米也没有了，大陆的船只好久没来，他便掐指算算房东什么时候祭灶，准备美滋滋地饱餐一顿：

> 北船不到米如珠，
> 醉饱萧条半月无。
> 明日东家当祭灶，
> 只鸡斗酒定膳吾。

他有好几位姓黎的朋友，经常互相往访，遇到好天气，他

喜欢站在朋友的家门口看行人，下雨了，他便借了当地的椰笠、
木屐穿戴上回家，一路上妇女孩子看他怪模怪样哈哈大笑，连狗
群也向着他吠叫。他冲着妇女孩子和狗群发问："笑我怪样子吧?
叫我怪样子吧?"

　　有时他喝酒半醉，迷迷糊糊地去拜访朋友，孩子们口吹葱叶
迎送，他只记得自己的住处在牛栏西面，一路寻着牛粪摸回去。
有两首可爱的短诗记述这种情景：

> 半醒半醉问诸黎，
> 竹刺藤梢步步迷。
> 但寻牛矢觅归路，
> 家在牛栏西复西。
>
> 总角黎家三四童，
> 口吹葱叶送迎翁。
> 莫作天涯万里意，
> 溪边自有舞雩风。

最后两句，诗人已把万里天涯当作了理想境界。

　　春天来了，景象更美，已经长久不填词的苏东坡忍不住又哼
出来一阕《减字木兰花》：

> 春牛春杖，无限春风来海上。
> 使丏春工，染得桃红似肉红。

> 春幡春胜，一阵春风吹酒醒。
> 不似天涯，卷起杨花似雪花。

　　这种压抑不住的喜悦的节奏，谁能想得到竟然出自一位年迈贬官的心头呢。苏东坡在海南岛居留三年后遇赦北归，归途中所吟的两句诗可作为这次经历的总结：

> 九死南荒吾不恨，
> 兹游奇绝冠平生。

这么说来，海南之行竟是他一生中最奇特，也最有意思的一段遭遇了。文化大师如是说，海南岛也对得起中国文化史了。

　　至此我们不妨重新来端详一下唐宋时代海南岛的整体形象。无论"五公"的恨，还是苏东坡的冤，它都不清楚。唐宋朝廷的派别和政见，对它来说都太艰深。它没有准备太多的言词可以鼓励受屈者报仇雪恨，它更没有心思和力量去动员人们对抗朝廷。它只有滋润的风，温暖的水，畅快的笑，洁白的牙齿忽闪的眼，大陆的人士来了不管如何伤痕斑斑先住下，既不先听你申诉也不陪着你叹息，只让你在不知不觉间稍稍平静，然后过一段饶有趣味的日子试试看。来了不多久就要回去热烈欢送，盼不到回去的时日也尽管安心。回去时已经恢复名誉为你高兴，回去时依然罪名深重也轻轻慰抚。初来时是青年是老年在所不计，是独身是全家都可安排。离开时彻底搬迁为你拎包抬箱，要留下一些后代继续生活更悉听尊便，椰林下的木屋留着呢。

　　——这一切，使我想到带有母性美的淳朴村妇。

于是我们也就触及到了有关海南岛的一种拟人化的气质。苏东坡用那样神秘的语气说"九死南荒吾不恨，兹游奇绝冠平生"，也该被人们领悟了。老诗人不经意地遇上了一种柔丽平和、崇尚自然的女性文明。

这里所说的女性文明，是一种文化哲学意义的象征说法，与老子"贵柔守雌"的主张有点关系。老子说，养育万物的母性文明(玄牝之门)是绵绵不断的，有时好像若有若无，需要时却用之不尽。他又说，这种文明不管多么雄刚都保持着一种温柔的女性态，虽然不见得多么机智却能固守寻常道义，纯真如婴儿，宽容如溪谷，外部名声欠佳不去管它，内心有点糊涂也不在乎，只见清清浊浊的水流向着自己归注。

4

宋朝的流放把海南搞得如此热闹，海南迎来送往，温和地一笑；宋朝终于气数尽了，流亡将士拥立最后一个皇帝于南海崖山，后又退据海南岛抗元，海南接纳了他们，又温和地一笑；不久元将收买叛兵完全占领海南，海南迟疑片刻也接受了，依然温和地一笑。在这兵荒马乱的年月间，惊心动魄的政治、军事事件接连不断，有一个非常琐碎的历史细节肯定不会引起任何人注意：有一天，一艘北来的航船在海南岛南端的崖州靠岸，船上走下来一名来自江苏松江乌泥泾的青年女子，抖抖索索，言语不通，唯一能通的也就是那温和的一笑，当地的黎族姊妹回以一笑，没多说什么就把她安顿了下来。就在这些青年女子间，将会发生一个真正的大事件，使那些名震一时的社会抗争相形见绌。

这位青年女子原是个童养媳，为逃离婆家的凌辱躲进了一条船，没想到这条船走得那么远，更没想到她所到达的这个言语不通的黎族地区恰恰是当时中国和世界的纺织圣地。女人学纺织天经地义，她在黎族姊妹的传授下很快也成了纺织高手。一过三十年，她已五十出头，因思乡心切带着棉纺机具坐船北归。她到松江老家后被人称为黄道婆，成了一位闻名遐迩的棉纺织改革家，从弹花、纺纱到织布的每一道工艺都根据黎族已有的先进技术进行了系统的传授，一种全新的纺织品驰誉神州大地，四方人士赞美道："松郡棉布，衣被天下。"

从海南岛黎族姊妹手中汲取了技能，竟然给整个中原都带来了温暖!黄道婆北返时元朝灭宋朝已有十七八年，流放海南的主战派人士的幻想早成泡影，海南给予中原的，不是旧朝的残梦，不是勃郁的血性，而只是纤纤素手中的缕缕棉纱、柔柔布帛。元代统治者是骑着蒙古马、挟着朔风南下的，元代寒冷吗?不怕，海南回来的黄道婆已经"衣被天下"。改朝换代的是非曲直很难争得明白，但不必争论的是，我们每一个人的前辈都穿过棉衣棉布，都分享过海南岛女性文明的热量。

5

元代易过，到了明代，海南岛开始培育出了接受儒家正规教育而又土生土长的文化名人。苏东坡、李光等流放者当年在教育事业上的播种终于有了收成，契合老子"贵柔守雌"哲学的土地开始需要补充一种"治国平天下"的儒家责任。

最著名的自然是邱浚。还在少年时代，这位出生在海南岛琼山下田村的聪明孩子已经吟出一首以五指山为题的诗。让人吃惊的不是少年吟诗，而是这首诗居然真的把巍巍五指山比作一只巨大无比的手，撑起了中华半壁云天，不仅在云天中摘星、弄云、逗月，而且还要远远地指点中原江山！这不是在伸张一种雄心勃勃、问鼎中原的男子汉精神吗？

果然，这位邱浚科举高中，仕途顺达，直至礼部尚书、户部尚书、文渊阁大学士、武英殿大学士，不仅学问渊博，而且政绩卓著，官声很好。多年前我在《中国戏剧文化史述》一书中曾严厉批评过他写的传奇《五伦全备记》，我至今仍不喜欢这个剧本，但当我接触了不少前所未见的材料之后却对他的人品有了更多的尊重。特别是他官做得越大越思念家乡的那番情意，让我十分动心。孝宗皇帝极信任他，喜欢与他下棋，据说他每下一子就在口中念念有词："将军，海南钱粮减三分"，皇帝以为是民间下棋的口头禅，也跟着念叨，没想到皇帝一念邱浚就立即下跪谢恩，君无戏言，海南赋税也就减免三分。即便这事带点玩闹性质，年迈的大臣为了故乡扑通跪下的情景还是颇为感人的。邱浚晚年一再要求辞官回乡，写了大量的思乡诗：

> 百计思归未得归，
> 梦魂夜夜到庭闱。
>
> 愁心苦似丸和胆，

泪点多如线在衣。

老来肌骨怕寒侵，
无夜家园不上心。

预报吾儿扫门径，
乞骸早晚便投簪。

一位早年意欲指点中原江山的高官，到头来只想逃离中原回归故乡，海南岛怎么会有如此巨大的魅力呢?邱浚晚年思乡病之严重，在历代官场中都是罕见的。七十老人絮絮叨叨、没完没了的回乡呓语，把"治国平天下"的儒家豪情消蚀得差不多了，心中只剩下那个温柔宁静的海岛。

邱浚最终死于北京，回海南的只是他的灵柩。邱浚的后人一代代住在他生前天天想念的下田村，他的曾孙叫邱郊，在村中结识了一个在学问上很用功的朋友，经常过从，这位朋友的名字后来响彻九州，到了二十世纪六十年代几乎妇孺皆知了：海瑞。海瑞的行止体现了一种显而易见的阳刚风骨，甚至身后数百年依然让人害怕让人赞扬。与邱浚一样，海瑞对家乡也是情深意笃：罢了官，就回家乡安静住着，复了职，到了那儿都要跷脚南望。他一直认为海南岛完全可以成为一个政善民安、风调雨顺的理想王国，而他的铮铮风骨，正出自于这种朴实的理想。海瑞最后也像邱浚一样死于任上，灵柩回乡抬到琼山县滨涯村时缆绳突然神秘地绷断，于是就地安葬。

邱浚和海瑞这两位同村名人还有一个共同点，他们都是幼年丧父，完全由母亲一手带大的。我想这也是他们到老都对故乡有一种深刻依恋感的原因，尽管那时他们的母亲早已不在。冲天撼地的阳刚，冥冥中仍然偎依在女性的怀抱。

　　他们身居高位而客死异乡，使我联想到海明威笔下那头在"上帝的庙殿"高峰近旁冻僵风干的豹子。海明威问："到这样高寒的地方来寻找什么？"我相信邱浚、海瑞临死前也曾这样自问。答案还没有找到，他们已经冻僵。

　　冻僵前的最后一个目光，当然投向远处温热的家乡，但在家乡，又有很多豹子愿意向别处出发去寻找一点什么。正当邱浚和海瑞在官任上苦思家乡的时候，家乡的不少百姓却由于种种原因挥泪远航，向南洋和世界其他地方去谋求生路，从天涯走向更远的天涯，这便形成了明清两代不断增加的琼侨队伍。海南的风韵，从此在世界各地播扬。

　　不管走得多远，关键时刻还得来。一八八七年五月，海南岛文昌县昌洒镇古路园村回来一位年轻的华侨，他叫宋耀如，专程从美洲赶来看看思念已久的家乡，每天手摇葵扇在路口大树下乘凉，很客气地与乡亲们聊天，住了一个多星期便离开了。后来才知道，这是他在操办人生大事前特到家乡来默默地请一次安。他到了上海即与浙江余姚的女子倪桂珍结婚，他们的三个女儿将对中国的一代政治生活产生重大影响。宋氏三姐妹谁也没有忘记自己是海南人，现代中国人则从她们高人一筹的见识和仪态万方的姿容中，重新领略了海南的女性文明。

　　但是，她们一辈子浪迹四海，谁也没能回去。有一天，宋庆龄女士遇见一位原先并不认识的将军，听说将军是海南文昌人就忍不住脱口叫一声"哥哥"，将军也就亲热地叫这位名扬国际的高贵女性"妹妹"。与此同时，远在台湾的宋美龄女士为重印清朝咸丰八年的《文昌县志》郑重其事地执笔题写了书名。

对她们来说，家乡，竟成了真正难于抵达的天涯。

只能贸然叫一声哥哥，只能怅然写一个书名。而她们作为海南女性的目光，给森然的中国现代史带来了几多水气，几多温馨。

6

不怕历史学家见笑，以上所述，便是我心目中的海南历史。

读者从我的叙述中已经可以感到，我特别看重海南历史中的女性文明和家园文明。我认为这是海南的灵魂。

这并不是胡乱臆断。你看不管这座岛的实际年龄是多少，正儿八经把它纳入中华文明的是那位叫冼夫人的女性；海南岛对整个中国的各种贡献中，最大的一项是由另一位叫黄道婆的女性完成的；直到现代，还出了三位海南籍的姊妹名播远近。使我深感惊讶的是，这些女性几乎都产生在乱世，冼夫人出现于南北朝时代，黄道婆来往于宋、元两代更替期，宋氏三姊妹则活跃于二十世纪的战乱中，越是乱世越需要女性，因此也总是在乱世，海南岛一次次对整个中国发挥着独特的功能。

女性文明很自然地派生出了家园文明。苏东坡、李光他们泪涔涔地来了，遇到了家园文明，很快破涕为笑；海瑞、邱浚他们气昂昂地走了，放不下家园文明，终于乐极生悲。海南籍的华侨闯荡四海，在所有的华侨中他们可能是乡土意识最浓的一群，也是由于这种家园文明。

　　女性文明和家园文明的最终魅力，在于寻常形态的人情物理，在于自然形态的人道民生。本来，这是一切文明的基础部位，不值得大惊小怪，但在中国，过于漫长的历史，过于发达的智谋，过于铺张的激情，过于讲究的排场，使寻常和自然反而变得稀有。尽管释、儒、道的大师们都曾呼唤它们，但呼唤的原因正在于有太多的失落。

　　失落了寻常形态和自然形态，人们就长久地为种种反常的设想激动着、模拟着。怎么成为圣贤?如何做得英豪?大忠大奸怎样划分?丰功伟绩如何创建?什么叫气贯长虹?什么叫名垂青史?什么叫中流砥柱?什么叫平反昭雪?……这些堂皇而激烈的命题，竟然普及于社会、渗透于历史，而事实上这些命题出现的概率究竟有多大，而且又有多少真实性呢。与之相反，有关一个普通人的存在状态，有关日常生活中的种种物件，有关人类周围的植物和动物，有关世俗风习、人间情怀，虽然天天遇到，人人遇到，处处遇到，却一直被中国主流文化搁弃着、冷落着。于是，偌大一块国土，反常形态严重饱和，寻常形态极其稀薄。事实上并没有几个人做得了圣贤和英豪，那就只能凭借争斗来决定胜负；争斗一旦开始，非此即彼，你死我活，更不会有寻常形态的存身之地了。结果，九州大地时时成为一块广阔无比的"铁板烧"，负载着一个个火烫的话题嗤嗤地冒着热气，失去了可触可摸的正常温度。

　　幸好有一道海峡，挡住了中原大地的燥热和酷寒，让海南岛保留住了寻常形态和自然形态，固守着女性文明和家园文明怡然自得。然而，只要它与大陆发生关系，它的这种文明形态就具有了反叛性和挑战性。它对海峡对岸那种反常的激动表现出漠然，

　　它对世代相传的价值观念表现出蔑视,它让副宰相李光兴冲冲地去打听猪价,它让大诗人苏东坡醉迷迷地去寻觅牛粪,它让朝廷重臣邱浚夜夜垂泪,它让千古清官海瑞乐而忘返,它借用冼夫人和黄道婆的双手,轻松而又麻利地对一个个流落到海南的英雄或败将作寻常化处理,把他洗刷、还原,还原成平静而实在的普通人。

　　中国历史上有许多违反生活常态的争斗说到底是没有多少是非曲直可言的,而海南岛天真未凿的寻常生态则常常使争斗双方同时显得无聊。违反生活常态的争斗会使参与者和旁观者逐渐迷失,而寻常生态却以一种人类学意义上的基元性和恒久性使人们重新清醒,败火理气,返璞归真。我认为,中国历史上每一次实质性的进步,都是由于从种种不正常状态返回到了常识、常理、常态,返回到了人情物理、人道民生。包括我们亲历的当代历史进程,也是如此。中国人在二十世纪末期终于开始了这种返回,实在是中国人,也是二十世纪的莫大福分。

　　回想起来,我们从小就是在一种反常的文化气氛中长大的,周围的一切都在诱使我们努力去做一种不寻常的人。所有听得到的精彩故事都让人热泪盈眶,所有可想像的重要景象都鲜血淋淋。那时我还是小学生,经常在礼堂里排队听各种战斗故事,礼堂墙壁上画着一幅中国地图,每个战斗故事发生的地点都可以在地图上找到。我太小,伸手只能摸到海南岛,抬头一看,海南岛只是中国地图下的一个点,有了这个点,中国也就成一个硕大无朋的大问号。几十年过去了,我到今天才明白,真的,海南岛的存在让整个中国成了大问号。我没有及时被这个问号惊醒于反常的幻想中,拖拖拉拉直到中年,才依稀知道一点寻常和反常。实在太晚了，那种反常的思维模式和奋斗方式，早已把我们的人生灼伤。

7

在飞往海南的飞机上，我一直贴窗俯视。机翼下的群山刚下过雪，黑白分明，犹如版画，越往南飞，线条越见明丽，琼州海峡一过，完全成了一幅水彩画。我想，中国历史上各种黑白分明的图景，一到海南岛也会——晕化了吧。

色彩浓处，野性犹存。今天的海南岛还有大量的落后乃至混乱亟须改进，但我更不希望看到它自身生态方式的失落。不管多么繁荣多么现代，它对于整个中国版图而言仍然应该是一个人文气息浓重的休闲所在，温暖而祥和，寻常而自然。堵住非人文的工业噪音，删削急功近利的短视作为，使急急赶路的中国人哪怕是在地图上看到它也能获得一种全身心的抚慰。好生安顿下冼夫人的洁白海滩、黄道婆的启航码头、苏东坡的春花春草、宋氏三姊妹的梦中故居，让一切有机会上岛的人都能吟一句"兹游奇绝冠平生"。

如能这样，海南岛在中华文明中的地位将更加夺目。它过去曾弥补过中国历史的一种重大遗漏，那么今后将会进一步把历史的缺口修复。曾因海南岛而构成问号的中国，将因海南岛而变得更加健全。

又想起了文章开头提到的那两个追鹿故事。是的，我们历来是驰骋于中原大地的躁急骑手，总在驱逐，总在追赶，不知已经多久。不断地寻找猎物，不断地寻找对手，不断地寻找名声，不断地拉起弓箭。但是前面还有什么路呢，这里已经是天涯海角。猎物回头了，明眸皓齿，嫣然一笑。

嫣然一笑，天涯便成家乡。

嫣然一笑，女性的笑，家园的笑，海南的笑，问号便成句号。

十万进士

1

最近一个时期我对中国古代的科举制度产生了越来越浓厚的兴趣，其原因，可以说是"世纪性"的。

二十世纪已接近末尾，如果没有突然的不幸事件，我们看来要成为跨世纪的一群了。能够横跨两个世纪的人在人类总体上总是少数，而能够头脑清醒地跨过去的人当然就更少。称得上头脑清醒，至少要对已逝的一个世纪有一个比较完整的感悟吧? 因此我们不能不在这繁忙的年月间，让目光穿过街市间拥挤的肩头，穿过百年来一台台已经凝固的悲剧和喜剧，一声声已经蒸发的低吟和高喊，直接抵达十九世纪末尾，二十世纪开端的那几年。在那儿，一群头悬长辫、身着长袍马褂的有识之士正在为中华民族如何进入二十世纪而高谈阔论、奔走呼号。他们当然不满意中国的十九世纪，在痛切地寻找中国落后的原因时，他们首先看到了人才的缺乏，而缺乏人才的原因，他们认为是科举制度的祸害。

他们不再像前人那样只是在文章中议论议论，而是深感时间紧迫，要求朝廷立即采取措施。慈禧太后在一九〇一年夏天颁布上谕改革科举考试内容，有识之士们认为科举制度靠改革已不能解决问题，迟早应该从根本上废止。一九○三年的一份奏摺中说：

> 科举一日不废，即学校一日不能大兴，士子永远
> 无实在之学问，国家永无救时之人才，中国永远不能
> 进于富强，即永远不能争衡各国。

说这些英气勃勃的冲决性言词的是谁?一位是科举制度的受惠者，同治年间进士张之洞，而领头的那一位则是后来让人不太喜欢的袁世凯。于是大家与朝廷商量，能不能制订一份紧凑的时间表，以后三年一次的科举考试每次都递减三分之一，减下来的名额加到新式学校里去，十年时间就可减完了。用十年时间来彻底消解一种延续了一千多年的制度，速度不能算慢了吧，但人们还是等不及了。袁世凯、张之洞他们说：人才的培养不比其他，拖不得。如果现在立即废止科举、兴办学校，人才的出来也得等到十几年之后；要是我们到十年后方停科举，那么从新式学校里培养出人才来还得等二十几年，中国等不得二十几年了——"强邻环伺，岂能我待!"

这笔时间账算得无可辩驳，朝廷也就在一九○五年下谕，废除科举。因此不妨说，除了开头几年有一番匆忙的告别，整个二十世纪基本上已与科举制度无关。

二十世纪的许多事情，都由于了结得匆忙而没能作冷静的总结。科举制度被废止之后立即成了一堆人人唾骂的陈年垃圾，很少有人愿意再去拨弄它几下。唾骂当然是有道理的，孩子们的课本上有《范进中举》和《孔乙己》，各地的戏曲舞台上有《琵琶

记》和《秦香莲》，把科举制度的荒唐和凶残表现得令人心悸，使二十世纪的学生和观众感觉到一种摆脱这种制度之后的轻松。但是，如果让这些优秀动人的艺术作品来替代现代人对整个科举制度的理性判断，显然是太轻率了。

科举制度在中国整整实行了一千三百年之久，从隋唐到宋元到明清，一直紧紧地伴随着中华文明史。科举的直接结果，是选拔出了十万名以上的进士，百万名以上的举人。这个庞大的群落，当然也会混杂不少无聊或卑劣的人，但就整体而言，却是中国历代官员的基本队伍，其中包括着一大批极为出色的、有着高度文化素养的政治家和行政管理专家。没有他们，也就没有中国历史中最重要的一些部位。为了选出这些人，几乎整个中国社会都动员起来了，而这种历久不衰的动员也就造就了无数中国文人的独特命运和广大社会民众的独特心态，成为中华民族在群体人格上的一种内在烙印，绝不是我们一挥手就能驱散掉的。科举制度后来积重难返的诸多毛病，其实从一开始就有人觉察到了，许多智慧的头脑曾对此进行了反复的思考、论证、修缮、改良，其中包括我们文学界所熟知的韩愈、柳宗元、欧阳修、苏东坡、王安石等等，不能设想，这些文化大师会如此低能，任其荒唐并身体力行。

科举制度发展到范进、孔乙己的时代确已弊多利少，然而这种历史的蜕变也是非常深刻的。蜕变何以发生？有无避免的可能？一切修补的努力是怎么失败的？这些问题，都值得我们细细品味。二十世纪开始就废止了科举，当然也就随之废除了它的弊端，但是它从创立之初就想承担的社会课题，是否已经彻底解决？我怎么一直有一种预感，这里埋藏着一些远非过时的话题？

2

谈论中国古代的科举制度，有一个惯常的误会需要消除，那就是，在本质上，这是一个文官选拔制度，而不是文学创作才华和经典阐述能力的考查制度。明白了这一点，对它的许多抱怨就可能会有所缓和。

我们可以设想一下，如果不是科举，古代中国该如何来选择自己的官吏呢？这实在是政治学上一个真正的大问题。不管何种政权，何种方略，离开了可靠、有效的官吏网络，必定是空洞而脆弱的；然而仅仅可靠、有效还不够，因为选官吏不比选工匠，任何一个政权只要尚未邪恶到无所顾忌，就必须考虑到官吏们的社会公众形象，不仅要使被管理的百姓大致服气，而且还要让其他官吏乃至政敌也没有太多的话可说，那就需要为官吏们寻求或创造一种资格；这样做已经是够麻烦的了，更麻烦的是中国的版图如此辽阔，政权结构如此复杂，需要的官吏数额也就是十分惊人，把那么多的官吏编织在同一张大一统的网络里，其间之艰难可以想像；好不容易把一张网络建立起来了，但由于牵涉面太大，偶然性因素太多，过不久自然会发生种种变更，时间长了还会出现整体性的代谢，因此又要辛辛苦苦地重寻线头，重新绾接……这一连串的难题，如此强烈地摆在历代帝王和一切意欲问鼎九州的政治家面前，躲也躲不开。全部难题最终归结在一点上：毫无疑问需要确立一种能够广泛承认、长久有效的官吏选择规范，这种规范在哪里？

世袭是一种。这种方法最简便，上一代做了官，下一代做下去，中国奴隶制社会中基本上采取这种办法，后来在封建社会中也局部实行，称之为"恩荫"。世袭制的弊病显而易见，一是由于领导才干不可能遗传，继承者能否像他的前辈那样有效地使用权力越来越成为严重的问题；二是这种权力递交在很大程度上削减了朝廷对官吏的任免权，分散了政治控制力。

世袭强调做官的先天资格而走进了死胡同，因此有的封建主开始寻求做官的后天资格，而后天资格主要表现于文才和武功这两个方面。平日见到有文才韬略的，就养起来，家里渐渐成了一个人才仓库，什么时候要用了，随手一招便派任官职，这叫"养士"，有的君主在家里养有食客数千。这种办法曾让历代政治家和文化人一想起都有点心动，很想养一批或很想被养，但仔细琢磨起来问题也不少。食客虽然与豢养者没有血缘关系，但是养和被养的关系其实也已成了血缘关系的延长，由被养而成为官吏那些人主要是执行豢养者的指令，很难成为平正的管理者，社会很可能因他们而添乱。更何况，君主选养食客，无论是标准还是审查方法都带有极大的随意性，所养的远非全是人才。至于以武功军功赏给官职，只能看成是一种奖励方法，不能算作选官的正途，因为众所周知，打仗和管理完全是两回事。武士误国，屡见不鲜。

看来，寻求做官的后天资格固然是一种很大的进步，但后天资格毕竟没有先天资格那样确证无疑，如何对这种资格进行令人信服的论定，成了问题的关键。大概是在汉代吧，开始实行"察举"制度，即由地方官员随时发现和考察所需人才，然后向政府推荐。考察和推荐就是对做官资格的论定，比以前的各种方法科学多了。但是不难想像，各个地方官员的见识眼光大不一样，被推荐者的品位层次也大不一样，如果没有一个起码的标准，一切都会乱套。你说这个好，他说那个好，结果，小才任大职，大才任小职，造成行政价值系统的无序。为了克服这种无序，到了三国两晋南北朝时期，便形成了选拔官吏的"九品中正"制度。这种制度是由中央政府派出专门选拔官吏的"中正官"，把各个推荐人物评为九个等级，然后根据这个等级来决定所任官阶的高低。这样一来，相对统一的评判者有了，被评判的人也有了层次，无序走向了有序。

但是明眼人一看就会发现，这种"九品中正"制的公正与否完全取决于那些"中正官"。这些在选拔官吏上握有无限权力的大人物的内心厚薄，成了生杀予夺的最终标尺。如果他们把出身门第高低作为划分推荐等级的主要标尺，那么这种看似先进的制度也就会成为世袭制度的变种。不幸事实果真如此，排了半天等级，不想最后拿出来一看，重要的官职全都落到了豪门世族手里。

就是在这种无奈中，隋唐年间，出现了科举制度。我想，科举制度的最大优点是从根本上打破了豪门世族对政治权力的垄断，使国家行政机构的组成向着尽可能大的社会面开放。科举制度表现出这样一种热忱：凡是这片国土上的人才，都有可能被举拔上来，即便再老再迟，只要能赶上考试，就始终为你保留着机会。这种热忱在具体实施中当然大打折扣，但它毕竟在中华大地上点燃了一种快速蔓延的希望之火，使无数真正和自认的人才陡然振奋，接受竞争和挑选。国家行政机构与广大民众产生了一种空前的亲和关系，它对社会智能的吸纳力也大大提高了。在历代的科举考试中，来自各地的贫寒之士占据了很大的数量，也包括不少当时社会地位很低的市井之子。据《北梦琐言》记载，唐代一位姓毕的盐商之子想参加科举考试，请人为他改一个吉利一点的名字，那人不无嘲谑地把咸味化进了他的名字，为他取名为毕诚，毕诚没有恼怒，快乐接受。后来他不仅考上了，而且逐级升官一直做到宰相。这说明科举制度确实是具有包容性和开放性的，不太在乎原先家族地位的贵贱。白居易在一篇文章中表述这种科举原则：

> 惟贤是求，何贱之有……拣金于沙砾，岂为类贱而不收？度木于涧松，宁以地卑而见弃？但恐所举失德，不可以贱废人。

（《白居易集》卷六十七）

科举制度的另一个优点是十分明确地把文化水准看作选择行政官吏的首要条件。考来考去主要是考文学修养和对诸子经典的熟悉程度，这种考法当然未必合适，越到后来越显现出很多负面效应，但至少在唐宋时代，无疑对社会重心和人格重心产生了有趣的引导。大批书生从政，究竟是加重了社会的文明，还是加速了社会的腐朽？我偏向于前者。此外，由于做了书生才能做官，这种诱惑也极大地扩充了书生的队伍，客观上拓宽了社会的文明面。

由于科举制度重视文化，考试中要写作诗赋文章，因而天南地北的无数考生就要长久地投入诗赋文章的训练，这对文学本身倒未必是一件好事。有些研究者认为科举考试对社会补益不大而对唐宋文学的发展有推动作用，我的观点正恰相反，认为科举考试最对不起的恰恰是文学。文学一进入考场已经不可能是真正意义上的创作。韩愈后来读到自己当初在试卷中所写的诗文，"颜忸怩而心不宁者数月"，简直不想承认这些东西出于自己的手笔。他由此推衍，"若屈原、孟轲、司马迁、相如、杨雄之徒进于是选，仆必知其辱焉。"（《答崔立之书》），但韩愈并不因此而否定科举。

进士试卷中有时也会偶尔冒出来一些佳句，依我看，千余年来科举考试中写出来的诗，最好的是唐代天宝年间的钱起在《湘灵鼓瑟诗》的试题下写出的两句"曲终人不见，江上数峰青"，直到二十世纪鲁迅、朱光潜还为这两句诗发生过口舌，真不知当年坐在考场中的钱起是如何妙手偶得的。但也就是这两句，整首诗并不见佳。可以理解的是，科举以诗赋文章作试题，并不是测试应试者的特殊文学天才，而是测试他们的一般文化素养。测试的目的不是寻找诗人而是寻找官吏。其意义首先不在文学史而在政治史。中国居然有那么长时间以文化素养来决定官吏，今天想来都不无温暖。

3

然而，科举制度实实在在地遇到了一系列可怕的悖论。这些悖论并非人为设置，而是来自于中国文化和政治构架的深层，很难排除，因此终于科举制度在一次次左右为难中逐渐疲惫、僵化，直到丑陋。据我所知，清代来华的不少西方传教士在考察科

举制度之后曾大为赞叹，认为发现了一种连西方也还没有找到的
完善的"文官选拔制度"，便急切地向世界介绍。但他们的考察
毕竟是浮浅的，只是粗粗瞭望了一下科举考试的程序和规则，而
未能窥及深潜的隐患，因此他们也就无法理解，有着如此完善的
"文官选拔制度"的中国，怎么会造成国家管理人才的严重匮乏、
整体文明素质的日益枯窘，陷于越来越混乱和贫困的境地？

　　外国传教士褐绿色瞳仁中埋藏着的疑问，直到今天还对我有
巨大的吸引力。我知道，这些疑问，不仅属于科举，也不仅属于
古代。

　　中国古代科举制度所遇到的最大悖论，产生在包围着它的社
会心态中。本来是为了显示公平，给全社会尽可能多的人递送鼓
励性诱惑，结果九州大地全都成了科举赛场，一切有可能识字读
书的青年男子把人生的成败荣辱全都抵押在里边，科举考试的内
涵大大超重；本来是为了显示权威，堵塞了科举之外许多不正规
的晋升之路，结果别无其他选择的家族和个人不得不把科举考试
看成是你死我活的政治恶战，创设科举的理性动机渐渐变形。遴
选人才所应该有的冷静、客观、耐心、平和不见了，代之以轰轰
烈烈的焦灼、激奋、惊恐、忙乱。不就是考一点文化知识吗？不
就是看看哪些人有担任行政官员的资格吗？竟然一下子炒得那么
热，闹得那么火，———一千多年都凉不下来，几乎把长长的一段
历史都烤出火焦味来了。

　　我们中国从很早开始就太注重表层礼仪，好好的一件事情总
被极度夸张的方式大肆铺陈。早在唐代，科举制度刚刚形成不久
就被加了太多的装饰，太重的渲染，把全国读书人的心情扰乱得
不轻。每次进士考试总有一批人考上，不管对国家对个人，庆贺

一下、宣扬一番都是应该的，但不知怎么一来，没完没了的繁复礼仪把这些录取者捧得晕头转向。进士们先要拜谢"座主"（考官），参谒宰相，然后游赏曲江，参加杏园宴、闻喜宴、樱桃宴、月灯宴等等，还要在雁塔题名，在慈恩寺观看杂耍戏场，繁忙之极，也得意之极。孟郊诗中所谓"春风得意马蹄疾，一日看尽长安花"，张籍诗中所谓"二十八人初上第，百千万里尽传名"，就写尽了此间情景。据傅璇琮先生考证，当时的读书人一中进士，根本应付不了没完没了的热闹仪式，长安民间就兴办了一种谋利性的商业服务机构叫"进士团"，负责为进士租房子、备酒食、张罗礼仪，直至开路喝道，全线承包。"进士团"的生意，一直十分兴隆。

这种超常的热闹风光，强烈地反衬出那些落榜下第者的悲哀。照理落榜下第也十分正常，但是得意的马蹄在身边窜过，喧天的鼓乐在耳畔鸣响，得胜者的名字在街市间哄传，轻视的目光在四周游荡，他们不得不低头叹息了。他们颓唐地回到旅舍，旅舍里，昨天还客气地拱手相向的邻居成了新科进士，仆役正在兴高采烈地打点行装。有一种传言，如能讨得一件新科进士的衣服，下次考试很是吉利，于是便厚着脸皮，怯生生地向仆役乞讨一件。乞讨的结果常常讨来个没趣，而更多的落第者则还不至于去做这种自辱的事，只是关在房里写诗。这些诗写得很快，而且比前些天在考场里写的诗真切多了：

> 年年春色独怀羞，强向东归懒举头。莫道还家便容易，人间多少事堪愁。
>
> ——罗邺

　　　　十年沟隍待一身，半年千里绝音尘。鬓毛如雪心
如死，犹作长安下第人。

　　　　　　　　　　　　　　　——温宪

　　　　落第逢人恸哭初，平生志业欲何如。鬓毛洒尽一
枝桂，泪血滴来千里书。

　　　　　　　　　　　　　　　——赵嘏

　　为什么"莫道还家便容易"?为什么"泪血滴来千里书"?因为
科举得失已成为一种牵连着家庭、亲族、故乡、姓氏荣辱的庞大
社会命题，远不是个人的事了。李频说"一第知何日，全家待此
身"；王建说"一士登甲科，九族光彩新"，都是当时实情。因此，
一个落第者要回家，不管是他本人还是他的家属，在心理上都是
千难万难的。据钱易《南部新书》记载，一个姓杜的读书人多次
参加科举考试未中，正想回家，却收到妻子寄来的诗：

　　　　　良人的的有奇才，
　　　　　何事年年被放回?
　　　　　如今妾面羞君面，
　　　　　君若来时近夜来!

这位妻子的诗句实在是够刻薄的，但她为丈夫害羞，希望丈夫趁
着夜色偷偷回来的心情也十分真实。收到这首诗的丈夫，还会回
家吗?因此不少人硬是困守长安，下了个死决心，不考出个名堂

来绝不回家。这中间所造成的无数家庭悲剧，可想而知。《唐摭言》卷八载，有一个叫公乘亿的人一直滞留在京城参加一次次科举考试，离家十多年没有回去过。有一次他在城里生了场大病，家乡人传言说他已病死，他的妻子就长途来奔丧，正好与他相遇。他看见有一个粗衰的妇人骑在驴背上，有点面熟，而妇人也正在看他，但彼此相别时间太长，都认不准了，托路人相问，才知道果然是夫妻，就在路边抱头痛哭。

这对夫妻靠着一次误传毕竟团聚了，如果没有误传，又一直考不上，这位读书人可能就会在京城中长久待着，直到垂垂老去。钱易《南部新书》就记载过这样一位老人。是一位屡试不第的老秀才吧，在京城中等着春试，除夕之夜，全城欢腾，他却不能回家过年，正沮丧着，听说今夜宫中有傩戏表演，就挤在人群里混了进去。不想进去后被乐吏看成了表演者，一把推进表演队伍，跌跌撞撞地在宫内绕圈，绕了千百转，摔了好几跤，又要他执牛尾演唱，做各种动作，闹腾了整整一夜直到第二天黎明，老人已累得走不动路，让人抬了回去，一病六十日，把春天的科举考试也耽误了。看来老人还得在京城熬下去。我不知道这位老人是否还有老妻在家乡等着，他们分别有多少年了?我不知道他有没有子女，这些子女是否在挂念孤身在外的老父亲?除夕夜他在宫中转圈时明明体力不支为什么不早一点拔身而出?难道他在傩戏的扮演中获得了某种有关人生恶作剧的感悟?

由于屡试不第给读书人和他们的家人带来了长久而广泛的心理压力，一旦中举之后的翻身感也就不言而喻。喜报到处，怪事丛生，但次数一多，怪事也被适应，反被人们看作正常了。我在《玉泉子》中读到一则记载，曾颇觉惊异，但那则记载的语气却非常平静，像是在谈一宗日常小事。一位级别很高的地方官设春社盛宴，恭邀一位将军携家人参加。将军的家属人数不少，还带来一位已出嫁的女儿，这女儿嫁给一个叫赵琮的读书人，赵琮多年科举不第，穷困潦倒，将军的女儿抬不起头来，将军全家也觉得她没脸见人，今天既然一起跟来参加春社盛宴了，便在她的棚座前挂一块帷障遮羞。宴会正在进行，突然一匹快马驰来，报告赵琮得中科举的消息，于是将军起座高喊："赵郎及第矣!"家人闻之，立即将赵琮妻子棚座前的帷障撤去，把她搀出来与大家同席而坐，还为她妆扮，而席间的她，已经容光焕发。使我惊异的是，在赵琮考中之前，他妻子也是将军的女儿，竟然因丈夫落第而如此可怜，面对这种可怜，将军一家竟也觉得理所当然!

　　家属尚且如此，中举者本人的反应就更复杂了。一般是听到考中的消息欣喜若狂，疑是做梦。"喜过还疑梦，狂来不似儒"(姚合)，狂喜到连儒生的斯文也丢得一干二净。有的人比较沉着，面对着这个盼望已久的人生逆转，乐滋滋地品味着昨天和今天。有的人则故作平静，平静得好像什么事都没有发生，例如韩偓及第后首次骑马去赴期集，这本是许多进士最为意气昂昂的一段路程，他竟是这样写的：

> 轻寒着背雨凄凄，
> 九陌无尘未有泥。
> 还是平日旧滋味，
> 漫垂鞭袖过街西。

他把得意收敛住了，收敛得十分潇洒。

不过这种收敛的内在真实性深可怀疑, 或许韩偓确实是个例外。对于多数士子来说, 考上进士使他们感到一种莫名的轻松, 长久以来的收敛和谦恭可以大幅度地解除, 虽然官职未授, 但已经有了一个有恃无恐的资格和身份, 可以比较真实地在社会上表现自己了。这中间最让人瞠目结舌的例子大概要算《唐摭言》卷二所记的那位王泠然了。王泠然及第后尚未得官, 突然想到了正在任御史的老熟人高昌宇, 便立即握笔给高昌宇写了一封信, 信的大意是:

> 您现在身处富贵, 我有两件事求您, 一是希望您在今年之内为我找一个女人, 二是希望您在明年之内为我找一个官职。我至今只有这两件事遗憾, 您如果帮我解决了, 感恩不尽; 当然您也可能贵人多忘事, 不帮我的忙, 那么说老实话, 我既已及第, 朝廷官职的升迁难以预料, 说不定哪一天我出其不意地与您一起并肩台阁, 共处高位, 到那时会侧过头来看您一眼, 你自然会深深后悔, 向我道歉, 请放心, 我会给您好脸色看的。

这封无赖气十足的信, 可以作为心理学研究的素材。是变态心理学还是社会心理学?都可以, 但我更看重它隐藏在特殊文辞后面的社会普遍性。当年得中的士子们如果有机会读到王泠然的这封信, 也许会指责他的狂诞和唐突, 但就他们的内心而言, 王泠然未必孤独。

4

　　面对着上述种种悲剧和滑稽，我们不能不说，由一代又一代中国古代政治家们好不容易构想出来的科举制度，由于展开方式的严重失度，从一开始就造成了社会心理的恶果。

　　这种恶果比其他恶果更关及民族的命运，因为这里包含着中国知识分子群体人格的急遽退化。科举制度实行之后，中国的任何一个男孩子从发蒙识字开始就知道要把科举考试当作自己的人生目标，除了不多的少年及第外，他们都将为这种考试度过漫长的年月。一种在唐代就开始流行的说法叫"五十少进士"，意思是五十岁考上进士还算年轻，可见很多知识分子对科举的投入是终身性的。这样的投入势必会产生坚硬的人格结果，不仅波及广远，而且代代相传。现代文化史家总习惯从先秦诸子的各种论说中来考索中国知识分子群体人格的哲学构成，这固然无可厚非，但据我们的切身经验，人格主要是由一生的现实遭遇和实践行为塑造成的，大量中国古代知识分子一生最重要的现实遭遇和实践行为便是争取科举致仕，这当然会比曾在先秦典籍中读到过的某一种学说更强悍地决定他们的人格构成了。

　　总之，选择过程变成了塑造过程，而这种塑造有很大一部分是恶性的。

　　科举像一面巨大的筛子，本想用力地颠簸几下，在一大堆颗粒间筛选良种，可是实在颠簸得太狠太久，把一切上筛的种子全给颠蔫了，颠坏了。

　　科举像一个精致的闸口，本想汇聚散逸处处的溪流，可是坡度挖得过于险峻，把一切水流都翻卷得又浑浊了。

　　在我看来，科举制度给中国知识分子带来的心理痼疾和人格遗传，主要有以下几个方面：

　　其一，伺机心理。科举制度给中国读书人悬示了一个既远又近的诱惑，多数人都不情愿完全放弃那个显然是被放大了的机会，但机会究竟何时来到又无法预卜，唯一能做的是伺机以待。等待期间可以苦打苦熬、卑以自牧，心中始终暗藏着翻身的一天。"吃得苦中苦，方为人上人"、"朝为田舍郎，暮登天子堂"等等谚语，正是这种心理的通俗描述。历来有这种心理的人总被社会各方赞为胸有大志，因此这已成为一种被充分肯定的社会意识形态。伺机心理也可称作"苦熬心理"和"翻身心理"。本来，以奋斗求成功、以竞争求发达是人间通则，无可非议，但中国书生的奋斗和竞争并不追求自然渐进，而是企盼一朝发迹。成败贵贱切割成黑白两大块，切割线前后双重失态。未曾及第，连家也不敢回；一旦及第，就成了明明暗暗的王泠然，气焰蔽天。王泠然满口泼辣，只因为前些天还是一个苦熬者，憋了那么久，终于报仇雪恨般地涌出强烈的翻身感。由此倒逆回去，可以推知中原大地上无数谦谦君子、温文儒者，灵魂未必像衣衫那么素净，心底未必如面容那么祥和。他们有世界上最惊人的气量和耐心，可以承受最难堪的困厄和屈辱，因为他们知道，迷迷茫茫的远处，会有一个机会。然而，机会只是机会，不是合理的价值选择，不是人生的终极关怀。所以，即便在气量和耐心背后，也可能隐潜着自私和虚伪。气量和耐心也会碰撞到无法容忍的边界，他们就发牢骚、吐怨言，但大抵不会明确抗争，因为一切合理的社会竞争都被科举制度归拢、提炼成一种官方竞争，而且只有这种竞争才高度有效，于是中国书生也就习惯了这样怪异的平衡：愤世嫉俗而又宣布与世无争，安贫乐道而又为怀才不遇而忿忿不平。从总体而言，他们的人生状态都不大好，无论是对别人还是对自己，他们都缺少透彻的奉献、响亮的馈赠。他们的生活旋律比较单一：在隐忍中期待，在期待中隐忍。

其二，骑墙态势。科举制度使多数中国读书人成了政治和文化之间的骑墙派，两头都有瓜葛，两头都有期许，但两头都不着实，两头都难落地。科举选拔的是行政官员，这些前不久还困居穷巷、成日苦吟的书生，包括那位除夕夜误入宫廷演了通宵傩戏的老人，一旦及第之后便能处置行政、裁断诉讼?这些从春风得意的马背上跳下来，从杏园宴、闻喜宴的鼓乐中走出来的新科进士，授官之后便能调停钱粮、管束赋税?即便留在中央机关参与文化行政，难道也已具备协调功夫、组织能力?是的，一切都可原谅，他们是文人，是书生。但是，作为文人和书生，他们又失落了文化本位，因为他们自从与文化接触开始，就是为了通过科举而做官，作为文化自身的目的并不存在。试卷上的诗赋固然只是手段而已，平日有感而发的吟咏也常常脱离文学本体，因为他们的人生感触往往与落第和入仕有关，许多吟咏成了攀援政治的文字印痕。一旦攀上政治的台阶，吟咏便从一种手段变为一种消遣，一种自身文化修养的标志，以便在官吏间互相唱和、宴集时聊作点缀。学术文化的尊严、知识分子的使命，只有偶尔闪光，贯串生命。结果，围绕着科举，政治和文化构成了一个纠缠不清的怪圈：不太娴熟政治，说是因为文化；未能保全文化，说是为了政治。文人耶?官吏耶?均无以定位，皆不着边际，既无所谓政治品格，也无所谓文化良知，"百无一用是书生"，这或许是少数自省书生的自我嘲谑，但在中国，常常因百无一用而变得百无禁忌，虽萎弱却圆通，圆通在没有支点的无所作为中。

其三，矫情倾向。科举既然把读书当作手段，把做官当作目的，文化学和政治学上的人性内核也就被抽离；科举的成败关及家族伦理的全部荣誉，于是家族伦理的亲情牵累也就必须顾全大局、暂时割舍，奉献给那种没有期限的苦读、别离和期待。一来二去，科举便与正常人情格格不入，上文所引一系列家庭悲剧，皆是例证。那些不敢回家的读书人，可以置年迈的双亲于不顾，可以将新婚的妻子扔乡间，只怕面子不好看，这样做开始是出于无奈，但在这种无奈中必然也会滋生出矫情和自私。《西厢记》虽然描摹了张生一旦科举高中，终于与莺莺门当户对地结合的远景，却也冷静地估计到此间希望的渺茫，因此为张生别离爱人去参加科举考试的那个场景，动用了悲凉的词句："晓来谁染霜林醉?总是离人泪!"然而《西厢记》长久被目为不经的淫书，只有铁石心肠地凝想金榜的男人才被充分赞扬。铁石心肠不要感情，却并不排斥肉欲，那位王泠然开口向老朋友提的要求，第一项就是要一个女人。俗谚谓"书中自有颜如玉"，也是这个意思。要肉欲而不要感情，又把不要感情妆扮得堂而皇之，这便是矫情中的矫情，中国书生中的伪君子习气，也大多由此而生。在我看来，科举制度对社会生活的损害，也是从它离间普通的伦常人情开始的。一种制度，倘若势必要以损害多方面的正常人情为代价，那么它就不会长久是一种良性的社会存在。终有一天，要么因它而阻碍社会的健康发展，要么由健康发展的社会来战胜它，别无他途。同样，一批与正常人情相背逆的人，哪怕是万人瞩目的成功

者，也无以真正地自立历史，并面对后代。应该说，这是科举制
度在中国书生身上留下的又一遗憾。

不知道当年升沉于落第、及第狂潮中的书生，有几个曾突然
领悟到科举对自己的人格损害?我相信一定会有不少，否则我们
就读不到那么多鞭辟入里的记载了。但是，一种由巨大的政治权
力所支撑的国家行为，怎么会被少数明白人的抱怨所阻遏呢?而
这少数明白人的明白，又能到什么程度呢?

我曾注意到，当年唐代新及第的不少进士，一高兴就到长安
平康里的妓院玩乐。平康里的妓女，也乐意结交进士，但交谈之
下，新科进士常常发觉这些妓女才貌双全，在诗文修养、历史知
识、人物评论等方面不比自己差，当然她们没有资格参加科举考
试。面对这些妓女，新科进士们多年苦求、一朝得意的全部内容
都立即褪色，唯一剩下的优越只不过自己是个男人。男人以知识
求官职，妓女以美色求生存，而男人的那一点知识，她们却在谈
笑中一一降伏。我不知道这些男人，是否因此而稍感无聊?

男人有家眷而抛舍亲情，妓女有感情而无以实现，两相对
视，谁的眼睛会更坦然一点?幸好发现一条史料，说福建泉州晋
江人欧阳詹，进士及第后到山西太原游玩，与一妓女十分投合，
相约返京后略加处置便来迎娶。由于在京城有所拖延，女子苦思
苦等终于成疾，临终前剪髻留诗。欧阳詹最后见到这一切，号啕
大哭，也因悲痛死亡。①这件事，好像可以成为戏曲作家编剧的
题材，而我感兴趣的只是，终于有一位男人，一个进士，在他的

---

①　参见《太平广记》卷二七四、《全唐诗》卷四七三孟简《咏欧阳行
周事》、傅璇琮《唐代科举与文学》第十五章。

人格结构深处，进士的分量不重，官职的价值不高，却可以为爱情付出生命的代价，即便这种爱情的外部形象并不高雅。他的死亡，以一种世俗人情的力量，构成了对许多进士残缺人格的比照。

科举制度在人格构建上的诸多弊端，至少不可能被当时的决策者彻底洞悉。他们中有不少人也是从科举的路途踏上高位的，无法看透自己和同道们身上的根本性隐疾，但是他们却感觉到了科举制度所遇到的麻烦。就像一屋子喝醉酒的人谁也没有意识到自己喝醉了，只感到桌面的倾斜、杯盘的摇晃。他们开始整治科举制度，只在具体操作规程上着眼，出了很多新点子，又遇到很多新障碍，消消停停千余年，终于没有走通。

5

纵观历史，对科举制度弊病的发现和整治，大致可分为两大截：唐宋为良性整治阶段，明清为恶性整治阶段。在良性整治阶段也有恶性冲撞，但就整体而言当时的科举制度还瑕不掩瑜，种种整治或多或少都带有试验性和创建性；在恶性整治阶段也有明智的举措，但机制性的痼疾已多方面发作，任何一种整治都会带来一系列更严重的毛病，于是整治越来越严，毛病却越来越深，再也解脱不了。

如前所述，科举制度本身是一个严肃而深刻的构思，并不像后人所渲染的那样荒诞不经，那么，这些暴露出来的弊病也同样是严肃而深刻的，并不像我们想像的那样易于避免。我在阅读有关史料时一再地想，如果我们现在要进行一种在全国范围内定期选拔行政官员的社会考试制度，许多问题照样会遇到，照样难于解决。

为此，我想陪着读者一起回到古代，站在那些头脑清晰、智力充裕的宰相、内阁大学士、吏部尚书、礼部侍郎和诸多考官的立场上，看看他们在执掌科举制度时究竟会遇到哪些逃不开的麻烦，然后再设身处地地为他们想想有没有排解的办法。

当头遇到的一个麻烦，是科举考试要不要与推荐结合起来。粗粗一想我们也许会断然反对推荐，以保证考试的纯净性，但实际上考试的纯净性远不是选拔的准确性。如果选拔不准确，考试的纯净性又有什么意义?考试很像西方戏剧中的"三一律"，必须把一个漫长的活体生命挤压在特定时间、特定地点、特定程序之中，而这种挤压又是书面化的。考试前的社会经验和生命状态究竟如何?应考者对自己的判断和期望是什么?这实在是比书面答卷更为重要的事，需要靠别人推荐和自我推荐来解决。因此在唐代，推荐在科举考试中占据很大的地位，算不得作弊。

公元八二八年，崔郾受朝廷之命离长安赴洛阳主持科举考试，临行前公卿百官盛宴饯送，太学博士吴武陵在席间向崔郾推荐杜牧，而且当场朗读了杜牧的《阿房宫赋》。崔郾听了也大为赞赏，吴武陵就直截了当地说:"那就请您让他做头名状元吧。"崔郾也不隐瞒，说:"头名状元已经有人了。"一问下来，不仅头名有了，第二、第三、第四名也有了，杜牧就成了第五名。这事使主考官崔郾很高兴，他当即在席间宣布"刚才太学博士吴武陵先生送来一位第五名。"①

公元八三七年，高锴主持科举考试，他平日在当朝高官中最佩服的是令狐绹，于是在一次上朝时便问令狐绹："您的朋友中谁最好？"令狐绹不假思索地脱口而出："李商隐。"这一年，李商隐及第。连李商隐也知道自己及第主要是因为令狐绹推荐，就把这一事实写在《与陶进士书》中。②

这两件事，现在说起来实在有点要不得。考试尚未开始，一至五名全定了，主考官不仅接受推荐，而且主动打听推荐线索。有趣的是，当时大家并没有觉得这样做有什么不好，可以朗声推举，可以坦然磋商，可以当众宣布，可以详细记述。当然这里会夹杂着大量的不公平，但如果不是这样，主考官就不知道杜牧写过《阿房宫赋》，就不会对李商隐的名字产生特别的注意，这两位大诗人也就有可能名落孙山。好在我们直到今天还都了解杜牧和李商隐，知道没有任何一种考试能把他们那样美丽的才华考出来，因此谁都愿意站出来推荐他们。这种推荐究竟是公平还是不公平的呢？照我说，与其是失落了杜牧和李商隐去追求公平，宁肯要保留着杜牧和李商隐的不公平。

事实上，那种拒绝试卷之外的其他信息，只凭试卷决定一切的做法，毛病更多。来应考的人成百上千，试卷堆积如山，阅卷人能够仔细品鉴的程度是十分有限的。阅卷人都上了年岁，时间赶得又那么紧，看不了多久就会陷于疲惫和麻木，不会从他们眼里漏掉一个人才的说法，只是骗骗局外人罢了。在这种情况下，

---

① 见《唐摭言》卷六《公荐》。
② 见《樊南文集评注》卷八。

连考官和阅卷人也极想知道一些推荐信息,使他们在试卷的汪洋中捉摸到一些重点审读对象。对此,在这方面有深刻体验的柳宗元说得最好,他认为朝廷取士,不妨让考官们在阅卷前对出色的应试者有所闻(即所谓"先声"):

> 所谓先声后实者,岂惟兵用之,虽士亦然。若今由州郡抵有司求进士者,岁数百人,咸多为文辞,道今语古,角夸丽,务富厚。有司一朝而受者几千万言,读不能十一,即偃仰疲耗,目眩而不欲视,心废而不欲营,如此而曰吾不能遣士者,伪也。惟声先焉者,读至其文辞,心目必专,以故少不胜。①

柳宗元是我们所信赖的,他的这种说法当然不是在为私通关节辩护。

如果允许推荐,那么顺理成章也应接受应试者的自荐。一般说来,他们比别人更知道自己的优势所在,在考试之前,打理一下平生最得意的作品,寻找社会名流中最能赏识自己的人,搭建与上层社会沟通的桥梁,使自己成为比较引人注意的科举候选人,在唐代属于正常之举。唐代科举考试中所风行的"行卷",便是应试者们自我推荐的一种方式。程千帆先生说:

> 所谓行卷,就是应试的举子将自己的文学创作加以编辑,写成卷轴,在考试以前送呈当时的在社会上、政

---

① 《河东先生集》卷二十三,《送韦七秀才下第求益友序》。

治上和文坛上有地位的人，请求他们向主司即主持考试的礼部侍郎推荐，从而增加自己及第的希望的一种手段。这也就是一种凭借作品进行自我介绍的手段；而这种手段之所以能够存在和盛行，则是和当时的选举制度分不开的。[①]

一度，主考机构也要求应试者把自认为满意的旧作上缴以供选拔时参考，自我推荐也就变得更加合法。士子们在选编自荐材料的时候不经意地为中国文学史编出了不少珍贵的文集，否则好多诗文有可能早就失散了。例如皮日休的《文薮》和元结的《文编》当初都是为自荐编成的，他们两人分别都在编定自己文集的第二年进士及第，看来自荐的作用不小。

大诗人王维因自荐而及第的故事载于《集异记》，明代传奇《郁轮袍》也讲这个故事，听起来很有趣味。故事说，当初年轻的王维以惊人的文学天赋和音乐才华游历于长安上层社会，特别为岐王所看重。科举考试将至，谁若能成为长安京兆府的第一名人选上送，则极有希望夺魁。王维知道对此事有决定权的公主心中已另有人选，请岐王帮忙。岐王深知王维的才学有竞争力，要他准备好旧诗十篇、琵琶一曲，五天后再来。五天后王维如期而至，岐王拿出鲜丽华贵的衣服要他穿上，共赴公主府第，名义上是向公主奉献酒乐，王维充作乐师。公主见王维风姿超群，奏曲精妙，大为赞赏，岐王便说："他不只精通音乐，文词更是无人可比。"王维当即把准备的诗卷献给公主，公主一看更为惊异，说："这些诗，都是我平常反复诵读的，一直以为是古人佳作，没

①《唐代进士行卷与文学》，上海古籍出版社一九八○年版第三页。

想到竟然出之于你的手笔!" 于是以上宾之礼，与王维畅谈。王维言谈间风流蕴藉，诙谐幽默，不能不让在座的其他宾客深深钦佩。岐王便对公主说："如果今年京兆府第一名由这位青年来承当，就会十分风光。" 公主说："那为什么不让他去应试呢?" 岐王说："这位老弟心气颇高，不作为第一人选上送他是绝不会去应试的，但听说贵公主已决定了别的人作为第一人选。" 公主笑道："那算什么呀，也是别人托的。" 等岐王和王维一离开，公主就召来了当年的考官。于是，王维成了京兆府上报的第一人选。

历史学家认为，这个故事在具体情节上的真实性很可怀疑，但《集异记》在记述中所传达出来的社会氛围和上层交往关系却是可信的。

我对唐代士子自我推荐最感性的了解，来自白居易所写的一封自荐信。这封信是贞元十六年(公元八〇〇年)应进士试前写给当时任给事中的陈京的，所以名为《与陈给事书》，现收在《白居易集》卷四十四内。白居易这封信的大意是：

这些天，您府上拜谒者如林，自荐者如云，他们的目的很简单，就是希望您为他们吹嘘张扬。我不来拜谒，只差遣家僮送一封信给您，说明我的目的与他们不一样，就凭这一点，你也该特别关注一下了。我只想诚恳求教，因为无数事实证明，一个人了解别人容易，了解自己困难。很杰出的人，往往自信不足，很糟糕的人，却又自以为是，幸好有明白的考官，让他们各归其位。您是天下文宗，当代权威，因此愿意向您袒露我的内

> 心：我白居易是个平民，上无朝廷援助，下无乡绅抬举，敢于到京城来应试完全是凭了文章，到时候等考官作出公平裁断；但我的文章究竟是可进还是可退，自己却不甚清楚，因此请您帮我裁定一下。特送上杂文二十篇、诗一百首，请您在公余之暇随手翻翻。如果觉得可进，请发一句话，我一定加倍努力；如果觉得不可进，也请发一句话，我就甘心退藏。是进是退，我心中斗争多时，现在就等您一句话了。

　　白居易的这封信写得不卑不亢。考试在即，究竟自己是不是一块材料，该不该继续努力，请名人裁断一下，即使落第也落个明白，这番理由，说得很得体。但是，诗文就此送上去了，而白居易对自己诗文的自信并不像他信中说的那样薄弱。请陈京发一句话，我想更多的是希望陈京在读了诗文之后把话发给主考官。到底发了没有我们并不清楚，所知道的只是白居易当年果真进士及第。

　　把以上所举的杜牧、李商隐、柳宗元、皮日休、元结、王维、白居易的例子加在一起可以得出一个印象，在他们那些年代，科举考试的文章有很大一部分不做在考场内。考试只是一个契机，围绕着它，进行一场选拔人才的大动员。人才们自己也踊跃起来，走出苦读的书房，离别偏僻的乡邑，踏入京城的社交圈，试着用文化为轴心进行多方面的生命呈示和精神沟通。做法上确实很不规范，但时代的魅力也就体现在这种不规范之中。有许多事情，规范一旦精密和完满就不再有让人喜悦的生

命力, 科举制度显然也是如此; 但是能不能因此而永远拒绝规范
呢?又不能, 因为原始性的可喜很容易因无序而转化为可恶, 不
设置足够的规范必然会把事情彻底搞糟。这便是人类经常要遇到
的两难: 总要告别生气勃勃的无序状态, 总要迎来防微杜渐的严
整格局, 结果, 又总是因整体性规范的失度而走向新的无序。

以科举考试中推荐的问题为例, 既被允许, 久而久之自然会
有大量阴暗伎俩产生, 而即便是王维、白居易、杜牧、李商隐他
们那样的上好诗文也是敌不过阴暗伎俩的, 因此当初像他们那样
大大咧咧自我推荐和被人推荐也就会完全失效, 唯一的办法是制
订严密规范来与阴暗伎俩作斗争, 这是令人沮丧又不得不为的
事。创业之初的健康与大方, 终于被警觉和琐碎所代替。到了宋
代, 推荐理所当然地被阻止了, 为了防止考官接受试卷外的信
息, 实行"锁院"制度, 即考官一旦被任命就须住入贡院, 断绝
与外界的一切来往, 直到放榜的那一天。长的时候, 一锁就是五
十来天, 也够闷人的。唐代试卷不糊名, 敞敞亮亮地让考官知道
这是哪位考生的卷子, 宋代就把名字糊起来了, 再后来, 怕考官
认出笔迹, 干脆雇一帮子人把所有的考卷重抄一遍再交给考官,
以杜绝作弊的可能。

其实作弊是杜绝不了的。科举考试决定着一个人的全部升沉
荣辱, 总会引得不少人拼着性命来做手脚, 官方发现后立即采取
相应的对策, 而一切对策又很快激发了更高明的作弊手段, 真是
循环往复, 日臻精微。

我曾参观过一个中国古代科举考试的展览, 面对那些实物,
强烈感受到自宋以后, 作弊和反作弊成了一场某些士子和官方层
层递进的智力竞赛, 而竞赛的结果是两方面都走向卑微。士子作

弊的最常用方式是挟带，把必然要考到的《四书》、《五经》、前科中举范文和自己的猜题习作缩小抄写后塞在鞋底、腰带、裤子、帽子里，一切可以想得到的角角落落都塞，有的干脆密密麻麻地写在麻布衬衣里。堂皇的经典踏在脚底，抖索的肉体缠满墨迹，一旦淋雨或者出汗，烂纸污黑也就与可怜书生的绝望心情混作一团，一团由中国文字、中国文明、中国文人混合成的悲苦造型。

作弊挟带的也不见得全是投机取巧的无能之辈。例如一〇一二年的一次考试，搜出挟带者十八人，于是重考，十八人中还是有十二人合格。由此我一直怀疑，许多主持着考试的考官说不定当年也有未被查出的作弊历史，尽管他们在文化才能上还是合格的。作过弊的考官对作弊的防范只会更严，也许是为了掩饰自己，也许是因为深谙诀窍，他们会想出许多搜查挟带的机智办法；未曾作过弊的考官则会对作弊者保留着一种真诚的气恼，一旦有权，气恼也就化作了峻厉。无论是机智还是峻厉，最终还是要交给看守考场的士兵来操作，有时还公开悬赏，搜出一个挟带者奖赏一两银子。士兵们受此刺激，立时变成凶神恶煞，向全体考生扑来。据说连明太祖朱元璋知道士兵们对应考士子浑身上下细细摸查的做法也大不以为然，对大臣们说：这些都是读过圣人诗文的人，怎么能像对付盗贼一样来对付他们？但是即便朱元璋也无法阻止一种整体机制的必然需要，明代的搜查更加严格。考场门口出现的情景是"上久冰冻，解衣露立，搜检军二名，上穷发际，下至膝踵，裸腹赤趾，防怀挟也。"[1]

---

[1]　见《霞外捃屑》卷五《应试文》。

到清代，考生头上的辫子也要解开来查过，甚至还要察看肛门，实在有辱斯文。为了防止在羊皮袄里挟带，规定考生进考场穿的羊皮袄不能有面子，只能把单张羊皮穿在身上，一眼看去，考场内外一片白花花，宛若一大堆纷乱的羊群。① 这景象在我想来是触目惊心的，这儿究竟发生了什么事?一群读书人，只能以动物的形态，来表白自己对文化的坦诚?只能以最丑陋的仪仗，来比赛自己的文明?

说起来作弊在唐代也有很多，但那时既然允许推荐和自荐，整体气氛宽松，不太把这种小手小脚当一回事。诗人温庭筠就是一个作弊的高手，老是在考试中替别的考生写文章，当"枪手"，远近闻名。公元八五八年会试，考官们为了防止他们再一次作弊，故意把他的座位另行摆出，直瞪瞪地注视着他，看到他写完一千多字的文章早早交卷退场了，也就松了一口气。但是万万没有想到，就在这一次，他竟然在考官注视下的不长时间内，为八位考生完成了试卷!这件事听起来太有传奇性了，我们怎么也想不出他是如何完成这极其艰难的操作的，但这种作弊在当时并没有惩处得要死要活，在今天听起来还十分有劲。事情到了清代就不同了，如果有人做"枪手"替别人考试，查出后在考场门外戴枷示众三个月，然后再万里流放。我想，能够有胆量替别人考试，别人也可以信托他代试的那些人，学问和写作能力一定高于大多考生吧，他们应该是有把握中举而又未能中举的一群。为什么有把握中举而又未能中举呢?我们完全不得而知，只知道现在这群怀才不遇的读书人戴着木枷站在考场门外了。天很冷，考场设在

① 见鲁威:《科举奇闻》第一四九页，辽宁教育出版社。

北方，这些读书人冻得瑟瑟发抖，他们眼前，一大片穿着白花花单层羊皮的考生在蠕动。

6

一种巨大的不信任，横亘在考场内外。

科举本是朝廷与文人之间秋波对接，文化与政治之间情缘初订，但是，这种好不容易开始建立的信任竟然消解得如此快速，如此不留情面!乍一看，考场门口如狼似虎的兵士显示着考官对考生的不信任，实际上这只是整体不信任的一部分。例如推荐和自荐的行不通，在我看来，首先不在于考官对考生的不信任，而在于社会对考官的不信任。

宋代曾有人正确地指出，推荐人才之所以具有可信度，是因为敢于推荐别人的热心人和敢于接受推荐的官员都是有社会地位的人，"其取人畏于讥议，多公而审"（《容斋随笔》卷五《韩文公荐士》）。推荐错了人，整个社会都会讥议，这是任何自爱的正派人都不愿意领受的，因此必然力求公正和慎审。但是，我们的考官是很难长久地维护住自己的声誉的，原因不在于品质而在于机制。品质再好的考官，在社会存在方式上也有多方面的可攻击性。

其一，权力网络上的可攻击性。

考官在考场以文化知识裁断考卷，但在官场却又是不大不小的官员。是官员就有上下左右需要顾及和忌避的地方，这与以文化知识为至高标准的考场法则有根本性的矛盾。他当然可以宣言只顾考场不顾官场，但如果真是这样，他裁断考卷的权力是谁给的?反过来，倘使太顾官场，他作为考场主宰者的文化形象又会污渍斑斑。多数考官是想在两相平衡中稍稍偏向于文化形象的，但事实上却很难做到。唐德宗贞元年间，礼部侍郎权德舆知贡举主持考政，皇帝的宠信李实暗示他几个必须照顾的人选，权德舆拒绝了，李实大怒，干脆公开提出二十个人的名单要权德舆接受，而且二十个人的前后名次也排定了。李实大言不惭地对权德舆说："你可以按照我排的名次一一录取，否则，你就会贬谪到外地，到那时后悔无及!"这下权德舆不能不陷于矛盾之中了：按照李实的话办，必然被社会耻笑；但不按他的意思，他一定会到皇帝那里诬奏，如何是好。① 幸好不久后皇帝死了，李实不能再胡作非为。但李实对权德舆说的那番话，历来有很多考官都可能听到过，他们不可能都正巧遇到改朝换代。他们怎么做，可想而知。

其实，比权德舆受到李实威胁再早些年，另一位主持考政的礼部侍郎令狐峘的遭遇更能说明问题。令狐峘担任主考官以来，高官中荐托的人很多，但名次数额有定，当然不能全部满足，因此很有一些人力图扳倒他作为报复。就在这种情况下，他收到当朝宰相杨炎的一封信，要他照顾一位有背景的考生。他怕照宰相的意思做了被别的官员揭露(甚至可能也怕宰相是否有意试探)，想来想去不知所措，只得把宰相的来信上缴给皇帝。皇帝见信后把宰相找来问了一下，宰相杨炎见自己写给令狐峘的信竟在皇帝手里，十分气愤，就向皇帝反诉令狐峘。皇帝总是更相信宰相的，

---

① 见《旧唐书》卷一三五《李实传》。

听完之后就骂令狐峘是奸人，把他贬了。①在这里，作为主考官的权力不堪一击。

在朝廷各位高官中，相比之下，好像考官的是非特别多，特别需要照顾前后左右的关系。公元八二〇年礼部侍郎李建主持科举考试，事后朝廷认为他没有主持好，理由是"人情不洽"，让他改任刑部侍郎。而事实上并不是"人情不洽"，而是他坚持以文化知识标准取士，反对请托。白居易后来说他"在礼部时，以文取生，不听誉，不信毁"；徐松说他"盖不听毁誉，故不免于遭谤也"。但白居易、徐松说这些话的时候，他已盖棺。

令狐峘们一个个被贬了，李建们一个个调任了，只有那些绝不像他们那样做的考官们诚惶诚恐地在考场上正襟危坐。他们明白，考场只是官场的附庸，自己的基本身份只能是驯顺的官员而不能是刚正的学者。既然最要命的是"人情不洽"，那么，沉下心，换成人情练达。练达是为了自我安全而机敏地敛藏，是为了避谤躲毁而察言观色，是为了左右逢源而多方沟通。练达在无奈中，劳累在灵活中，规范在机巧中，消融在网络中。

其二，座主声誉上的可攻击性。

一个文官由朝廷任命而主持全国选拔人才的科举考试，社会声誉之高简直无与伦比。朝廷为了强调科举考试的权威性，也有意抬高考官的声誉，上文提到过的唐代进士及第后有"拜谢座主"的仪式，便是其中一个措施。座主就是主考官，进士拜谢座主既有真诚的感激也有实利的考虑。座主既受朝廷任命，及第进士自称门生必为自己增光，而且也会出现更多提携的机会。也许

---

① 见《唐摭言》卷十四、《旧唐书》卷一四九，转述自《唐代科举与文学》第九章。

考生心底真正在感谢的是某位乡间启蒙教师,但乡间教师无法提供这种机会。于是,考官们在状元、进士们的拜揖中显出一种特殊的重要。

拜谢那天,及第进士们由状元带头,骑马来到考官宅前,下马后恭敬而立,把名纸呈进去通报,被迎进庭院后,列队向东而立,主考官则向西而立面对他们,接受拜谢。集体拜揖、状元致辞、各别拜揖,然后每位进士一一自报家门,"我是某某家族的什么人"、"我是某某人的重表弟"、"我是某某人的表甥孙",尽量把自己家族亲戚中有点名堂的人物一起扯上以引起主考大人的关注。碰巧,也会有主考官同宗同族的亲戚中了进士,而这位亲戚在辈分上恰恰又是主考官的叔叔,那可怎么办呢?按照惯例,反一反,进士必须自称为侄,而尊主考官为叔。① 家族辈分在这里要服从座主和门生的关系。让叔叔张口叫侄子一声叔叔,他们两人都会震颤,但震颤得最强烈的是封建宗法秩序:仅仅做了一任考官,竟然可以让中国社会最基元的家族伦理结构为他而颠倒!

不仅如此,门生对座主的报答是终身性的,而且若有需要,甚至以死相报。连柳宗元都说:"凡号门生而不知恩之所自出者,非人也。"② 　柳宗元等人都十分厌恶门生中那种一开始毕恭毕敬,到后来忘恩负义的投机取巧之徒,而他们的厌恶在当时几乎也成为一种社会共识,绝大多数门生是会永久地效忠座主的,不愿被大家目为"非人也"的渣滓。因此,作为座主也就拥有一笔

---

① 见《唐语林》卷八补遗。
② 见《河东先生集》卷三十,《与顾十郎书》。

比什么都要贵重的生命财富。以贤明著称的唐代主考官崔群与夫人的一段对话很能说明这个问题。夫人劝他什么时候为子孙置几处庄园，崔群笑着说："别担心，我已在全国各地置下了三十处最美的庄园。"夫人大为惊讶，崔群解释道："前年我做主考官时，录取了全国各地的考生三十人，他们每人都是一所最美的庄园啊!"把一个个门生比作一座座庄园，实在将座主和门生的关系表达得淋漓尽致。当然这里多少也包含着座主一厢情愿的成分，因为崔群本人对自己的座主陆贽就比较冷淡，做主考官时也没有录取过陆家后代。为此，聪明而幽默的崔群夫人接过丈夫的比喻一叹："可惜陆贽先生的庄园荒芜了。"

不管荒芜不荒芜，这些有趣的谈论显然掩盖了一个最根本的前提：科举考试是国家行为，考试的结果怎么转眼成了主考官的私有财产?这种考试为主考官创造了一种必不可少的社会声誉，但这种超浓度的社会声誉的背后所编织起来的座主—门生网络无疑与国家行为的主旨南辕北辙。一种带有帮会性质的社会小结构产生了，以结构内的无原则纠聚，来对付结构外的一切，成为上层政治生活中一团团根深蒂固的病灶，世称"朋党"。朋党从总体说来是社会的祸害，当然并非全由座主和门生的关系滋生出来，但这重关系显然起了提纲挈领式的点化作用，至少为全社会的低层帮会提供了存在的上层理由。柳宗元不是主张过门生对座主的忠诚吗，但他又讨厌文坛上那些拉帮结派之徒，愤怒地指斥他们"交贵势，倚亲戚，合则插羽融，生风涛"、"有不诺者，以气排之"。① 柳宗元的好恶很能代表当时文化界一批高品格文人

① 见《河东先生集》卷二十五，《送娄图南秀才游淮南将人道序》。

的心态,然而他们不知道,他们所厌恶的帮派之风恰恰与他们所称颂的座主和门生的关系直接牵连。

　　唐代名相李德裕已经发现了这个问题。这位政治家的仕途十分坎坷,一直处于大起大落之中,但他只要复出当权,总要对科举制度作一些实质性的改革,而改革中的重要一项就是努力消解座主和门生之间的胶固关系。他在《停进士宴会题名疏》中指出,及第进士是国家挑选的"国器","岂可怀赏拔之私惠,忘教化之根源,自谓门生,遂成胶固。所以时风浸薄,臣节何施,树党背公,靡不由此。"[①] 为此,他提出: 不要再叫座主、门生这些名号,进士们录取后可以参见一次主考官,今后再也不允许成群结队地去拜谒了,曲江宴、雁塔题名之类立即停止,及第进士三五人自己庆贺宴乐一下可以,但不许把当年所有及第者全都集中起来盛宴。李德裕的这些措施,显然是针对由科举考试所形成的帮派的。但随着李德裕的又一次被贬,这些措施也就烟消云散了。

　　好在一切有头脑的政治家或迟或早都会重新发现李德裕发现过的问题,因此试图阻遏座主和门生之间胶固状态的呼吁和措施历代不断。北宋建隆年间朝廷明确下诏,不准把主考官称为"恩门"、"师门",录取考生也不准自称是某某考官的"门生",[②] 违者就算犯法。可以代表历史对这个问题下结论的是清代大学者顾炎武,他说:"贡举之士,以有司为座主,而自称门生,遂有朋党之祸。"[③] 既然如此,那么,历代整治这个问题也就无可厚非

---

① 见《会昌一品集·补遗》。
② 见《宋会要辑稿》,《选举》三之一。
③ 见《日知录》卷十七。

了。

　　虽属机制性整治，但诸多考官显然也要承担一定的道义责任。史籍中对他们最常用的指判词总是这样八个字："受命公朝，拜恩私室"。在这一点上，不仅朝廷，而且连社会也对他们表示出很大的不信任。清代一再出现的酷烈的科场案，便是朝廷的这种不信任的病态表现。想当初，朝廷正是想借几双最值得信任的眼睛考察一下社会上有哪些士子可以信任，才推出科举考试的，没想到最终连那几双眼睛也无法信任。在一切都无法信任的气氛中，什么事情都会变质。最可怜的是那些考官，自己的眼睛早已被多年诗书和成堆考卷磨成昏花，偶一抬头，竟发现上上下下有那么多不信任的眼睛逼视着，这算怎么一回事啊？

　　其三，文化资格上的可攻击性。

　　考官们在权力和声誉上既然都难于自立，那么就只剩下文化上的资格了，但可悲的是，他们作为一个庞大帝国遴选行政管理官员的主要执行者，在文化资格上也是十分脆弱的。

　　中国文化发展的历史那么长，涉及的范围那么广，包罗的内容那么多，一个再刻苦用功、博闻强记的人穷其一生也只能把握其中极有限的一些块面，而对其他块面只有一些影影绰绰的印象罢了，这种情形，科举考试的主持者、命题者和阅卷者也未能例外。但考生来自全国各地，各有不同的教育背景，即便在同一文化模式里也会有不同的记忆侧重，因此考试中涌现出来的文化信息之纷乱繁杂往往超越考官们的可控范围。更要命的是，不知从什么时候开始，也不知出于什么原因；中国文人互相评鉴文化知识水平的标尺往往不在于宏观识见而在于细节记忆，一有细节上的记忆失误，立即哄传为笑柄。中国文化拥集着多少细节啊，但人们总是在一笔之误、一字之差、一名之混、一典之错中来否定一个人的整体文化程度。考官对考生是这样，社会对考官也是这样。这种传统一直延伸下来，直到今天，有些历史学家在嘲谑科举考试是一场不学无术的骗局时，往往也动用了一些文化细节，这应该说是不公正的。由此可以设想在古代，考官们为了免使自己暴露哪怕一丁点儿的文化缺漏将会承受多大的心理磨难。

《明史记事本末》记载，明正德六年(公元一五一一年)的一次会试，考试后公布的一份优秀考卷中有一个知识性的误差，即在行文中不小心把孔子生前褒扬的十个弟子和孔子身后人们祭祀时配享的十个弟子有点混淆。考官阅卷时可能只欣赏立意和文词，也没有注意到这一点。落第考生知道后大哗，写出大字报到处张贴，所有的考官都觉得丢了脸，自认晦气不敢吭声。这件事很能说明一种过于沉重的文化传统与一种选拔人才的考试之间的深刻矛盾，考官只不过是这场矛盾中的润滑剂和牺牲品。他们随时会被一个不知什么时候冒出来的文化细节噎得喘不过气来，不能不始终如履薄冰。

在这种心态下，可能产生的笑话反而更多。乾隆年间一个考生在考试前外出游玩，在路边见到过两棵槐树之间一口井这样一种普通的景象，不知怎么就记住了。临到考试，他怨恨自己肚子里典故太少，写出文章来容易被人觉得没有学问，便决定杜撰几个出来，灵机一动写出一句"自两槐夹井以来"，如此等等，他写得那么从容，阅卷的考官紧张了，心想一定是我没有读到过的典故，为了掩饰，给予佳评，这位考生竟被取为解元。我们可以设身处地为这位考官想一想，即便他大体猜测这位考生有可能是杜撰典故，他也不能保证浩如烟海的中国文化典籍中绝对没有

"两槐夹井"一说，不怕一万只怕万一，因而只能闭一只眼睛算他"用典有据"。

这种麻烦连一些学问家也经常遇到。一八九二年廷试，阅卷大臣发现一份优秀考卷中有"闾面"二字不可解，问主持其事的宰相翁同龢是否可能是"闾阎"的笔误，翁同龢以知识广博闻名，低头一想说，以前在书中见过"闾面"对"詹牙"，应该算对。事后问那位考生，确是笔误，这一下翁同龢闹了笑话。但我们在笑翁同龢的时候不会太畅快，因为我们相信他确实看到过"闾面"。深不可测又朦胧混沌的中国文化几乎能为任何一种勉强自圆其说的答案提供可能性，因此学问越大越会遇到判断的困惑。照理像翁同龢这样的学者是最有文化资格来主持考试的，但这次他错了，错在不知道某位考生对中国典章文辞把握的范围。那么主考者应该以哪一条水平线来与考生对位?谁也不清楚。在这种情况下，有的考官甚至完全不相信科举考试有客观标准，不相信自己阅卷判断的准确性，只相信有一种神秘的力量在左右着弃取，便暗暗地用抓阄的办法来领悟"文昌帝君"的旨意。据说清道光年间的穆彰阿就是这么干的。这实际上是对考官职责的全面放弃。

主考官们在文化资格上还会受到更恶性的挑战，并按中国惯例，由文化而直接诱发政治威慑和政治迫害。考官们不仅避不开朝廷的斧钺，而且也躲不过考生的利剑。最典型的例子是公元七三六年李昂任主考官，考生李权通过亲戚邻居的关系来走门路，性子刚直的李昂大怒，召集起考生当众责斥李权，而且把李权文章中不通的句子摘抄出来贴在街上。于是李权决定报复，他找到李昂，出现了以下一段对话——

　　李权：古人说过来而不往非礼也。我的文章不好，现在大家都知道了，主考大人也有不少文章在外界传流，我也想切磋一下，可以吗？

　　李昂：有何不可！请吧。

　　李权：有两句诗，"耳临清渭洗，心向白云闲"，是主考大人的吗？

　　李昂：是的。

　　李权：您诗中用了"洗耳"的典故。大家都知道，这个典故是说古代的尧在他的衰老之年不想再统治天下了，要把自己的权位禅让给许由，没想到许由不仅不想掌权，而且根本不想听让他做官的话，认为是最坏的话，听到后还到水边去洗耳朵。

　　李昂：……

　　李权：今天我们的皇上年富力强，还远没有衰老到退位的年岁，而且皇上好像也没有把皇位让给主考大人的意思，您洗耳朵干什么呢？

　　听了李权这番话，李昂身为主考官却惶骇万状，一下子软了下来。①

　　是啊，考官也是文人，而且又比较有名，文章流播世间，考生为揣摩他们的好恶又曾仔细研读过，要在他们的文词中找一点岔子是再容易不过的。岔子的入口点总是典故，而终点总是

　　① 参见刘肃《大唐新语》卷十《厘革》，《通鉴》卷二一四。

政治。当你一旦成了考官，你曾经引为自豪的全部学问背后，可能都掩藏着一个个陷阱。

从以上所述考官们可被攻击的三个方面，我们大体可以看到科举考试在主持者和操作者一面所遇到的一系列巨大麻烦。以前我们更多地关注考生们的悲哀，结果造成一种印象，似乎是一群邪恶而又愚蠢的考官大臣在胡闹。这种误解容易让人得出一个结论：科举制度的痼疾是可以避免的，只不过历朝主持者不好罢了。但是，当我们把视线一旦停留在科举考试主持者们身上，发现他们如何处在一种极其脆弱又难于被人信任的困境中，而这种困境的造成基本上又不是因为他们个人品格上的问题，那么我们就会憬悟：科举考试本身是一个巨大的悲剧行为。

对中国来说，这是一种千年的需要，又是一种千年的无奈。抓住它，满手芒刺；丢弃它，步履艰难。

7

科举考试最终的彻底败落，在于它的考试内容。

其实这也是一个千余年伤透了脑筋的老问题，历来很多有识之士一而再、再而三地为此而唇枪舌剑，激烈争论。考试主持者们也曾做过一系列试验。一次次地改革考试内容，力图使它更符合选拔管理人才这一根本目的。我在傅璇琮先生的《唐代科举与文学》一书中反复读到，考试中究竟是侧重诗文经典，还是侧重联系社会实际的时务策，是人们讨论的一个难点。在唐代有很长一段时间是十分重视时务策的，例如元结任州试考官时曾出过这

样几个试题:

一、你认为应该如何消解当前的强藩割据?

二、你认为应该如何使官吏清廉,断绝他们的侥幸所得?

三、你认为应该如何使战乱中流离失所的百姓重新耕种?

四、你知道粟帛估钱的情况吗?

在大诗人杜甫出的试卷中,有"华阴的漕渠如何开筑为宜"、"兵卒如何轮休"等题目。白居易则问考生"如何改进各级官员的薪俸制度"、"如何解决当前社会上出现的农贫商富的问题"等等,都非常切于实用。

这些试题今天看起来仍然觉得不错,但我们也不能褒奖过甚。沉溺于诗赋考试固然太局限、太没有现实意义了,但是能对身边的现实问题发表一点议论的也未必是人才,因为议论和操作完全是两回事。更何况,在考试中讨论身边的具体问题,阅卷的困难很大,考官自己对这些具体问题的看法很容易成为一种取舍标准,从而对看法与考官相左的考生带来不公正。与诗赋考试相比,时务策的考试当然不大会重视考生整体文化素养方面的水准,答题成败的偶然性更大。也许正因为这样,一些大学者倒并不倾心于这方面的改革,他们觉得科举考试也就这么回事了,靠几道试题来断定什么样的考试有用,什么样的考试无用,未免显得武断。苏东坡说:

> 自文章而言,则策论为有用,诗赋为无益。自政事言之,则策论、诗赋均为无用。虽知其无用,然自祖宗以来莫之废者,以为设科取士,不过如此而已。[1]

[1] 见《东坡奏议集》卷一。

"均为无用"、"不过如此而已",真是大家口吻。柳宗元说得更透彻,他认为试题的变来变去并不会改变取士的方向,不要企望试题出现了什么方面的内容就会选拔到什么方面的人才。考生总是那些读书人,朝廷侧重考什么内容,他们就作什么方面的准备,好像很对应,却未必是人才。关键是要找到真正的人才。①

苏东坡和柳宗元的看法高人一筹,但作为稀世人才他们对人才的要求与科举考试想选拔的人才有较大的距离。就一般人才的选拔而言,考试内容还是很重要的。一定的试题定向标志着国家对人才的需要重点,也会对全国应试者的自我塑造起一个引导作用。可惜自宋代至明清,国家对人才的需求标准越来越不明确,只靠着一种历史惯性消极地维持着科举,为了堵塞种种堵不胜堵的漏洞,考试规则越来越严格;为了符合上下古今多方位的意识形态要求,考试内容越来越僵硬。终于,出现了八股文。

用八股文取士,不仅内容限定、格式限定,而且许多联接虚词也是限定的,这至少对考官阅卷带来了很大的方便,使各种不同的考生纳入了一种相同话题和固定格式下的充分可比性。我们前面说过,考试不比创作,不能离开了可比性规范任意发挥,就是要看考生在不自由的程序中如何表现。从这个意义上讲,当今美国的"托福"考试也是一种"八股"。八股文的毛病首先不在形式而在内容。这是一种毫无社会责任和历史激情,不知究竟要选择什么样的人的昏庸考试方式。全国士子为通过这项考试一年又一年地钻研八股文的写法,结果造成了大量的废物。对此,清代医学家徐灵胎随手写的一首道情表达得很清楚(文中"时文"

① 见《河东先生文集》卷二十三,《送崔子符罢举诗序》。

即指八股文):

　　　读书人，最不济。背时文，烂如泥。国家本为求
才计，谁知道变做了欺人技。三句破题，两句承题。摇
头摆尾，便道是圣门高第。可知道三通、四史是何等
文章?汉祖、唐宗是哪一朝皇帝?案头放高头讲章，店
里买新科利器。读得来肩背高低，口角嘘唏。甘蔗渣
儿嚼了又嚼，有何滋味。辜负光阴，白白昏迷一世。就
教他骗得高官，也是百姓朝廷的晦气![1]

　　整个九州大地都是这个景象，几乎一切稍稍有点文化良知的
人都已看不下去。事情到了十九世纪后期，国际社会的参照系生
愣愣地出现在中国文人前面，无情的多方位对比强烈到让人眩
晕。一千多年前当科举制度刚刚盛行的时候，中国在世界上是一
个什么样的形象啊!科举制度不就是要为这个形象增色添彩的吗，
怎么增添了一千多年反而成了这副模样?是中国上了科举制度的
当?或是科举制度上了中国的当?或是它们彼此上当?或是大家都上
了一种莫名的历史魔力的当?

　　十九世纪晚期的世界已是一个什么样的世界，我们现在已经
不必说了，真正值得关注的倒是当时仍在科举制度控制下的中
国。据齐如山先生回忆，直到十九世纪晚期，中国大地仍然愚蠢
地以科举制度抵拒着商业文明。一个人参加了一次哪怕是等级最

---

　　① 见商衍鎏《清代科举考试述录》，转引自《中国古代文化史》，北京
大学出版社。

低的科举考试，连秀才也没有考上，在当时也算是"文童"了，有事见知县时可以有座，也可以与官员们同桌用餐。与此相反，一个商人，即便是海内巨贾、富甲一方，见知县时却不会有座，也不准与官员们同桌用餐。① 于是在我眼前出现了一个有象征意义的历史造像：一个读了几年死书而没有读出半点门道的失败者傻乎乎地端坐着，一个已经创造了大量财富而且有可能给中国带来新的活力的实践者像仆役一样侍立着。这一历史造像，离我们并不遥远。

那么，享有社会特权的科举考试参加者到了十九世纪晚期还在以一种什么样的方式参加考试呢?周作人先生回忆道，那是大寒季节，半夜起床，到考场早早坐定，在前后左右一片喧嚣中等到天亮，天亮后有人举着一块木板过来，上面写着考题，于是一片喧嚣变成了一片咿唔，考生们边咿唔边琢磨怎么写八股文了。一直咿唔到傍晚，时间显得紧张，咿唔也就变成呻吟：

> 在暮色苍茫之中，点点灯火逐渐增加，望过去真如许多鬼火，连成一片；在这半明不灭的火光里，透出呻吟似的声音来，的确要疑非人境。②

齐如山先生对此还作了一个小小的补充，即整整一天的考试是无法离座大小便的，于是可想而知，场内污秽横流，恶臭难闻。

读到这类回忆我总是蓦然发呆：灿烂的中国文明，繁密的华夏人才，究竟中了什么邪，要一头钻进这种鬼火、呻吟和恶臭里

① 见《齐如山回忆录》第一章，中国戏剧出版社。
② 见《知堂回想录》。

边?

出于时代的压力、国际的对比，一九〇一年慈禧下令改革科举。考试内容中加中外政治历史、艺学，四书五经仍考，但不再用八股文程式。同时，开设新式学堂，派遣学生到国外留学。

这个弯转得既没有基础又不彻底，而转弯的指挥者自己又极不情愿，结果怪事连连。据说为了迎合要考中外政治历史的旨意，有一次考官出题时把法国的拿破仑塞进去了，而且因为粗粗地知道他与中国项羽一样是一位以失败而告终的勇猛战将，便出了一道中外比较的试题：《项羽拿破轮论》(当时译名初设，把拿破仑译成拿破轮)。出题的考官赶时髦，但来自全国各地的考生怎么跟得上呢?一位考生一开笔就写道：

　　夫项羽，拔山盖世之雄，岂有破轮而不能拿哉?使破轮自修其政，又焉能为项羽所拿者?拿全轮而不胜，而况于拿破轮也哉?①

这位考生理所当然地把"拿破轮"看成是一个行为短语：什么人伸手去拿一个破轮子。项羽有没有拿过破轮子他不知道，但八股文考试鼓励空洞无物的瞎议论，文章也就做下去了。当我读到这则史料时像其他读者一样不能不哑然失笑，我想，这位考生敢于做这篇文章倒也真有一点"岂有破轮而不能拿哉"的气概，科举考试在当时确实已成为一个破轮，它无论如何不能再向前滚动了。为了不让这个破轮使整个大车倾翻，在喊声鼎沸中，科举

① 见舒芜《项羽拿破轮论》，吴小如《〈项羽拿破轮论〉及其他》，《文汇读书周报》一九九四年四月三十日。

终于废除。

科举废除后新式学校一所接一所办起来了, 这不仅释放了一大批原先已经走上科举之途的读书人如上文提到的齐如山、周作人他们, 而且实实在在地造就了一大批自然科学和社会科学方面的新型人才, 二十世纪中国的光明面, 基本上是由这些新型人才造就的。如果科举制度再延续一些年月, 那么中国在二十世纪将会更加死气沉沉、无所作为。

但是, 废除了科举制度的中国有了新式教学, 却没能从制度上解决管理人才的选拔问题。我们记得, 科举制度在它产生之初首先是一个人才选拔制度而不是教学制度, 它在教学上的恶果只是它后期发展的副产品。副产品的恶果被阻遏了, 而千余年前这一制度的设计者们的宏伟初衷却一直没有找到一种更有效的制度去替代。新型的学者在成批地产生, 留学外国的科学家在一船船地回来, 但管理他们的官员又是从何产生的呢?而如果没有优秀的行政管理者, 一切学者、科学家都会在无序状态中磨耗终身, 都会在逃难、倾轧、改行中折腾得精疲力竭, 这已被历史反复证明。

科举制度给过我们一种远年的浪漫, 一种理性的构想, 似乎可以用一种稳定而周全的制度长年不断地为中华民族选拔各级管理人员。尽管这种浪漫的构想最终不成样子, 但当二十世纪的人们还没有构建起一种科学的选拔机制, 那就还没有资格来嘲笑它。

8

科举实在累人。考生累，考官累，整个历史都被它搞累，我写它也实在写累了。我估计，读者也一定已经读得很累，那就到此为止吧。这是一种没有结论的回顾，没有终点的叙述，走笔至此，满心怅然。

眼前突然浮现一个舞台场面，依稀是马科导演、陈亚先编剧的《曹操和杨修》。曹操新当政，急需管理人才，下令在全国招贤，一个年轻的差役，像更夫一样满街敲锣，敲一下喊一声："招贤罗！喂!……招贤罗！喂!……"曹操的时代还没有科举，但那几下锣声足可概括千年科举的默默呼喊。

戏一场场演下去，招来的人才卷入了纷争的漩涡，困顿、后悔，直到死亡。但在每一场幕间，招贤的锣依然在敲，一声比一声怪异，一声比一声凄凉。记得最后一场，年轻的差役早已须发皓然，步履蹒跚，锣破了，嗓子哑了，但那声音分明还在一声声传来："招贤罗！喂!……招贤罗! 喂!……"

那个场面好像下了雪吧?积雪的土地仍然埋藏着对人才的渴望吧?打锣老人的脚印深一脚、浅一脚地排过去，凛冽的寒风卷走了锣声和喊声。这一出中国政治的幕间戏演得好长，最后是悲剧是滑稽很难分辨。应该剧终了，我们站起身回头再看一眼，然后离场。

遥远的绝响

1

对于那个时代、那些人物，我一直不敢动笔。

岂只不敢动笔，我甚至不敢逼视，不敢谛听。有时，我怀疑他们是否真的存在过。如果不予怀疑，那么我就必须怀疑其他许多时代的许多人物。我会暗自判断，倘若他们真的存在过，也不能代表中国，但当我每次面对世界文明史上那些让我们汗颜的篇章时，却总想把有关他们的故事告诉异邦朋友。异邦朋友能真正听懂这些故事吗?因此也唯有这些故事能代表中国，能代表中国却又在中国显得奇罕和落寞，这是他们的毛病还是中国的毛病?我不知道。

像一阵怪异的风，早就吹过去了，却让整个大地保留着对它的惊恐和记忆。连历代语言学家赠送给它的词汇都少不了一个"风"字：风流、风度、风神、风情、风姿……确实，那是一阵怪异的风。

说到这里读者已经明白：我是在讲魏晋。

　　我之所以一直躲避着它，是因为它太伤我的精神。那是另外一个心灵世界和人格天地，即便仅仅是仰望一下，也会对比出我们所习惯的一切的平庸。平庸既然已经习惯也就会带来安定。安安定定地谈论着自己的心力能够驾驭的各种文化现象似乎已成为我们的职业和使命。有时也疑惑，既然自己的心力能够驾驭，再谈来谈去又有什么意义？但真正让我进入一种震惊和陌生，依我的脾性和年龄，毕竟会却步、迟疑。

　　半年前与一位研究生闲谈，不期然地谈到了中国文化中堪称"风流"的一脉，我突然向他提起前人的一种说法：能称得上真风流的，是"魏晋人物晚唐诗"。这位研究生眼睛一亮，似深有所悟。我带的研究生，有好几位在报考前就是大学教师，文化功底不薄，因此以后几次见面，魏晋人物就成了一个甩不开的话题。每次谈到，心中总有一种异样的涌动，但每次都谈不透。

　　前不久收到台湾中国文化大学副教授唐翼明博士赐赠的大作《魏晋清谈》，唐先生在书的扉页上写道，他在台北读到我的一本书，"惊喜异常，以为正始之音复闻于今"。唐先生所谓"正始之音"，便是指魏晋名士在正始年间的淋漓玄谈。唐先生当然是过奖，但我捧着他的题词不禁呆想：或许不知什么时候，我们已经与自己所惊恐的对象产生了默默的交流？

　　那么，干脆让我们稍稍进入一下吧。我在书桌前直了直腰，定定神，轻轻铺开稿纸，没有哪一篇文章使我如此拘谨过。

2

这是一个真正的乱世。

出现过一批名副其实的铁血英雄，播扬过一种烈烈扬扬的生命意志，普及过"成者为王，败者为寇"的政治逻辑，即便是再冷僻的陌巷荒陌，也因震慑、崇拜、窥测、兴奋而变得炯炯有神。突然，英雄们相继谢世了，英雄和英雄之间龙争虎斗了大半辈子，他们的年龄大致相仿，因此也总是在差不多的时间离开人间。像骤然挣脱了条条绷紧的绳索，历史一下子变得轻松，却又剧烈摇晃起来。英雄们留下的激情还在，后代还在，部下还在，亲信还在，但统治这一切的巨手却已在阴暗的墓穴里枯萎；与此同时，过去被英雄们的伟力所掩盖和制服着的各种社会力量又猛然涌起，为自己争夺权利和地位。这两种力量的冲撞，与过去英雄们的威严抗衡相比，低了好几个社会价值等级，于是，宏谋远图不见了，壮丽的鏖战不见了，历史的诗情不见了，代之以明争暗斗、上下其手、投机取巧，代之以权术、策反、谋害。当初的英雄们也会玩弄这一切，但玩弄仅止于玩弄，他们的争斗主题仍然是响亮而富于人格魅力的。当英雄们逝去之后，手段性的一切成了主题，历史失去了放得到桌面上来的精神魂魄，进入到一种无序状态，专制的有序会酿造黑暗，混乱的无序也会酿造黑暗。我们习惯所说的乱世，就是指无序的黑暗。

魏晋，就是这样一个无序和黑暗的"后英雄时期"。

曹操总算是个强悍的英雄了吧，但正如他自己所说，"神龟虽寿，犹有竟时，腾蛇乘雾，终为土灰"，六十六岁便撒手尘寰。照理，他有二十五个儿子，其中包括才华横溢的曹植和曹丕，应该可以放心地延续一代代的曹氏基业了，但众所周知，事情刚到曹丕、曹植两位亲兄弟身上就已经闹得连旁人看了也十分心酸的地步，哪有更多的力量来对付家族外部的政治对手？没隔多久，司马氏集团战胜曹氏集团，曹操的功业完全烟飞灰灭。这中间，最可怜的是那些或多或少有点政治热情的文人名士了，他们最容易被英雄人格所吸引，何况这些英雄及他们的家族中有一些人本身就是文采斐然的大知识分子，在周围自然而然地形成了文人集团，等到政治斗争一激烈，这些文人名士便纷纷成了刀下鬼，比政治家死得更多更惨。

我一直在想，为什么在魏晋乱世，文人名士的生命会如此不值钱，思考的结果是：看似不值钱恰恰是因为太值钱。当时的文人名士，有很大一部分人承袭了春秋战国和秦汉以来的哲学、社会学、政治学、军事学思想，无论在实际的智能水平还是在广泛的社会声望上都能有力地辅佐各个政治集团。因此，争取他们，往往关及政治集团的品位和成败；杀戮他们，则是因为确确实实地害怕他们，提防他们为其他政治集团效力。

相比之下，当初被秦始皇所坑的儒生，作为知识分子的个体人格形象还比较模糊，而到了魏晋时期被杀的知识分子，无论在哪一个方面都不一样了。他们早已是真正的名人，姓氏、事迹、品格、声誉，都随着他们的鲜血，渗入中华大地，渗入文明史册。文化的惨痛，莫过于此；历史的恐怖，莫过于此。

何晏，玄学的创始人、哲学家、诗人、谋士，被杀；

张华，政治家、诗人、《博物志》的作者，被杀；

潘岳，与陆机齐名的诗人，中国古代最著名的美男子，被杀；

谢灵运，中国古代山水诗的鼻祖，直到今天还有很多名句活在人们口边，被杀；

范晔，写成了煌煌史学巨著《后汉书》的杰出历史学家，被杀；

……

这个名单可以开得很长，置他们于死地的罪名很多，而能够解救他们、为他们辩护的人却一个也找不到。对他们的死，大家都十分漠然，也许有几天会成为谈资，但浓重的杀气压在四周，谁也不敢多谈，待到时过境迁，新的纷乱又杂陈在人们眼前，翻旧账的兴趣早已索然。文化名人的成批被杀居然引不起太大的社会波澜，连后代史册写到这些事情时笔调也平静得如古井死水。

真正无法平静的，是血泊边上那些侥幸存活的名士。吓坏了一批，吓得庸俗了、胆怯了、圆滑了、变节了、噤口了，这是自然的，人很脆弱，从肢体结构到神经系统都是这样，不能深责；但毕竟还有一些人从惊吓中回过神来，重新思考哲学、历史以及生命的存在方式，于是，一种独特的人生风范，便从黑暗、混乱、血腥的挤压中飘然而出。

3

当年曹操身边曾有一个文才很好、深受信用的书记官叫阮瑀，生了个儿子叫阮籍。曹操去世时阮籍正好十岁，因此他注定要面对"后英雄时期"的乱世，目睹那么多鲜血和头颅了，不幸他又充满了历史感和文化感，内心会承受多大的磨难，我们无法知道。

我们只知道，阮籍喜欢一个人驾木车游荡，木车上载着酒，没有方向地向前行驶。泥路高低不平，木车颠簸着，酒缸摇晃着，他的双手则抖抖索索地握着缰绳。突然马停了，他定睛一看，路走到了尽头。真的没路了?他哑着嗓子自问，眼泪已夺眶而出。终于，声声抽泣变成了号啕大哭。哭够了，持缰驱车向后转，另外找路。另外那条路走着走着也到了尽头了，他又大哭，走一路哭一路，荒草野地间谁也没有听见，他只哭给自己听。

一天，他就这样信马由缰地来到了河南荥阳的广武山，他知道这是楚汉相争最激烈的地方。山上还有古城遗迹，东城屯过项羽，西城屯过刘邦，中间相隔二百步，还流淌着一条广武涧，涧水汩汩，城基废弛，天风浩荡，落叶满山，阮籍徘徊良久，叹一声："时无英雄，使竖子成名!"

他这声叹息，不知怎么被传到了世间。也许那天出行因路途遥远他破例带了个同行者?或是他自己在何处记录了这个感叹?反正这个叹成了今后千余年许多既有英雄梦、又有寂寞感的历史人物的共同心声。直到二十世纪，寂寞的鲁迅还引用过，毛泽东读鲁迅书时发现了，也写进了一封更有寂寞感的家信中。鲁迅凭记忆引用，记错了两个字，毛泽东也跟着错。

遇到的问题是，阮籍的这声叹息，究竟指向着谁?

可能是指刘邦。刘邦在楚汉相争中胜利了，原因是他的对手项羽并非真英雄。在一个没有真英雄的时代，只能让区区小子成名;

也可能是同时指刘邦、项羽。因为他叹息的是"成名"而不是"得胜"，刘、项无论胜负都成名了，在他看来，他们都不值得成名，都不是英雄；

甚至还可能是反过来，他承认刘邦、项羽都是英雄，但他们早已远去，剩下眼前这些小人徒享虚名，面对着刘、项遗迹，他悲叹着现世的寥落。好像苏东坡就是这样理解的，曾有一个朋友问他：阮籍说"时无英雄，使竖子成名"，其中"竖子"是指刘邦吗？苏东坡回答说："非也，伤时无刘、项也。竖子指魏晋人耳"。①

既然完全相反的理解也能说得通，那么我们也只能用比较超拔的态度来对待这句话了。茫茫九州大地，到处都是为争做英雄而留下的斑斑疮痍，但究竟有哪几个时代出现了真正的英雄呢？既然没有英雄，世间又为什么如此热闹？也许，正因为没有英雄，世间才如此热闹的吧？

我相信，广武山之行使阮籍更厌烦尘嚣了。在中国古代，凭吊古迹是文人一生中的一件大事，在历史和地理的交错中，雷击般的生命感悟甚至会使一个人脱胎换骨。那应是黄昏时分吧，离开广武山之后，阮籍的木车在夕阳衰草间越走越慢，这次他不哭了，但仍有一种沉重的气流涌向喉头，涌向口腔，他长长一吐，音调浑厚而悠扬，喉音、鼻音翻卷了几圈，最后把音收在唇齿间，变成一种口哨声飘洒在山风暮霭之间。这口哨声并不尖利，却是婉转而高亢。

这也算一种歌吟方式吧，阮籍以前也从别人嘴里听到过，好

---

① 见《东坡志林》一、《东坡题跋》二。

像称之为"啸"。啸不承担切实的内容，不遵循既定的格式，只随心所欲地吐露出一派风致，一腔心曲，因此特别适合乱世名士。尽情一啸，什么也抓不住，但什么都在里边了。这天阮籍在木车中真正体会到了啸的厚味，美丽而孤寂的心声在夜气中回翔。

对阮籍来说，更重要的一座山是苏门山。苏门山在河南辉县，当时有一位有名的隐士孙登隐居其间，苏门山因孙登而著名，而孙登也常被人称之为苏门先生。阮籍上山之后，蹲在孙登面前，询问他一系列重大的历史问题和哲学问题，但孙登好像什么也没有听见，一声不吭，甚至连眼珠也不转一转。

阮籍傻傻地看着泥塑木雕般的孙登，突然领悟到自己的重大问题是多么没有意思，那就快速斩断吧，能与眼前这位大师交流的或许是另外一个语汇系统?好像被一种神奇的力量催动着，他缓缓地啸了起来。啸完一段，再看孙登，孙登竟笑眯眯地注视着他，说："再来一遍!"阮籍一听，连忙站起身来，对着群山云天，啸了好久。啸完回身，孙登又已平静入定，他知道自己已经完成了与这位大师的一次交流，此行没有白来。

阮籍下山了，有点高兴又有点茫然。但刚走到半山腰，一种奇迹发生了，如天乐开奏，如梵琴拨响，如百凤齐鸣，一种难以想像的音乐突然充溢于山野林谷之间。阮籍震惊片刻后立即领悟了，这是孙登大师的啸声，如此辉煌和圣洁，把自己的啸不知比到哪里去了。但孙登大师显然不是要与他争胜，而是在回答他的全部历史问题和哲学问题。阮籍仰头聆听，直到啸声结束。然后急步回家，写下了一篇《大人先生传》。

他从孙登身上，知道了什么叫做"大人"。他在文章中说，"大人"是一种与造物同体、与天地并生、逍遥浮世、与道俱成的存在，相比之下，天下那些束身修行、足履绳墨的君子是多么可笑。天地在不断变化，君子们究竟能固守住什么礼法呢?说穿了，躬行礼法而又自以为是的君子，就像寄生在裤裆缝里的虱子。爬来爬去都爬不出裤裆缝，还标榜说是循规蹈矩;饿了咬人一口，还自以为找到了什么风水吉宅。

文章辛辣到如此地步，我们就可知道他自己要如何处世行事了。

4

平心而论，阮籍本人一生的政治遭遇并不险恶，因此，他的奇特举止也不能算是直捷的政治反抗。直捷的政治反抗再英勇、再激烈也只属于政治范畴，而阮籍似乎执意要在生命形态和生活方式上闹出一番新气象。

政治斗争的残酷性他是亲眼目睹了，但在他看来，既然没有一方是英雄的行为，他也不想去认真地评判谁是谁非。鲜血的教训，难道一定要用新的鲜血来记述吗?不，他在一批批认识和不认识的文人名士的新坟丛中，猛烈地憬悟到生命的极度卑微和极度珍贵，他横下心来伸出双手，要以生命的名义索回一点自主和自由。他到过广武山和苏门山，看到过废墟听到过啸声，他已是一个独特的人，正在向他心目中的"大人"靠近。

人们都会说他怪异，但在他眼里，明明生就了一个大活人却像虱子一样活着，才叫真正的怪异，做了虱子还洋洋自得地冷眼瞧人，那是怪异中的怪异。

　　首先让人感到怪异的，大概是他对官场的态度。对于历代中国人来说，垂涎官场、躲避官场、整治官场、对抗官场，这些都能理解，而阮籍给予官场的却是一种游戏般的洒脱，这就使大家感到十分陌生了。

　　阮籍躲过官职任命，但躲得并不彻底。有时心血来潮，也做做官。正巧遇到政权更迭期，他一躲不仅保全了生命，而且被人看作是一种政治远见，其实是误会了他。例如曹爽要他做官，他说身体不好隐居在乡间，一年后曹爽倒台，牵连很多名士，他安然无恙；但胜利的司马昭想与他联姻，每次到他家说亲他都醉着，整整两个月都是如此，联姻的想法也就告吹。

　　有一次他漫不经心地对司马昭说，"我曾经到山东的东平游玩过，很喜欢那儿的风土人情。"司马昭一听，就让他到东平去做官了。阮籍骑着驴到东平之后，察看了官衙的办公方式，东张西望了不多久便立即下令，把府舍衙门重重叠叠的墙壁拆掉，让原来关在各自屋子里单独办公的官员们一下子置于互相可以监视、内外可以沟通的敞亮环境之中，办公内容和办公效率立即发生了重大变化。这一着，即便用一千多年后今天的行政管理学来看也可以说是抓住了"牛鼻子"，国际间许多现代化企业的办公场所不都在追求着一种高透明度的集体气氛吗?但我们的阮籍只是骑在驴背上稍稍一想便想到了。除此之外，他还大刀阔斧地精简了法令，大家心悦诚服，完全照办。他觉得东平的事已经做完，仍然骑上那头驴子，回到洛阳来了。一算，他在东平总共逗留了十余天。

　　后人说，阮籍一生正儿八经地上班，也就是这十余天。

　　唐代诗人李白对阮籍做官的这种潇洒劲头钦佩万分,曾写诗道:

> 阮籍为太守,
> 乘驴上东平。
> 判竹十余日,
> 一朝化风清。

　　只花十余天,便留下一个官衙敞达、政通人和的东平在身后,而这对阮籍来说,只是玩了一下而已。玩得如此漂亮,让无数老于宦海而毫无作为的官僚们立刻显得狼狈。

　　他还想用这种迅捷高效的办法来整治其他许多地方的行政机构吗?在人们的这种疑问中,他突然提出愿意担任军职,并明确要担任北军的步兵校尉。但是,他要求担任这一职务的唯一原因是步兵校尉兵营的厨师特别善于酿酒,而且打听到还有三百斛酒存在仓库里。到任后,除了喝酒,一件事也没有管过。在中国古代,官员贪杯的多得很,贪杯误事的也多得很,但像阮籍这样堂而皇之纯粹是为仓库里的那几斛酒来做官的,实在绝无仅有。把金印作为敲门砖随手一敲,敲开的却是一个芳香浓郁的酒窖,所谓"魏晋风度"也就从这里飘散出来了。

　　除了对待官场的态度外,阮籍更让人感到怪异的,是他对于礼教的轻慢。

　　例如众所周知,礼教对于男女间接触的防范极严,叔嫂间不能对话,朋友的女眷不能见面,邻里的女子不能直视,如此等等的规矩,成文和不成文地积累了一大套。中国男子,一度几乎成了最厌恶女性的一群奇怪动物, 可笑的不自信加上可恶的淫邪推理, 既装模作样又战战兢兢。对于这一切, 阮籍断然拒绝。有一次嫂子要回娘家, 他大大方方地与她告别, 说了好些话, 完全不理叔嫂不能对话的礼教。隔壁酒坊里的小媳妇长得很漂亮, 阮籍经常去喝酒, 喝醉了就在人家脚边睡着了, 他不避嫌, 小媳妇的丈夫也不怀疑。

　　特别让我感动的一件事是: 一位兵家女孩, 极有才华又非常美丽, 不幸还没有出嫁就死了。阮籍根本不认识这家的任何人, 也不认识这个女孩, 听到消息后却莽撞赶去吊唁, 在灵堂里大哭一场, 把满心的哀悼倾诉完了才离开。阮籍不会装假, 毫无表演意识, 他那天的滂沱泪雨全是真诚的。这眼泪, 不是为亲情而洒, 不是为冤案而流, 只是献给一具美好而又速逝的生命。荒唐在于此, 高贵也在于此。有了阮籍那一天的哭声, 中国数千年来其他许多死去活来的哭声就显得太具体、太实在, 也太自私了。终于有一个真正的男子汉像模像样地哭过了, 没有其他任何理由, 只为美丽, 只为青春, 只为异性, 只为生命, 哭得抽象又哭得淋漓尽致。依我看, 男人之哭, 至此尽矣。

　　礼教的又一个强项是"孝"。孝的名目和方式叠床架屋, 已与子女对父母的实际感情没有什么关系。最惊人的是父母去世时的繁复礼仪, 三年服丧、三年素食、三年寡欢, 甚至三年守墓, 一分真诚扩充成十分伪饰, 让活着的和死了的都长久受罪, 在最不该虚假的地方大规模地虚假着。正是在这种空气中, 阮籍的母亲去世了。

　　那天他正好和别人在下围棋, 死讯传来, 下棋的对方要停止, 阮籍却铁青着脸不肯歇手, 非要决个输赢。下完棋, 他在别人惊恐万状的目光中要过酒杯，饮酒两斗，然而才放声大哭，哭的时候，口吐大量鲜血。几天后母亲下葬，他又吃肉喝酒，然后才与母亲遗体告别，此时他早已因悲伤过度而急剧消瘦，见了母亲遗体又放声痛哭，吐血数升，几乎死去。

他完全不拘礼法，在母丧之日喝酒吃肉，但他对于母亲死亡的悲痛之深，又有哪个孝子比得上呢?这真是千古一理了：许多叛逆者往往比卫道者更忠于层层外部规范背后的内核。阮籍冲破"孝"的礼法来真正行孝，与他的其他作为一样，只想活得真实和自在。

他的这种做法，有极广泛的社会启迪作用。何况魏晋时期因长年战乱而早已导致礼教日趋懈弛，由他这样的名人用自己轰传遐迩的行为一点化，足以移风易俗。据《世说新语》所记，阮籍的这种行为即便是统治者司马昭也乐于容纳。阮籍在安葬母亲后不久，应邀参加了司马昭主持的一个宴会，宴会间自然免不了又要喝酒吃肉，当场一位叫何曾的官员站起来对司马昭说："您一直提倡以孝治国，但今天处于重丧期内的阮籍却坐在这里喝酒吃肉，大违孝道，理应严惩!"司马昭看了义愤填膺的何曾一眼，慢悠悠地说："你没看到阮籍因过度悲伤而身体虚弱吗?身体虚弱吃点喝点有什么不对?你不能与他同忧，还说些什么!"

魏晋时期的一大好处，是生态和心态的多元。礼教还在流行，而阮籍的行为又被允许，于是人世间也就显得十分宽阔。记得阮籍守丧期间，有一天朋友裴楷前去吊唁，在阮籍母亲的灵堂里哭拜，而阮籍却披散着头发坐着，既不起立也不哭拜，只是两眼发直，表情木然。裴楷吊唁出来后，立即有人对他说："按照礼法，吊唁时主人先哭拜，客人才跟着哭拜。这次我看阮籍根本没有哭拜，你为什么独自哭拜?"说这番话的大半是挑拨离间的小人，且不去管它了，我对裴楷的回答却很欣赏，他说："阮籍是超乎礼法的人，可以不讲礼法; 我还在礼法之中，所以遵循礼法。"我觉得这位裴楷虽是礼法中人却颇具魏晋风度，他自己不太圆通却愿意让世界圆通。

既然阮籍如此干脆地扯断了一根根陈旧的世俗经纬而直取人生本义，那么，他当然也不会受制于人际关系的重负。他是名人，社会上要结交他的人很多，而这些人中间有很大一部分是以吃食名人为生的: 结交名人为的是分享名人，边分享边觊觎，一有风吹草动便告密起哄、兴风作浪，刹那间把名人围啄得累累伤痕。阮籍身处乱世，在这方面可谓见多识广。他深知世俗友情的不可靠，因此绝不会被一个似真似幻的朋友圈所迷惑。他要找的人都不在了，刘邦、项羽只留下了一座废城，孙登大师只留下满山长啸，亲爱的母亲已经走了，甚至像才貌双全的兵家女儿那样可爱的人物，在听说的时候已不在人间。难耐的孤独包围着他，他厌烦身边虚情假意的来来往往，常常白眼相向。时间长了，阮籍的白眼也就成了一种明确无误的社会信号，一道自我卫护的心理障壁。但是，当阮籍向外投以白眼的时候，他的内心也不痛快。他多么希望少翻白眼，能让自己深褐色的瞳仁去诚挚地面对另一对瞳仁!他一直在寻找，找得非常艰难。在母丧守灵期间，他对前来吊唁的客人由衷地感谢，但感谢也仅止于感谢而已。人们发现，甚至连官位和社会名声都不低的嵇喜前来吊唁时，闪烁在阮籍眼角里的，也仍然是一片白色。

人家吊唁他母亲他也白眼相向!这件事很不合情理，嵇喜和随员都有点不悦，回家一说，被嵇喜的弟弟听到了。这位弟弟听了不觉一惊，支颐一想，猛然憬悟，急速地备了酒、挟着琴来到灵堂。酒和琴，与吊唁灵堂多么矛盾，但阮籍却站起身来，迎了上去。你来了吗，与我一样不顾礼法的朋友，你是想用美酒和音乐来送别我操劳一生的母亲?阮籍心中一热，终于把深褐色的目光浓浓地投向这位青年。

这位青年叫嵇康，比阮籍小十三岁，今后他们将成为终身性的朋友，而后代一切版本的中国文化史则把他们俩的名字永远地排列在一起，怎么也拆不开。

5

嵇康是曹操的嫡孙女婿，与那个已经逝去的英雄时代的关系，比阮籍还要直接。

嵇康堪称中国文化史上第一等的可爱人物，他虽与阮籍并列，而且又比阮籍年少，但就整体人格论之，他在我心目中的地位要比阮籍高出许多，尽管他一生一直钦佩着阮籍。我曾经多次想过产生这种感觉的原因，想来想去终于明白，对于自己反对什么追求什么，嵇康比阮籍更明确、更透彻，因此他的生命乐章也就更清晰、更响亮了。

他的人生主张让当时的人听了触目惊心："非汤武而薄周孔"、"越名教而任自然"。他完全不理会种种传世久远、名目堂皇的教条礼法，彻底厌恶官场仕途，因为他心中有一个使他心醉神迷的人生境界。这个人生境界的基本内容，是摆脱约束、回归自然、享受悠闲。罗宗强教授在《玄学与魏晋士人心态》一书中说，嵇康把庄子哲学人间化，因此也诗化了，很有道理。嵇康是个身体力行的实践者，长期隐居在河南焦作的山阳，后来到了洛阳城外，竟然开了个铁匠铺，每天在大树下打铁。他给别人打铁不收钱，如果有人以酒肴作为酬劳他就会非常高兴，在铁匠铺里拉着别人开怀痛饮。

　　一个稀世的大学者、大艺术家，竟然在一座大城市的附近打铁! 没有人要他打，只是自愿; 也没有实利目的，只是觉得有意思。与那些远离人寰瘦骨嶙峋的隐士们相比，与那些皓首穷经、弱不禁风的书生们相比，嵇康实在健康得让人羡慕。

　　嵇康长得非常帅气，这一点与阮籍堪称伯仲。魏晋时期的士人为什么都长得那么挺拔呢? 你看严肃的《晋书》写到阮籍和嵇康等人时都要在他们的容貌上花不少笔墨，写嵇康更多，说他已达到了"龙章凤姿、天质自然"的地步。一位朋友山涛曾用如此美好的句子来形容嵇康(叔夜):

　　　　叔夜之为人也，岩岩若孤松之独立。其醉也，巍峨若玉山之将崩。

　　现在，这棵岩岩孤松，这座巍峨玉山正在打铁。强劲的肌肉，愉悦的吆喝，炉火熊熊，锤声铿锵。难道，这个打铁佬就是千秋相传的《声无哀乐论》、《太师箴》、《难自然好学论》、《管蔡论》、《明胆论》、《释私论》、《养生论》和许多美妙诗歌的作者? 这铁，打得真好。

　　嵇康打铁不想让很多人知道，更不愿意别人来参观。他的好朋友、文学家向秀知道他的脾气，悄悄地来到他身边，也不说什么，只是埋头帮他打铁。说起来向秀也是了不得的人物，文章写得好，精通《庄子》，但他更愿意做一个最忠实的朋友，赶到铁匠铺来当下手，安然自若。他还曾到山阳帮另一位朋友吕安种菜灌园，吕安也是嵇康的好友。这些朋友，都信奉回归自然，因此都干着一些体力活，向秀奔东走西地多处照顾，怕朋友们太劳累，怕朋友们太寂寞。

嵇康与向秀在一起打铁的时候，不喜欢议论世人的是非曲直，因此话并不多。唯一的话题是谈几位朋友，除了阮籍和吕安，还有山涛。吕安的哥哥吕巽，关系也不错。称得上朋友的也就是这么五六个人，他们都十分珍惜。在野朴自然的生态中，他们绝不放弃亲情的慰藉。这种亲情彼此心照不宣，浓烈到近乎淡泊。

正这么叮叮当当地打铁呢，忽然看到一支华贵的车队从洛阳城里驶来。为首的是当时朝廷宠信的一个贵公子叫钟会。钟会是大书法家钟繇的儿子，钟繇做过魏国太傅，而钟会本身也博学多才。钟会对嵇康素来景仰，一度曾到敬畏的地步，例如当初他写完《四本论》后很想让嵇康看一看，又缺乏勇气，只敢悄悄地把文章塞在嵇康住处的窗户里。现在他的地位已经不低，听说嵇康在洛阳城外打铁，决定隆重拜访。钟会的这次来访十分排场，照《魏氏春秋》的记述，是"乘肥衣轻，宾从如云"。

钟会把拜访的排场搞得这么大，可能是出于对嵇康的尊敬，也可能是为了向嵇康显示一点什么，但嵇康一看却非常抵拒。这种突如其来的喧闹，严重地侵犯了他努力营造的安适境界。他扫了一眼钟会，连招呼也不打，便与向秀一起埋头打铁了。他抡锤，向秀拉风箱，旁若无人。

这一下可把钟会推到了尴尬的境地。出发前他向宾从们夸过海口，现在宾从们都疑惑地把目光投向他，他只能悻悻地注视着嵇康和向秀，看他们不紧不慢地干活。看了很久，嵇康仍然没有交谈的意思，他向宾从扬扬手，上车驱马，回去了。

刚走了几步，嵇康却开口了："何所闻而来?何所见而去?"

钟会一惊，立即回答："闻所闻而来，见所见而去。"

问句和答句都简洁而巧妙，但钟会心中实在不是味道。鞭声数响，庞大的车队回洛阳去了。

嵇康连头也没有抬，只有向秀怔怔地看了一会儿车队后面扬天的尘土，眼光中泛起一丝担忧。

6

对嵇康来说，真正能从心灵深处干扰他的，是朋友。友情之外的造访他可以低头不语，挥之即去，但对于朋友就不一样了，哪怕是一丁点儿的心理隔阂，也会使他焦灼和痛苦。因此，友情有多深，干扰也有多深。

这种事情，不幸就在他和好朋友山涛之间发生了。

山涛也是一个很大气的名士，当时就有人称赞他的品格"如璞玉浑金"。他与阮籍、嵇康不同的是，有名士观念却不激烈，对朝廷、对礼教、对前后左右的各色人等，他都能保持一种温和而友好的关系。但也并不庸俗，又忠于友谊，有长者风，是一个很靠得住的朋友。他当时担任着一个很大的官职：尚书吏部郎，做着做着不想做了，要辞去，朝廷要他推荐一个合格的人继任，他真心诚意地推荐了嵇康。

嵇康知道此事后，立即写了一封绝交信给山涛。山涛字巨源，因此这封信名为《与山巨源绝交书》。我想，说它是中国文化史上最重要的一封绝交书也不过分吧，反正只要粗涉中国古典文学的人都躲不开它，直到千余年后的今天仍是这样。

这是一封很长的信。其中有些话，说得有点伤心——

听说您想让我去接替您的官职，这事虽没办成，从中却可知道您很不了解我。也许你这个厨师不好意思一个人屠宰下去了，拉一个祭师做垫背吧……

阮籍比我醇厚贤良，从不多嘴多舌，也还有礼法之士恨他，我这个人比不上他，惯于傲慢懒散，不懂人情物理，又喜欢快人快语，一旦做官，每天会招来多少麻烦事！……我如何立身处世，自己早已明确，即便是在走一条死路也咎由自取，您如果来勉强我，则非把我推入沟壑不可！

我刚死母亲和哥哥，心中凄切，女儿才十三岁，儿子才八岁，尚未成人，又体弱多病，想到这一些，真不知该说什么。现在我只想住在简陋的旧屋里教养孩子，常与亲友们叙叙离情、说说往事，浊酒一杯，弹琴一曲，也就够了。不是我故作清高，而是实在没有能力当官，就像我们不能把贞洁的美名加在阉人身上一样。您如果想与我共登仕途，一起欢乐，其实是在逼我发疯，我想

您对我没有深仇大恨，不会这么做吧？

我说这些，是使您了解我，也与您诀别。

这封信很快在朝野传开，朝廷知道了嵇康的不合作态度，而山涛，满腔好意却换来一个断然绝交，当然也不好受。但他知道，一般的绝交信用不着写那么长，写那么长，是嵇康对自己的一场坦诚倾诉。如果友谊真正死亡了，完全可以冷冰冰地三言两语，甚至不置一词，了断一切。总之，这两位昔日好友，诀别得断丝飘飘，不可名状。

嵇康还写过另外一封绝交书，绝交对象是吕巽，即上文提到过的向秀前去帮助种菜灌园的那位朋友吕安的哥哥。本来吕巽、吕安两兄弟都是嵇康的朋友，但这两兄弟突然间闹出了一场震惊远近的大官司。原来吕巽看上了弟弟吕安的妻子，偷偷地占有了她。为了掩饰，竟给弟弟安了一个"不孝"的罪名上诉朝廷。

吕巽这么做，无异是衣冠禽兽，但他却是原告!"不孝"在当时是一个很重的罪名，哥哥控告弟弟"不孝"，很能显现自己的道德形象，朝廷也乐于借以重申孝道；相反，作为被告的吕安虽被冤屈却难以自辩，一个文人怎么能把哥哥霸占自己妻子的丑事公诸士林呢?而且这样的事，证据何在?妻子何以自处?家族门庭何以避羞?

面对最大的无耻和无赖，受害者往往一筹莫展。因为制造无耻和无赖的人早已把受害者不愿启齿的羞耻心、社会公众容易理解和激愤的罪名全都考虑到了，受害者除了泪汪汪地引项就刎，别无办法。如果说还有最后一个办法，最后一道生机，那就是寻找最知心的朋友倾诉一番。在这种情况下，许多平日引为知己的朋友早已一一躲开，朋友之道的脆弱性和珍罕性同时显现。有口难辩的吕安想到了他心目中最尊贵的朋友嵇康。嵇康果然是嵇康，立即拍案而起。吕安已因"不孝"而获罪，嵇康不知官场门路，唯一能做的是痛骂吕巽一顿，宣布绝交。

这次的绝交信写得极其悲愤，怒斥吕巽诬陷无辜、包藏祸心；后悔自己以前无原则地劝吕安忍让，觉得自己对不起吕安；对于吕巽，除了决裂，无话可说。我们一眼就可看出，这与他写给山涛的绝交信，完全是两回事了。

"朋友"，这是一个多么怪异的称呼，嵇康实在被它搞晕了。他太看重朋友，因此不得不一次次绝交。他一生选择朋友如此严谨，没想到一切大事都发生在他仅有的几个朋友之间。他想通过绝交来表白自身的好恶，他也想通过绝交来论定朋友的含义。他太珍惜了，但越珍惜，能留住的也就越稀少。

尽管他非常愤怒，他所做的事情却很小：在一封私信里为一个蒙冤的朋友说两句话，同时识破一个假朋友，如此而已。但仅仅为此，他被捕了。

理由很简单：他是不孝者的同党。

从这个无可理喻的案件，我明白了在中国一个冤案的构建为什么那么容易，而构建起来的冤案又怎么会那么快速地扩大株连面。上上下下并不太关心事件的真相，而热衷于一个最通俗、最便于传播、又最能激起社会公愤的罪名；这个罪名一旦建立，事实的真相更变得无足轻重，谁还想提起事实来扫大家的兴，立即沦为同案犯一起扫除。成了同案犯，发言权也就被彻底剥夺。因此，请原谅古往今来所有深知冤情而闭口的朋友吧，他们敌不过那种并不需要事实的世俗激愤，也担不起同党、同案犯等等随时可以套在头上的恶名。

现在，轮到为嵇康判罪了。

一个"不孝者的同党"，该受何种处罚？

统治者司马昭在宫廷中犹豫。我们记得，阮籍在母丧期间喝酒吃肉也曾被人控告为不孝，司马昭内心对于孝不孝的罪名并不太在意。他比较在意的倒是嵇康写给山涛的那封绝交书，把官场仕途说得如此厌人，总要给他一点颜色看看。

就在这时，司马昭所宠信的一个年轻人求见，他就是钟会。不知读者是不是还记得他，把自己的首篇论文诚惶诚恐地塞在嵇康的窗户里，发迹后带着一帮子人去拜访正在乡间打铁的嵇康，被嵇康冷落得十分无趣的钟会？他深知司马昭的心思，便悄声进言：

> 嵇康，卧龙也，千万不能让他起来。陛下统治天下已经没有什么担忧的了，我只想提醒您稍稍提防嵇康这样傲世的名士。您知道他为什么给他的好朋友山涛写那样一封绝交信吗？据我所知，他是想帮助别人谋反，山涛反对，因此没有成功，他恼羞成怒而与山涛绝交。陛下，过去姜太公、孔夫子都诛杀过那些危害时尚、扰乱礼教的所谓名人，现在嵇康、吕安这些人言论放荡，诽谤圣人经典，任何统治天下的君主都是容不了的。陛下如果太仁慈，不除掉嵇康，可能无以淳正风俗、清洁王道。[1]

① 参见《晋书·嵇康传》、《世说新语·雅量》主引《文士传》。

山 居

我特地把钟会的这番话大段地译出来，望读者能仔细一读。他避开了孝不孝的具体问题，几乎每一句话都打在司马昭的心坎上。在道义人格上，他是小人；在诽谤技巧上，他是大师。

钟会一走，司马昭便下令：判处嵇康、吕安死刑，立即执行。

7

这是中国文化史上最黑暗的日子之一，居然还有太阳。

嵇康身戴木枷，被一群兵丁，从大狱押到刑场。

刑场在洛阳东市，路途不近。嵇康一路上神情木然而缥缈。他想起了一生中好些奇异的遭遇。

他想起，他也曾像阮籍一样，上山找过孙登大师，并且跟随大师不短的时间。大师平日几乎不讲话，直到嵇康临别，才深深一叹："你性情刚烈而才貌出众，能避免祸事吗？"

他又想起，早年曾在洛水之西游学，有一天夜宿华阳，独个儿在住所弹琴。夜半时分，突然有客人来访，自称是古人，与嵇康共谈音律。谈着谈着来了兴致，向嵇康要过琴去，弹了一曲《广陵散》，声调绝伦，弹完便把这个曲子传授给了嵇康，并且反复叮嘱，千万不要再传给别人了。这个人飘然而去，没有留下姓名。

嵇康想到这里，满耳满脑都是《广陵散》的旋律。他遵照那个神秘来客的叮嘱，没有向任何人传授过。一个叫袁孝尼的人不知从哪儿打听到嵇康会演奏这个曲子，多次请求传授，他也没有答应。刑场已经不远，难道，这个曲子就永久地断绝了？——想到这里，他微微有点慌神。

280

突然，嵇康听到，前面有喧闹声，而且闹声越来越响。原来，有三千名太学生正拥挤在刑场边上请愿，要求朝廷赦免嵇康，让嵇康担任太学的导师。显然，太学生们想以这样一个请愿向朝廷提示嵇康的社会声誉和学术地位，但这些年轻人不知道，他们这种聚集三千人的行为已经成为一种政治示威，司马昭怎么会让呢?

嵇康望了望黑压压的年轻学子，有点感动。孤傲了一辈子的他，因仅有的几个朋友而死的他，把诚恳的目光投向四周。一个官员冲过人群，来到刑场高台上宣布：宫廷旨意，维护原判!

刑场上一片山呼海啸。

但是，大家的目光都注视着已经押上高台的嵇康。

身材伟岸的嵇康抬起头来，眯着眼睛看了看太阳，便对身旁的官员说："行刑的时间还没到，我弹一个曲子吧，"不等官员回答，便对在旁送行的哥哥嵇喜说："哥哥，请把我的琴取来。"

琴很快取来了，在刑场高台上安放妥当，嵇康坐在琴前，对三千名太学生和围观的民众说："请让我弹一遍《广陵散》。过去袁孝尼他们多次要学，都被我拒绝。《广陵散》于今绝矣!"

刑场上一片寂静，神秘的琴声铺天盖地。

弹毕，从容赴死。

这是公元二六二年夏天，嵇康三十九岁。

8

有几件后事必须交代一下——

　　嵇康被司马昭杀害的第二年，阮籍被迫写了一篇劝司马昭进封晋公的《劝进箴》，语意进退含糊。几个月后阮籍去世，终年五十三岁；

　　帮着嵇康一起打铁的向秀，在嵇康被杀后心存畏惧，接受司马氏的召唤而做官。在赴京城洛阳途中，绕道前往嵇康旧居凭吊。当时正值黄昏，寒冷彻骨，从邻居房舍中传出呜咽笛声。向秀追思过去几个朋友在这里欢聚饮宴的情景，不胜感慨，写了《思旧赋》。写得很短，刚刚开头就煞了尾。向秀后来做官做到散骑侍郎、黄门侍郎和散骑常侍，但据说他在官位上并不做实际事情，只是避祸而已；

　　山涛在嵇康被杀害后又活了二十年，大概是当时名士中寿命最长的一位了。嵇康虽然给他写了著名的绝交书，但临终前却对自己十岁的儿子嵇绍说："只要山涛伯伯活着，你就不会成为孤儿！"果然，后来对嵇绍照顾最多、恩惠最大的就是山涛，等嵇绍长大后，由山涛出面推荐他入仕做官；

　　阮籍和嵇康的后代，完全不像他们的父亲。阮籍的儿子阮浑，是一个极本分的官员，竟然平生没有一次酒醉的记录。被山涛推荐而做官的嵇绍，成了一个为皇帝忠诚保驾的驯臣，有一次晋惠帝兵败被困，文武百官纷纷逃散，唯有嵇绍衣冠端正地以自己的身躯保护了皇帝，死得忠心耿耿。

　　……

9

还有一件后事。

那曲《广陵散》被嵇康临终弹奏之后，渺不可寻。但后来据说在隋朝的宫廷中发现了曲谱，到唐朝又流落民间，宋高宗时代又收入宫廷，由明代朱元璋的儿子朱权编入《神秘曲谱》。近人根据《神秘曲谱》重新整理，于今还能听到。然而，这难道真是嵇康在刑场高台上弹的那首曲子吗?相隔的时间那么长，所历的朝代那么多，时而宫廷时而民间，其中还有不少空白的时间段落，居然还能传下来?而最本源的问题是，嵇康那天的弹奏，是如何进入隋朝宫廷的?

不管怎么说，我不会去聆听今人演奏的《广陵散》。《广陵散》到嵇康手上就结束了，就像阮籍和孙登在山谷里的玄妙长啸，都是遥远的绝响，我们追不回来了。

然而，为什么这个时代、这批人物、这些绝响，老是让我们割舍不下?我想，这些在生命的边界线上艰难跋涉的人物，似乎为整部中国文化史做了某种悲剧性的人格奠基。他们追慕宁静而浑身焦灼，他们力求圆通而处处分裂，他们以昂贵的生命代价，第一次标志出一种自觉的文化人格。在他们的血统系列上，未必有直接的传代者，但中国的审美文化从他们的精神酷刑中开始屹然自立。

在嵇康、阮籍去世之后的百年间，大书法家王羲之、大画家顾恺之、大诗人陶渊明相继出现，二百年后，大文论家刘勰、钟嵘也相继诞生，如果把视野拓宽一点，这期间，化学家葛洪、天文学家兼数学家祖冲之、地理学家郦道元等大科学家也一一涌现，这些人，在各自的领域几乎都称得上是开天辟地的巨匠。魏晋名士们的焦灼挣扎，开拓了中国知识分子自在而又自为的一方心灵秘土，文明的成果就是从这方心灵秘土中蓬勃地生长出来的。以后各个门类的千年传代，也都与此有关。但是，当文明的成果逐代繁衍之后，当年精神开拓者们的奇异形象却难以复见。嵇康、阮籍他们在后代眼中越来越显得陌生和乖戾，陌生得像非人，乖戾得像神怪。

有过他们，是中国文化的幸运，失落他们，是中国文化的遗憾。

一切都难于弥补了。

我想，时至今日，我们勉强能对他们说的亲近话只有一句当代熟语：不在乎天长地久，只在乎曾经拥有！

——写作此文，与嵇康弹完《广陵散》而赴死的日子同样是炎热的八月，其间相隔一千七百三十二年。

历史的暗角

1

在中国历史上，有一大群非常重要的人物，肯定被我们历史学家忽视了。

这群人物不是英雄豪杰，也未必是元凶巨恶。他们的社会地位可能极低，也可能很高。就文化程度论，他们可能是文盲，也可能是学者。很难说他们是好人坏人，但由于他们的存在，许多鲜明的历史形象渐渐变得瘫软、迷顿、暴躁，许多简单的历史事件一一变得混沌、暧昧、肮脏，许多祥和的人际关系慢慢变得紧张、尴尬、凶险，许多响亮的历史命题逐个变得黯淡、紊乱、荒唐。他们起到了如此巨大的作用，但他们并没有明确的政治主张，他们的全部所作所为并没有留下清楚的行为印记，他们绝不想对什么负责，而且确实也无法让他们负责。他们是一团驱之不散又不见痕迹的腐浊之气，他们是一堆飘忽不定的声音和眉眼。你终于愤怒了，聚集起万钧雷霆准备轰击，没想到这些声音和眉眼也与你在一起愤怒，你突然失去了轰击的对象。你想不予理会，掉过头去，但这股腐浊气却又悠悠然地不绝如缕。

我相信，历史上许多钢铸铁浇般的政治家、军事家最终悲怆辞世的时候最痛恨的不是自己明确的政敌和对手，而是曾经给过自己很多腻耳的佳言和突变的脸色、最终还说不清究竟是敌人还是朋友的那些人物。处于弥留之际的政治家和军事家死不瞑目，颤动的嘴唇艰难地吐出一个词汇："小人……"

——不错，小人。这便是我这篇文章要写的主角。

小人是什么？如果说得清定义，他们也就没有那么可恶了。小人是一种很难定位和把握的存在，约略能说的只是，这个"小"，既不是指年龄，也不是指地位。小人与小人物是两码事。

在一本杂志上看到欧洲的一则往事。数百年来一直亲如一家的一个和睦村庄，突然产生了邻里关系的无穷麻烦，本来一见面都要真诚地道一声"早安"的村民们，现在都怒目相向。没过多久，几乎家家户户都成了仇敌，挑衅、殴斗、报复、诅咒天天充斥其间，大家都在想方设法准备逃离这个恐怖的深渊。可能是教堂的神父产生了疑惑吧，花了很多精力调查缘由。终于真相大白，原来不久前刚搬到村子里来的一位巡警的妻子是个爱搬弄是非的长舌妇，全部恶果都来自于她不负责任的窃窃私语。村民知道上了当，不再理这个女人，她后来很快搬走了，但是万万没有想到，村民间的和睦关系再也无法修复。解除了一些误会，澄清了一些谣言，表层关系不再紧张，然而从此以后，人们的笑脸不再自然，即便在礼貌的言词背后也有一双看不见的疑虑眼睛在晃动。大家很少往来，一到夜间，早早地关起门来，谁也不理谁。

我读到这个材料时，事情已过去了几十年，作者写道，直到今天，这个村庄的人际关系还是又僵又涩、不冷不热。

对那个窃窃私语的女人，村民们已经忘记了她讲的具体话语，甚至忘记她的容貌和名字。说她是坏人吧，看重了她，但她实实在在地播下了永远也清除不净的罪恶的种子。说她是故意的吧，那也强化了她，她对这个村庄也未必有什么争夺某种权力的企图。说她仅仅是言词失当吧，那又过于宽恕了她，她做这些坏事带有一种近乎本能的冲动。对于这样的女人，我们所能给予的还是那个词汇：小人。

小人的生存状态和社会后果，由此可见一斑。

这件欧洲往事因为有前前后后的鲜明对比，有那位神父的艰苦调查，居然还能寻找到一种答案。然而谁都明白，这在"小人事件"中属于罕例。绝大多数"小人事件"是找不到这样一位神父、这么一种答案的。我们只要稍稍闭目，想想古往今来、远近左右，有多少大大小小、有形无形的"村落"被小人糟蹋了而找不到事情的首尾？

由此不能不由衷地佩服起孔老夫子和其他先秦哲学家来了，他们那么早就浓浓地划出了"君子"和"小人"的界限。诚然，这两个概念有点模糊，互间的内涵和外延都有很大的弹性，但后世大量新创立的社会范畴都未能完全地取代这种古典划分。

孔夫子提供这个划分当然是为了弘扬君子、提防小人，而当我们长久地放弃这个划分之后，小人就会像失去监视的盗贼、冲决堤岸的洪水，汹涌泛滥。结果，不愿再多说小人的中国历史，小人的阴影反而越来越浓。他们组成了道口路边上密密层层的许多暗角，使得本来就已经十分艰难的民族步履，在那里趔趄、错乱，甚至回头转向，或拖地不起。即便是智慧的光亮、勇士的血性，也对这些霉苔斑斑的角落无可奈何。

2

然而，真正伟大的历史学家是不会放过小人的，司马迁在撰写《史记》的时候就发现了这个历史症结，于是他冷静的叙述中不能不时时迸发出一种激愤。众所周知，司马迁对历史情节的取舍大刀阔斧，但他对于小人的所作所为却常常工笔细描，以便让历史记住这些看起来是无关重要的部位。

例如，司马迁写到过发生在公元前五二七年的一件事。那年，楚国的楚平王要为自己的儿子娶一门媳妇，选中的姑娘在秦国，于是就派出一名叫费无忌的大夫前去迎娶。费无忌看到姑娘长得极其漂亮，眼睛一转，就开始在半道上动脑筋了。

——我想在这里稍稍打断，与读者一起猜测一下他动的是什么脑筋，这会有助于我们理解小人的行为特征。看到姑娘漂亮，估计会在太子那里得宠，于是一路上百般奉承，以求留下个好印象，这种脑筋，虽不高尚却也不邪恶，属于寻常世俗心态，不足为奇，算不上我们所说的小人；看到姑娘漂亮，想入非非，企图有所沾染，暗结某种私情，这种脑筋，竟敢把一国的太子当情敌，简直胆大妄为，但如果付诸实施，倒也算是人生的大手笔，为了情欲无视生命，即便荒唐也不是小人作为。费无忌动的脑筋完全不同，他认为如此漂亮的姑娘应该献给正当权的楚平王。尽管太子娶亲的事已经国人皆知，尽管迎娶的车队已经逼近国都，尽管楚宫里的仪式已经准备妥当，费无忌还是骑了一匹快马抢先直奔王宫，对楚平王描述了秦国姑娘的美貌，说反正太子此刻与这位姑娘尚未见面，大王何不先娶了她，以后再为太子找一门好的呢。楚平王好色，被费无忌说动了心，但又觉得事关国家社稷的形象和承传，必须小心从事，就重重拜托费无忌一手操办。三下两下，这位原想来做太子夫人的姑娘，转眼成了公公楚平王的妃子。

事情说到这儿，我们已经可以分析出小人的几条行为特征了：

其一，小人见不得美好。小人也能发现美好，有时甚至发现得比别人还敏锐，但不可能对美好投以由衷的虔诚。他们总是眯缝着眼睛打量美好事物，眼光时而发红时而发绿，时而死盯时而躲闪，只要一有可能就忍不住要去扰乱、转嫁(费无忌的行为真是"转嫁"这个词汇的最佳注脚)，竭力作为某种隐潜交易的筹码加以利用。美好的事物可能遇到各种各样的灾难，但最消受不住的却是小人的作为。蒙昧者可能致使明珠暗投，强蛮者可能致使玉石俱焚，而小人则鬼鬼祟祟地把一切美事变成丑闻。因此，美好的事物可以埋没于荒草黑夜间，可以展露于江湖莽汉前，却断断不能让小人染指或过眼；

其二，小人见不得权力。不管在什么情况下，小人的注意力总会拐弯抹角地绕向权力的天平，在旁人看来根本绕不通的地方，他们也能飞檐走壁绕进去。他们表面上是历尽艰险为当权者着想，实际上只想着当权者手上的权力，但作为小人他们对权力本身又不迷醉，只迷醉权力背后自己有可能得到的利益。因此，乍一看他们是在投靠谁、背叛谁、效忠谁、出卖谁，其实他们压根儿就没有人的概念，只有实际私利；

其三，小人不怕麻烦。上述这件事，按正常逻辑来考虑，即便想做也会被可怕的麻烦所吓退，但小人是不怕麻烦的，怕麻烦做不了小人，小人就在麻烦中成事。小人知道越麻烦越容易把事情搞浑，只要自己不怕麻烦，总有怕麻烦的人。当太子终于感受到与秦国姑娘结婚的麻烦，当大臣们也明确觉悟到阻谏的麻烦，这件事也就办妥了；

其四，小人办事效率高。小人急于事功又不讲规范，有明明暗暗的障眼法掩盖着，办起事来几乎遇不到阻力，能像游蛇般灵活地把事情迅速搞定。他们善于领会当权者难于启齿的隐忧和私欲，把一切化解在顷刻之间，所以在当权者眼里，他们的效率更是双倍的。有当权者支撑，他们的效率就更高了。费无忌能在为太子迎娶的半道上发起一个改变皇家婚姻方向的骇人行动而居然快速成功，便是例证。

暂且先讲这四项行为特征吧，司马迁对此事的叙述还没有完，让我们顺着他的目光继续看下去——

费无忌办成了这件事，既兴奋又慌张。楚平王越来越宠信他了，这使他满足，但静心一想，这件事上受伤害最深的是太子，而太子是迟早会掌大权的，那今后的日子怎么过呢？

他开始在楚平王耳边递送小话："那件事情之后，太子对我恨之入骨，那倒罢了，我这么个人也算不得什么，问题是他对大王您也怨恨起来，万望大王戒备。太子已握兵权，外有诸侯支持，内有他的老师伍奢帮着谋划，说不定哪一天要兵变呢！"

楚平王本来就觉得自己对儿子做了亏心事，儿子一定会有所动作，现在听费无忌一说，心想果不出所料。立即下令杀死太子的老师伍奢、伍奢的长子伍尚，进而又要捕杀太子，太子和伍奢的次子伍员只得逃离楚国。

从此之后，连年的兵火就把楚国包围了，逃离出去的太子是一个拥有兵力的人，自然不会甘心，伍员则发誓要为父兄报仇，曾一再率吴兵伐楚，许多连最粗心的历史学家也不得不关注的著名军事征战此起彼伏。

然而楚国人民记得，这场弥天大火的最初点燃者，是小人费无忌，大家咬牙切齿地用极刑把这个小人处死了，但整片国土早已满目疮痍。

——在这儿我又要插话。顺着事件的发展，我们又可把小人的行为特征延续几项了：

其五，小人不会放过被伤害者。小人在本质上是胆小的，他们的行动方式使他们不必害怕具体操作上的失败，但却不能不害怕报复。设想中的报复者当然是被他们伤害的人，于是他们的使命注定是要连续不断地伤害被伤害者。你如果被小人伤害了一次，那么等着吧，第二、第三次更大的伤害在等着你，因为不这样做小人缺少安全感。楚国这件事，受伤害的无疑是太子，费无忌深知这一点，因此就无以安生，必欲置之死地才放心。小人不会怜悯，不会忏悔，只会害怕，但越害怕越凶狠，一条道走到底；

其六，小人需要博取同情。明火执仗的强盗、杀人不眨眼的刽子手是恶人而不是小人，小人没有这份胆气，需要掩饰和躲藏。他们反复向别人解释，自己是天底下受损失最大的人，自己是弱者，弱得不能再弱了，似乎生就是被别人欺侮的料。在他们企图吞食别人产权、名誉乃至身家性命的时候，他们甚至会让低沉的喉音、含泪的双眼、颤抖的脸颊、欲说还休的语调一起上阵，逻辑说不圆通时便哽哽咽咽地糊弄过去，你还能不同情?而费无忌式的小人则更进一步，努力把自己打扮成一心为他人、为上司着想而遭致祸殃的人，那自然就更得同情了。职位所致，无可奈何，一头是大王，一头是太子，我小小一个侍臣有什么办法?苦心斡旋却两头受气，真是何苦来着?——这样的话语，从古到今我们听到的还少吗?

其七，小人必须用谣言制造气氛。小人要借权力者之手或起哄者之口来卫护自己，必须绘声绘色地谎报"敌情"。费无忌谎报太子和太子的老师企图谋反攻城的情报，便是引起以后巨大历史灾祸的直接诱因。说谎和造谣是小人的生存本能，但小人多数是有智力的，他们编制的谎言和谣言要取信于权势和舆情，必须大体上合乎浅层逻辑，让不习惯实证考察的人一听就立即产生情绪反应。因此，小人的天赋，就在于能熟练地使谎言和谣言编制得合乎情理。他们是一群有本事诱使伟人和庸人全都沉陷进谎言和谣言迷宫而不知回返的能工巧匠;

其八，小人最终控制不了局势。小人精明而缺少远见，因此他们在制造一个个具体的恶果时并没有想这些恶果最终组接起来将会酿成一个什么样的结局。当他们不断挑唆权势和舆情的初期，似乎一切顺着他们的意志在发展，而当权势和舆情终于勃然而起挥洒暴力的时候，连他们也不能不瞠目结舌、骑虎难下了。小人没有大将风度，完全控制不了局面，但不幸的是，人们不会忘记他们是这些全部灾难的最初责任者。平心而论，当楚国一下子陷于邻国攻伐而不得不长年以铁血为生的时候，费无忌也已经束手无策，做不得什么好事也做不得什么坏事了。但最终受极刑的仍然是他，司马迁以巨大的厌恶使之遗臭万年的也是他。小人的悲剧，正在于此。

3

　　解析一个费无忌，我们便约略触摸到了小人的一些行为特征，但这对了解整个小人世界，还是远远不够的。小人，还没有被充分研究。

　　我理解我的同道，谁也不愿往小人的世界深潜，因为这委实是一件气闷乃至恶心的事。既然生活中避小人唯恐不远，为何还要让自己的笔去长时间地沾染他们呢？

　　但是回避显然不是办法。既然人们都遇到了这个梦魇却缺少人来呼喊，既然呼喊几下说不定能把梦魇暂时驱除一下，既然暂时的驱除有助于增强人们与这团阴影抗衡的信心，那么，为什么要回避呢？

　　我认为，小人之为物，不能仅仅看成是个人道德品质的畸型。这是一种带有巨大历史必然性的社会文化现象，值得文化人类学家、社会心理学家和政治学家们共同注意。这种现象在中国历史上的充分呈现，体现了中国封建社会的人治专制和社会下层低劣群体的微妙结合，结合双方虽然地位悬殊，却互为需要、相辅相成，终于化合成一种独特的心理方式和生态方式。

　　封建人治专制隐秘多变，需要有一大批特殊的人物，他们既能诡巧地遮掩隐秘又能适当地把隐秘装饰一下昭示天下，既能灵活地适应变动又能庄严地在变动中翻脸不认人，既能从心底里蔑视一切崇高又能把封建统治者的心绪和物欲洗刷成光洁的规范。这一大批特殊的人物，需要有敏锐的感知能力，快速的判断能力，周密的联想能力和有效的操作能力，但却万万不能有稳定的社会理想和个人品格。从这个意义上说，政治上的小人实在不是自然生成的，而是对一种体制性需要的填补和满足。

《史记》中的《酷吏列传》记述到汉武帝的近臣杜周，此人表面对人和气，实际上坏得无可言说。他管法律，只要探知皇帝不喜欢谁，就千方百计设法陷害，手段毒辣；相反，罪大恶极的犯人只要皇帝不讨厌，他也能判个无罪。他的一个门客觉得这样做太过分了，他反诘道："法律谁定的?无非是前代皇帝的话罢了，那么，后代皇帝的话也是法律，哪里还有什么别的法律?"由此可见，杜周固然是糟践社会秩序的宫廷小人，但他的逻辑放在专制体制下看并不荒唐。

杜周不听前代皇帝只听后代皇帝，那么后代皇帝一旦更换，他又听谁呢?当然又得去寻找新的主子仰承鼻息。照理，如果有一个以理性为基础的相对稳定的行政构架，各级行政官员适应多名不断更替的当权者是再正常不过的事，但在习惯于你死我活、不共戴天的政治恶斗的中国，情况就完全不同了。每一次主子的更换就意味着对以前的彻底毁弃，意味着对自身官场生命的脱胎换骨，而其间的水平高下就看能否把这一切做得干净利落、毫无痛苦。闭眼一想，我脑子里首先浮现的是五代乱世的那个冯道，不知为什么我会把他记得那么牢。

冯道原在后唐闵帝手下做宰相，公元九三四年李从珂攻打唐闵帝，冯道立即出面恳请李从珂称帝，别人说唐闵帝明明还在，你这个做宰相的怎么好请叛敌称帝?冯道说，我只看胜败，"事当务实"。果然不出冯道所料，李从珂终于称帝，成了唐末帝，便请冯道出任司空，专管祭祀时扫地的事，别人怕他恼怒，没想到他兴高采烈地说：只要有官名，扫地也行。

后来石敬瑭在辽国的操纵下做了"儿皇帝"，要派人到辽国去拜谢"父皇帝"，派什么人呢?石敬瑭想到了冯道，冯道作为走狗的走狗，把事情办妥了。

辽国灭后晋之后，冯道又诚惶诚恐地去拜谒辽主耶律德光，辽主略知他的历史，调侃地问："你算是一种什么样的老东西呢?"冯道回答："我是一个无才无德的痴顽老东西。"辽主喜欢他如此自辱，给了他一个太傅的官职。

身处乱世，冯道竟然先后为十个君主干事，他的本领自然远不只是油滑而必须反复叛卖了。被他一次次叛卖的旧主子，可以对他恨之入骨却已没有力量惩处他，而一切新主子大多也是他所说的信奉"事当务实"的人，只取他的实用价值而不去预想他今后对自己叛卖的可能。

我举冯道的例子只想说明，要充分地适应中国封建社会的政治生活，一个人的人格支出会非常彻底，彻底到几乎不像一个人。与冯道、杜周、费无忌等人相比，许多忠臣义士就显得非常痛苦了。忠臣义士平日也会长时间地卑躬屈膝，但到实在忍不下去的时候会突然慷慨陈词、拼命死谏，这实际上是一种"不适应反应"，证明他们还保留着自身感知系统和最终的人格结构。后世的王朝也会表扬这些忠臣义士，但这只是对封建政治生活的一个追认性的微小补充，至于封建政治生活的正常需要，那还是冯道、杜周、费无忌他们。他们是真正的适应者，把自身的人格结构踩个粉碎之后获得了一种轻松，不管干什么事都不存在心理障碍了。人性、道德、信誉、承诺、盟誓全被彻底丢弃，朋友之谊、骨肉之情、羞耻之感、恻隐之心都可一一抛开，这便是极不自由的封建专制所哺育出来的"自由人"。

这种"自由人"在中国下层社会某些群落获得了呼应。我所说的这些群落不是指穷人，劳苦大众在物质约束和自然约束下，不能不循规蹈矩，并无自由可言，他们的贫穷不等于高尚却也不直接通向邪恶；我甚至不是指强盗，强盗固然邪恶却也有自己的道义规范，否则无以合伙成事，无以长久立足，何况他们时时以生命作为行为的代价；我当然也不是指娼妓，娼妓付出的代价虽然不是生命却也是够痛切的，在人生的绝大多数方面，她们都要比官场小人贞洁。与冯道、杜周、费无忌这些官场小人真正呼应得起来的，是社会下层的那样一些低劣群落：恶奴、乞丐、流氓、文痞。

除了他们，官场小人再也找不到其他更贴心的社会心理基础了，而恶奴、乞丐、流氓、文痞一旦窥知堂堂朝廷要员也与自己一般行事处世，也便获得了巨大的鼓舞，成了中国封建社会中最有资格自称"朝中有人"的皇亲国戚。

这种遥相对应，产生了一个辽阔的中间地带。就像磁体的两极之间所形成的磁场，一种巨大的小人化、卑劣化的心理效应强劲地在中国大地上出现了。上有朝廷楷模，下有社会根基，那就滋生蔓延吧，有什么力量能够阻挡呢？

那么，就让我们以恶奴型、乞丐型、流氓型、文痞型的分类，再来看一看小人。

恶奴型小人：

本来，为人奴仆也是一种社会构成，并没有可羞耻或可炫耀之处。但其中有些人，成了奴仆便依仗主子的声名欺侮别人，主子失势后却对主子本人恶眼相报，甚至平日在对主子低眉顺眼之时也不时窥测着掀翻和吞没主子的各种可能,这便是恶奴了,而恶奴则是很典型的一种小人。谢国桢先生的《明清之际党社运动考》一书中有一篇《明季奴变考》,详细叙述了明代末年江南一带仕宦缙绅之家的家奴闹事的情景,其中还涉及到我们熟悉的张溥、钱谦益、顾炎武、董其昌等文化名人的家奴。这些家奴或是仗势欺人,或是到官府诬告主人,或是鼓噪生事席卷财物,使政治大局本来已经够混乱的时代更其混乱。为此,孟森先生曾写过一篇《读明季奴变考》的文章,说明这种奴变其实说不上阶级斗争,因为当时江南固然有不少做了奴仆而不甘心的人,却也有很多明明不必做奴仆而一定要做奴仆的人,这便是流行一时的找豪门投靠之风。本来生活已经挺好,但想依仗豪门逃避赋税、横行乡里,便成群结队地签订契约卖身为奴。"卖身投靠"这个词,就是这样来的。孟森先生说,前一拨奴仆刚刚狠狠地闹过事,后一拨人又乐呵呵地前来投靠为奴,这算什么阶级斗争呢?

乞丐型小人:

因一时的灾荒行乞求生是值得同情的,但当行乞成为一种习惯性职业,进而滋生出一种群体性的心理文化方式,则必然成为社会公害,没有丝毫积极意义可言了。乞丐心理的基点,在于以自秽、自弱为手段,点滴而又快速地完成着对他人财物的占有。乞丐型小人的心目中没有明确的所有权概念,他们认为世间的一切都不是自己的,又都是自己的,只要舍得牺牲自己的人格形象来获得人们的怜悯,不是自己的东西有时可能转换成自己的东西。他们的脚永远踩踏在转换所有权的滑轮上,获得前,语调诚恳让人流泪,获得后,立即翻脸不认人。

乞丐一旦成群结帮,谁也不好对付。《清稗类钞·乞丐类》载:

"江苏之淮、徐、海等处，岁有以逃荒为业者，数百成群，行乞于各州县，且至邻近各省，光绪初为最多。"最古怪的是，这帮浩浩荡荡的苏北乞丐还携带着盖有官印的护照，到了一个地方行乞简直成了一种堂堂公务。行完乞，他们又必然会到官府赖求，再盖一个官印，成为向下一站行乞的"签证"。官府虽然也皱眉，但经不住死缠，既是可怜人，行乞又不算犯法，也就一一盖了章。由这个例证联想开去，生活中只要有人肯下决心用乞丐手法来获得什么，迟早总会达到目的。

流氓型小人：

当恶奴型小人终于被最后一位主子所驱逐，当乞丐型小人终于有一天不愿再扮可怜相，当这些人完全失去社会定位，失去哪怕是假装的价值原则之后，他们便成为对社会秩序最放肆的骚扰者，这便是流氓型小人。

《明史》中记述过一个叫曹钦程的人，明明自己已经做了吴江知县，还要托人认宦官魏忠贤做父亲，献媚的态度最后连魏忠贤本人也看不下去了，把他说成败类，撤了他的官职，他竟当场表示："君臣之义已绝，父子之恩难忘，"不久魏忠贤阴谋败露，曹钦程被算做同党关入死牢，他也没什么，天天在狱中抢掠其他罪犯伙食，吃得饱饱的。这个曹钦程，起先无疑是恶奴型小人，但失去主子、到了死牢，便自然地转化为流氓型小人。我做过知县怎么着?照样敢把杀人犯嘴边的饭食抢过来塞进嘴里!你来打吗?我已经咽下肚去了，反正迟早要杀头，还怕打?——人到了这一步，说什么也多余的了。

流氓型小人比其他类型的小人显得活跃，他们像玩杂耍一样在手上交替玩弄着诬陷、造谣、离间、偷听、恫吓、欺诈、出尔反尔、背信弃义、引蛇出洞、声东击西等等技法，别人被这一切搞得泪血斑斑，他们却谈笑自若，全然不往心里放。

流氓型小人乍一听似乎多是年轻人，其实未必。他们的所作所为是时间积累的恶果，因此有不少倒是上了一点年岁的。谢国桢先生曾经记述到明末江苏太仓沙溪一个叫顾慎卿的人，做过家奴，贩过私盐，也在衙门里混过事，人生历练极为丰富，到老在乡间组织一批无赖子不断骚扰百姓，史书对他的评价是三个字："老而黠"，简洁地概括了一个真正到位的流氓型小人的典型。街市间那些有流氓习气的年轻人，不属于这个范围。

文痞型小人：

当上述各种小人获得一种文化载体或文化面具，那就成了文痞型小人。我想，要在中国历史上举出一些文才很好的小人是不困难的。宋真宗钓了半天鱼钓不上来正在皱眉，一个文人立即吟出一句诗来，"鱼畏龙颜上钓迟"。诗句很聪明，宋真宗立即高兴了。可怕的是，他们也能以同样的聪明和快捷，用文化工具置人于死地。

文痞其实也就是文化流氓，与一般流氓不同的是他们注意修饰文化形象，知道一点文化品格的基本经纬，因而总要花费不少力气把自己打扮得慷慨激昂。作为文人，他们特别知道舆论的重要，因而把很大的注意力花费在谣言的传播上。在古代，造出野心家王莽是天底下最廉洁奉公的人，并把他推上皇帝宝座的是这帮人；在现代，给弱女子阮玲玉泼上很多脏水而使她无以言辩，只得写下"人言可畏"的遗言自尽的也是这帮人。他们手上有一支笔，但几乎没有为文化建设像模像样地做过什么，除了阿谀就是诽谤。他们脚跨流氓意识和文化手段之间，在中国这样一个文化落后的国家特别具有伪装，也特别具有破坏性，因为他们把其他类型小人的局部恶浊，经过装潢变成了一种广泛的社会污染。

影响虽大，但他们的人数并不多，这可能要归功于中国古代的君子观念对文化队伍的渗透。历来许多文人有言词偏激、嘲谑成性、行止不检、表里不一等缺点，都不能目之为文痞，文痞的根本特征在于经常地用文化手段对大量无辜者进行故意的深度伤害。

4

上文曾经说过，封建专制制度的特殊需要为小人的产生和活动提供了广阔的空间，这久而久之也就给全社会带来一种心理后果：对小人只有防，只有躲，不能纠缠。于是小人如入无人之境，滋生他们的那块土壤总是那样肥沃丰美。

值得研究的是，有不少小人并没有什么权力背景、组织能力和敢死精神，为什么正常的社会群体对他们也失去了防御能力呢?如果我们不把责任全部推给封建王朝，在我们身边是否也能找到一点原因呢?

好像能找到一些。

第一，观念上的缺陷。不知从什么时候开始，我们社会上特别痛恨的都不是各种类型的小人。我们痛恨不知天高地厚、口出狂言的青年，我们痛恨敢于无视亲友邻里的规劝死死追求异性的情种，我们痛恨不顾一切的激进派或者岿然不动的保守派，我们痛恨跋扈、妖冶、穷酸、固执，我们痛恨这痛恨那，却不会痛恨那些没有立场的游魂、转瞬即逝的笑脸、无法验证的美言、无可检收的许诺。很长时间我们都以某种政治观点决定自己的情感投向，而小人在政治观点上几乎是无可无不可的，因此容易同时讨好两面，至少被两面都看成中间状态的友邻。我们厌恶愚昧，小人智商不低；我们厌恶野蛮，小人在多数情况下不干血淋淋的蠢事。结果，我们极其严密的社会观念监察网络疏而不漏地垂顾着各色人等，却独独把小人给放过了。

第二，情感上的牵扯。小人是善于做情感游戏的，这对很多劳于事功而深感寂寞的好人来说正中下怀。在这个问题上小人与正常人的区别是：正常人的情感交往是以袒示自我的内心开始的，小人的情感游戏是以揣摩对方的需要开始的。小人往往揣摩得很准，人们一下就进入了他们的陷阱，误认他们为知己。小人就是那种没有一个真正的朋友却曾有很多人把他误认为知己的人。到后来，人们也会渐渐识破他们的真相，但既有旧情牵连，不好骤然翻脸。

我觉得中国历史上特别能在情感的迷魂阵中识别小人的是两大名相：管仲和王安石。他们的千古贤名，有一半就在于他们对小人的防范上。管仲辅佐齐桓公时，齐桓公很感动地对他说："我身边有三个对我最忠心的人，一个人为了侍候我自愿做太监，把自己阉割了；一个来做我的臣子后整整十五年没有回家看过父母；另一个人更厉害，为了给我滋补身体居然把自己儿子杀了做成羹给我吃！"管仲听罢便说："这些人不可亲近，他们的作为全部违反人的正常感情，怎么还谈得上对你的忠诚？"齐桓公听了管仲的话，把这三个小人赶出了朝廷。管仲死后，这三个小人果然闹得天翻地覆。王安石一生更是遇到很多小人，难于尽举，给我印象最深的是谏议大夫程师孟，他有一天竟然对王安石说，他目前最恨的是自己身体越来越好，而自己的内心却想早死。王安石很奇怪，问他为什么，他说："我先死，您就会给我写墓志铭，好流传后世了。"王安石一听就掂出了这个人的人格重量，不再理会。有一个叫李师中的小人水平更高一点，在王安石推行新法而引起朝廷上下非议纷纷的时候，他写了长长的十篇《巷议》，说街头巷尾都在说新法好，宰相好。本来这对王安石是雪中送炭般的支持，但王安石一眼就看出了《巷议》的伪诈成分，开始提防他。只有像管仲、王安石这样，小人们所布下的情感迷魂阵才能破除，但对很多人物来说，几句好话一听心肠就软，小人要俘虏他们易如反掌。

第三，心态上的恐惧。小人和善良人们往往有一段或短或长的情谊上的"蜜月期"，当人开始有所识破的时候，小人的撒泼期也就来到了。平心而论，对于小人的撒泼，多数人是害怕的。小人不管实际上胆子多小，撒起泼来有一种玩命的外相。好人虽然不见得都怕死，但要死也死在战争、抢险或与匪徒的格斗中，与小人玩命，他先泼你一身脏水，把是非颠倒得让你成为他的同类，就像拉进一个泥潭翻滚得谁的面目也看不清，这样的死法多窝囊！因此，小人们用他们的肮脏，摆开了一个比世界上任何真正的战场都令人恐怖的混乱方阵，使再勇猛的斗士都只能退避三舍。在很多情况下小人不是与你格斗而是与你死缠，他们知道你没有这般时间、这般口舌、这般耐心、这般情绪，他们知道你即使发火也有熄火的时候，只要继续缠下去总会有你的意志到达极限的一刻。他们也许看到过古希腊的著名雕塑《拉奥孔》，那对强劲的父子被滑腻腻的长蛇终于缠到连呼号都发不出声音的地步。想想那尊雕塑吧，你能不怕？

有没有法律管小人？很难。小人基本上不犯法。这便是小人更让人感到可怕的地方。《水浒传》中的无赖小人牛二缠上了英雄杨志，杨志一躲再躲也躲不开，只能把他杀了，但犯法的是杨志，不是牛二。小人用卑微的生命粘贴住一具高贵的生命，高贵的生命之所以高贵就在于受不得污辱，然而高贵的生命不想受污辱就得付出生命的代价，一旦付出代价后人们才发现生命的天平严重失衡。这种失衡又倒过来在社会上普及着新的恐惧：与小人较劲犯不着。中国社会流行的那句俗语"我惹不起，总躲得起吧"实在充满了无数次失败后的无奈情绪。谁都明白，这句话所说的不是躲盗贼，不是躲灾害，而是躲小人。好人都躲着小人，久而久之，小人被一些无知者羡慕，他们的队伍扩大了。

第四，策略上的失误。中国历史上很多不错的人物在对待小人的问题上每每产生策略上的失误。在道与术的关系上，他们虽然崇扬道却因政治思想构架的大一统而无法真正行道，最终都陷入术的圈域，名为韬略，实为政治实用主义。这种政治实用主义的一大特征，就是用小人的手段来对付政敌，用小人的手段来对付小人。这样做初看颇有实效，其实后果严重。政敌未必是小人，利用小人对付政敌，在某种意义上是利用小人扑灭政治观点不同的君子，在整体文明构建上是一大损失。利用小人来对付小人，使被利用的那拨小人处于合法和被弘扬的地位，一旦成功，小人的思维方式和行为逻辑将邀功论赏，发扬光大。中国历史上许多英明君主、贤达臣将往往在此处失误，他们获得了具体的胜利，但胜利果实上充满了小人灌注的毒汁。他们只问果实属于谁而不计果实的性质，因此，无数次即便是好人的成功也未必能构成一种正当的文明积累。

第五,灵魂上的对应。有不少人,就整体而言不能算是小人,但在特定的情势和境遇下, 灵魂深处也悄然渗透出一点小人情绪,这就与小人们的作为对应起来了,成为小人闹事的帮手和起哄者。谣言和谎言为什么有那么大的市场?按照正常的理性判断,大多数谣言是很容易识破的,但居然会被智力并不太低的人大规模传播,原因只能说是传播者对谣言有一种潜在的需要。只要想一想历来被谣言攻击的人大多是那些有理由被别人暗暗嫉妒、却没有理由被公开诋毁的人物,我们就可明白其中的奥秘了。谣言为传谣、信谣者而设,按接受美学的观点,谣言的生命扎根于传谣、信谣者的心底。如果没有这个根,一个谣言便如小儿梦呓,腐叟胡诌,会有什么社会影响呢?一切正常人都会有失落的时候,失落中很容易滋长嫉妒情绪,一听到某个得意者有什么问题,心里立即获得了某种窃窃自喜的平衡,也不管起码的常识和逻辑,也不做任何调查和印证,立即一哄而起,形成围啄。更有一些人, 平日一直遗憾自己在名望和道义上的欠缺, 一旦小人提供一个机会能在攻击别人过程中获得这种补偿, 也会在犹豫再三之后探头探脑地出来, 成为小人的同伙。如果仅止于内心的些微需要试图满足, 这样的陷落也是有限度的, 良知的警觉会使他们拔身而走;但也有一些人, 开始只是说不清道不明的内心对立而已, 而一旦与小人合伴成事后又自恃自傲, 良知麻木, 越沉越深, 那他们也就成了地地道道的小人而难以救药了。从这层意义上说, 小人最隐秘的土壤, 其实在我们每个人的内心, 即便是吃够了小人苦头的人, 一不留神也会在自己的某个精神角落为小人挪出空地。

5

那么，到底该怎么办呢?

显然没有消解小人的良方，在这个棘手的问题上我们能做的事情很少。我认为，文明的群落至少应该取得一种共识：这是我们民族命运的暗疾和隐患，也是我们人生取向的分道所在，因此需要在心理上强悍起来，不再害怕我们害怕过的一切。不再害怕众口铄金，不再害怕招腥惹臭，不再害怕群蝇成阵，不再害怕阴沟暗道，不再害怕那种时时企盼着新的整人运动的饥渴眼光，不怕偷听，不怕恐吓，不怕狞笑，以更明确、更响亮的方式立身处世，在人格、人品上昭示着高贵和低贱的界限。

此外，有一件具体的事可做，我主张大家一起来认真研究一下从历史到现实的小人问题，把这个问题狠狠地谈下去，总有好处。

想起了写《吝啬鬼》的莫里哀。他从来没有想过要根治人类身上自古以来就存在的吝啬这个老毛病，但他在剧场里把吝啬解剖得那么透彻、那么辛辣、那么具体，使人们以后再遇到吝啬或自己心底产生吝啬的时候，猛然觉得在哪里见过，于是，剧场的笑声也会在他们耳边重新响起。那么多人的笑声使他们明白人类良知水平上的是非，他们在笑声中莞尔了，正常的人性也就悄没声儿地上升了一小格。

忘了是狄德罗还是柏格森说的，莫里哀的《吝啬鬼》问世以来没有治好过任何一个吝啬鬼，这是毫无疑问的；但是只要经历过演出剧场那畅快的笑, 吝啬鬼走出剧场后至少在两三个星期内会收敛一点, 不是吝啬鬼而心底有吝啬影子的人会把那个影子缩小一点, 更重要的是, 让一切观众重见吝啬行为时觉得似曾相识, 然后能快速给以判断, 这就够了。

吝啬的毛病比我所说的小人问题轻微得多。鉴于小人对我们民族昨天和今天的严重荼毒, 微薄如我们, 能不能像莫里哀一样把小人的行为举止、心理方式用最普及的方法袒示于世, 然后让人们略有所悟呢?既然小人已经纠缠了我们那么久, 我们何不壮壮胆, 也对着他们鼓噪几下呢?

二十世纪临近末尾, 新的世纪就要来临。我写《山居笔记》大多是触摸自以为本世纪未曾了断的一些疑难文化课题, 这是最后一篇, 临了的话题是令人沮丧的: 为了世纪性的告别和展望, 请在关注一系列重大社会命题的同时, 顺便把目光注意一下小人。

是的, 小人。

附 录

秋雨按：拙文《历史的暗角》发表后，祖国大陆、台湾和美国的报刊多方转载，产生了一些有趣的反应。上海《文汇报》的编者曾给我看过著名作家张贤亮先生推荐拙文的一篇长文，张先生谈了对小人问题的一系列精彩看法后认为，我对于如何对付小人，态度还嫌消极。他认为，小人做尽坏事，但在今天却难于剥夺我们的生存权，而只要我们的生存权未被剥夺，我们就应该联合起来与他们斗，万不可退让躲避。刚读完张贤亮先生的文章，我又在《文汇读书周报》上读到了卫建民先生的《谈"小人"》，他的意见正恰与张贤亮先生相反，认为对小人完全不必理会，应该沉默以对。两位先生的意见其实都很有道理，这是两种不必统一的道理。我至今在这两种意见中徘徊，估计还会长期徘徊下去。对于一切最常见的社会历史命题，深刻的答案往往是处于徘徊状态的。如果答案简单，它就早已解决，不可能常见了。

读了他们的文章我也产生了一些补充意见。我觉得人们常常习惯于把那些对自己提出了不恰当批评的人看作小人，这其实是不对的。在很多时候，即便那些给我们带来毁损和灾难的人也未必是小人，因此，需要把对毁损的态度和对小人的态度分开来说。毁损是一种特殊事件，小人是一种恒久存在。毁损针对个人，小人荼毒社会。因此，毁损不必纠缠，而小人有待研究。

研究小人是为了看清小人，给他们定位，以免他们继续频频地骚扰我们的视线。争吵使他们加重，研究使他们失重，逐步让他们处于低位状态、边缘状态、赘余状态。虽然小人尚未定义，但我看到一个与小人有关的定义，一个关于时代的定义。一个美国学者说，所谓伟大的时代，也就是大家都不把小人放在眼里的时代。这个定义十分精彩。小人总有，他们的地位与时代的价值成反比。小人若能在一定的精神气压下被低位安顿，这个时代就已经在问鼎伟大。大家都不把小人放在眼里的意思，与卫建民先生的想法很接近。

另外，我觉得即便是真的小人也应该受到关爱，我们要鄙弃的只不过是他们的生态和心态。

张贤亮先生的文章一时找不到，且附卫建民先生的文章供读者参考。

谈 "小 人"

卫建民

余秋雨先生的《山居笔记》，以《一个王朝的背影》始，以《历史的暗角》终，确实使人感到意外——因为笔记的最后一篇是在分析、怒斥一些历史上的小人。我想，如果余先生在声名日隆的今天不碰上现实中的小人的纠缠，是不会花费笔墨冲破山居的清幽的吧。

"小人"是什么?其实很难定义。早在二千年前先秦诸子的论著中，就出现了"小人"的提法，似乎是"君子"的反义词，但我总感到，"小人"的提法虽模糊，却在正常的人群中有共同的认识：某人若被他人斥为"小人"，那真是莫大的耻辱了。我现在拈起这个词，都感到是重量级的，似违君子之德。

正如余先生的分析，"小人"的产生，有其社会的、历史的原因，也有心理方面的原因。"小人"的生存和繁衍，实际上与"君子"的行为相伴随，若光与阴，阴与阳。"小人"是不会灭绝的。

太久远的历史，不必说了。就说大陆近四十几年的历史吧，如果政治运动不断，隔七八年就来一次，那真为无数的"小人"提供了释放能量的历史机遇。现在不作兴搞运动了，而"小人"不灭，总得想方设法宣泄，所以才形成旷日持久的社会污染。对搞权术的人来说，"小人"还是一支可依赖的别动队，如孟尝君不轻视鸡鸣狗盗之徒。

大凡受到"小人"纠缠的人，总是在一定的环境里与众不同的佼佼者。他们或是在学术研究上有建树，或是在文艺创作上成绩大，受到了社会的注意，同时也受到了"小人"的忌恨。在有些地方，甚至一位女子美貌，也能成为"小人"攻击的动因。由于"小人"的存在，许多天才中途夭折，一些美丽的女子以死来宣告自己的清白。"小人"在某种事件中是个人，在社会历史中却是一个类。

有没有办法消除"小人"存在的土壤，让中华大地成为理想中的"君子国"呢？——近于幻想。俗话说：树大招风。一个享有大名，或有所追求的人，其实无时无刻不在受"小人"的攻击，这好像已成为必要的阻力。"小人"是永远也不会消失的，重要的是如何来处置。读完余先生《山居笔记》的最后一篇，我就想起当年胡适先生对待"骂"的态度。在《胡适来往书信选》"致杨杏佛"的信中，先生写道——

"我受了十余年的骂，从来不怨恨骂我的人，有时他们骂的不中肯，我反替他们着急。有时他们骂得太过火了，反损骂者自己的人格，我更替他们不安。如果骂我而使骂者有益，便是我间接于他有恩了，我自然很情愿挨骂。"温柔敦厚，豁达雍容如胡适先生，是这样对待"小人"的辱骂。

三四十年代，一直敏于行、讷于言的巴金先生，也曾受过无聊小报、社会小人的谣言攻击。读巴金研究资料时，我就记住先生对待这些麻烦时，一句斩钉截铁的话："我唯一的态度，就是不理!"因为受害者若起而反击，"小人"反倒高兴了，以为他们编造的谣言发生了作用。

施蛰存先生，当年也受过攻击。沈从文先生闻知后，给他写信——

"上海方面大约习气所在，故无中生有之消息乃特多，一时集中于兄，不妨处之以静，待之以和，时间稍久，即无事矣。……弟于创作即素持此种态度，不求一时即面面周到，唯老老实实努力下去。他方面不得体之批评，无聊之造谣，则从不置辩，亦不究其来源，亦不亟图说明，一切皆付之'时间'。"

遥想当年，沈从文先生也曾受过很大的冲击；不少人合伙骂他，结果把他骂到历史博物馆的一角；煌煌巨著《中国服装史》诞生了。

古代明智的君子，对"小人"也没办法。他们对君主的进言，无非是："亲贤臣，远小人。"余先生说："既然小人已经纠缠了我们那么久，我们何不壮壮胆也对着他们鼓噪几下呢?"

鼓噪不如沉默，息谤得于无言。

（载一九九五年二月四日《文汇读书周报》）

附

3

文 外 心 境（四篇）

答学生问

1

不久前，南京大学的董健教授要我去主持博士生的学位论文答辩，顺便作一次演讲。演讲结束后有五位学生来到我的旅舍，问了一些问题，于是有了一次愉快的谈话。

问：这些年，报刊上有不少对您的评论，有些评论明显带有恶意，您为什么不反驳？

答：有的文章用词比较尖刻，但其中也指出了我文章中的某个错讹或疑点。作个比喻，这是包装粗砺的无价馈赠。你至多只能说"恶词"而不是"恶意"。

问：他们为什么不能心平气和地评论？

答：有时周围杂音太多，批评者怕大家听不见他们的声音，就喊得响一些，冲一些，这是可以理解的。我们不能因为别人的声调而拒绝批评。世界对我们的关爱多种多样，烈日当头，朔风扑面，海浪卷身，山路磨脚，哪能把它们都调适得温煦柔和？全都调适了，这个世界也就会变得毫无意思。

问：有的批评并没有实质性的意见，只是按照他们自己的文学标准指手划脚，连文化的多元性也不讲了，这样的批评您也能容忍?

答: 主张多元并不阻止人们表示自己的好恶。为了礼貌什么也不说,反而见外。设想一下,我们穿着一套服装出去,突然有一个人走近前来说这套服装不大好看,究竟好看不好看是另外一个问题,但眼前站着的显然是个爽利人,没准能交个朋友。

问: 有的评论硬要文学承担历史学和科学研究的任务,这样的批评您看到了吗?

答: 看到过一二篇。当时就想,这一定是文学界之外的朋友写的,连文学界之外的朋友也仔细地看了我的书,真是大喜过望。

问: 有些文章散布了有损您人品的一些谣言,您刚才在演讲中说了,那都是不真实的。对这样的文章,您难道也不气愤?

答: 署了自己的名字来写这些谣言,可见他是相信这些谣言的,因此他多半不是造谣者。

问: 您的意思,我们必须把目光对准真正的造谣者?

答: 也不必如此认真。有很多谣言,其实是几个误会的组接,几度移位的累加,并不一定背后躲着某个阴险的造谣者。譬如有人说我在某个座谈会上讲了什么话,而我的实际意思并不是那样,这看起来很像一个谣言。但仔细想想整个过程,可以产生误差的机会太多了。在座谈会上一个人的发言,是表述自己的独立意见,还是反驳别人、回应别人,当场就已经分不大清楚;这样的座谈会一般都不重要,记者没有任务作精确报道,所写的记述也只是根据自己的意向略作选择而已;编辑根据版面的许可进行删节,更是理所当然;当这种信号终于曲曲折折到了批评者那里,他当然也要加入自己的推断和想像……这样一层层下来,结果可想而知。如有不良后果，可以打一个招呼，一般也就算了。这就像山间一道溪流，流着流着就转了向。何必为了一点弯曲就生气，只要自己有足够的水量，总会像模像样流下去的。

问：照您这么说，我们平常在心理防卫上是否有点过于敏感？

答：这是战争历史和斗争哲学长期沉淀的结果，沉淀变成了遗传。醒着的时候虎视眈眈，睡下了也要枕戈待旦，一有风吹草动就浑身紧张。你一紧张，对方也紧张，一场不愉快的对峙也就真的开始了。其实这很可能是一个"心造"的战场。

问：如果人家真的对着你冲过来了，你也不在乎？

答：那也要分一分。有一次我和一位教师上街，看到一起车祸，便停步观望，一个保安人员推了我们一把，还厉声喝道："有什么好看的，快走！"和我在一起的教师非常生气，觉得是侮辱了我们，要去论理。我说算了，他确实推了我们，但并不是针对我们这两个具体的、特定的人。他与我们无冤无仇，只是在泛泛地维持秩序。这种情况在文化评论中也有，冲着我们来并非对我们个人有恶意。

问：那么，世界上还有没有事情值得我们奋起抗争的呢？

答：有，太多了。世界上有大量违背人性人道、侵害人民利益、玷污人类尊严、阻挡文明事业的恶人恶事，需要我们去寻找、去追逐、去搏斗。我主张大力消解文化界的无谓纷争，正是希望大家省出精力来参与这一崇高的战斗。如果文明的力量不断地自我耗损，真正的野蛮和邪恶就会横行无忌了。

问：是的，有时我们也觉得，最费精神的事情过后想想最没有价值，但一遇到麻烦就不由自主地粘在里边出不来了。你碰到这样的情况是如何快速地解脱自己的，譬如一个警句，一个座右铭？

答：我老想四个字——人生太短。

我做了模特

　　曾有几个学生为我感到冤屈，原因是有些批评文章在引文中删改了我的文句，有故意歪曲之嫌。

　　我对学生说，你们把问题看严重了，且听我给你们讲一件早年趣事。

　　我在读初中的时候一心迷恋绘画，好像也已达到一定水平，经常被邀去为一些大型展览会作画，不少老师也把我的画挂在他们自己家里。到初中二年级，我终于成了美术课的课代表。

　　回想起来我们的美术老师陆先生实在是一个高明之人，他反对同学们照范本临摹，而重视写生，写生的重点又渐渐从静物、风景上升到人体。作人体写生需要模特，但初中的美术课哪能去雇请专职模特？当然只能在同学中就地取材，我作为美术课代表首当其选。

　　不用脱光衣服，只是穿了内衣站在讲台上，让大家画。所有的同学都冲着我笑，向我扮鬼脸，而把我引笑了又大声嚷嚷说我表情不稳定，不像合格的模特，影响了他们的创作。

　　站了整整两节课，大家终于都画完了，老师收上大家的画稿给我看。这一看可把我吓坏了，奇胖的，极瘦的，不穿衣服的(当然是男同学画的)，长胡子的，发如乱柴的，涂了口红的(多半是女同学画的)，全是我，每幅上端都大大咧咧地写着我的名字。老师一边骂一边笑，最后我也乐了。

陆老师把我拉在一边说，你真的不该生气。如果画得很像就成了照相，美术课不是照相馆。同学们乐呵呵地画你，其实也在画出他们自己。这才有意思。

我为什么被这般"糟蹋"?因为我站在台上，突然成了公众人物。全班同学仰望着我，因此也取得了随意刻画我的权利。画得好或不好，都写了我的名字，但与我的面貌形体关系不大，只取决于各位同学自己的水平。老师一一为他们打了分，这些分数不属于我，属于他们。

我们坐在同一个教室，拥有同一位老师，大家愉快地端详了我整整两课，连故意歪曲都让我高兴。

说完了这件往事，今天为我感到冤屈的学生都笑了。

没那么重要

我曾一再主张，除了特殊情况，对媒体间的批评不要反击。其理由，不是害怕，不是鄙视，不是谋略，只是因为我们没那么重要。

不少朋友同意我的主张，但理由并不一样。他们一般认为，批评者资格太低，与自己不相称，一旦争论起来，反而抬高了他们。其实，在媒体上开辟战场，我们自己的资格就够吗?这就像走在街上，我们作为一个市民的资格是具备的，但如果被人撞了一下就干仗起来，既妨碍交通又引起路人围观，占据了别人的不小的空间和时间，这个资格就成了问题。

首先，在起点上，我们并没有重要到要引起别人来频繁骚扰，多数也就是一般的碰撞而已，千万不要因为过度的自尊心而把事情的性质夸大了。

其次，在空间上，传媒是众人共享的天地，我们没有理由把一些琐碎的是非送到毫不相关的人们面前要他们关注。家里有点响声还怕影响隔壁邻居呢，更何况借着传媒来干扰。

最后，在时间上，争论一旦开始没有几个回合结束不了，怎么忍心凭着我们的小名把那么多人的宝贵时间一次次搜刮掉?百万人各读五分钟就相当于耗费一个人整整十年的生命,究竟有什么事情那么重要?

当然也有实在忍不住的时候。事情突然闹得很大,几乎所有的人都相信了某个与我有关的谣传,批判的文章已经连篇累牍,而我只要揭示一个小小的证据就能把这个局势全然改观,在这种情况下,我每次总是刚想提笔又随即缩手。我怕什么呢,怕所有今天在批判我的人一见证据立即大喊上当,转而把加倍的愤怒投向谣传的起点,把某个人物当作骗子来批判。他是骗子吗?不是,起因往往只是一点点小小的虚荣心,说了假话又没有勇气改口,后来舆论越造越大,他也控制不住。他大多是一个弱者,年纪已经衰老或刚刚大学毕业,哪能承受得了如此恶名的重压?因此在这关口上我就心软了,觉得自己毕竟是中年人,比老年人经磨,又比年轻人顽钝,正是蒙受委屈的最佳年龄,如果社会精神废气的排泄必须以一些生命作为对象,那就找我们这些人吧,不要再推到别人身上去了。

但是,偶尔也会发觉人们给自己编造的童话故事中,夹带着几个真正堪称重要的问题。对这样的问题,如果由我来论述未免有自我辩解之嫌,而如果不论述则放弃了一个文化人的责任,怎么办呢?我最后选择的方式是:等围攻我的某个风潮过去之后,我可以在自己的文集而不是在报刊上顺便论述一下这些重要问题,既把当众辩解和反击的色彩洗去,又让重要保留其重要。但我在论述中仍然努力避开真名实姓,以免纠缠在人际关系里。就文化课题而言,人际关系永远不重要,重要的是问题本身。

我的这种态度,与年轻时有很大不同。当时坚信黑就是黑,白就是白,眼睛里容不下沙子,决不忍气吞声,甚至认为一味退让是一种老滑哲学。后来经历一些事情后终于明白，既然黑就是黑，白就是白，它们清清楚楚地在那里，就不必多费口舌。如果黑黑白白地争个不休，到头来倒真有可能得出一个不黑不白，灰不溜湫的奇怪结果。尤其是这些年痛心地旁观了文化界大大小小的纷争后更加坚信，保护中国的文化生态已是当务之急。过去我们总习惯于以战斗来保卫什么，现在才懂得一个基本道理，节约能源消耗，是最大的生态保护，而战斗，却往往是一种巨大的能源消耗。

世界上有多少真正堪称重要的大事需要人们关注，人们的时间太少了，媒体的空间太小了，一个多灾多难的民族在转型时期的群体性注意力太珍贵了，而我们，实在太不重要。

酣睡寒风中

　　"文革"中有一件小小的趣事，老在我的记忆里晃动。

　　那时学校由造反派执掌，实行军事化管理，每天清晨全体师生必须出操。其实当时学校早已停课，出完操后什么事也没有了，大家都作鸟兽散，因此，出操是造反派体验掌权威仪的唯一机会。

　　老师们都是惊弓之鸟，不能不去；像我们这批曾经对抗过造反派、现在已成瓮中鳖而家里又有很多麻烦事的学生也不能不去；只有几个自称"逍遥派"的同学坚持不出操，任凭高音喇叭千呼万唤依然蒙头睡觉。这很损造反派的脸面，于是在一次会上决定，明天早晨，把这几个人连床抬到操场上示众。

　　第二天果然照此办理，严冬清晨的操场上，呼呼拉拉的人群吃力地抬着几张耸着被窝的床出来了。造反派们一阵喧笑，出操的师生们也忍俊不禁。然而接下来的事情就麻烦了，难道强迫这些"逍遥派"当众钻出被窝穿衣起床？如果这样做他们也太排场了，简直像老爷一样。于是造反派头头下令，"就让他们这样躺着示众！"但蒙头大睡算什么示众呢？我们边上操边看着这些床，这边是凛冽的寒风，那边是温暖的被窝，真让人羡慕死了。造反派头头似乎也觉得情景不对，只得再下一个命令："示众结束，抬回去！"那些温暖的被窝又乐颠颠地被抬回去了。后来据抬的同学抱怨，这些被抬进抬出的人中，至少有两个从头至尾没有醒过。

由这件往事，我想起很多道理。

示众，只是发难者单方面的想法。如果被示众者没有这种感觉，那很可能是一个享受。世间的惩罚可分直接伤害和名誉羞辱两种，对前者无可奈何，而对后者，那实在是一个相对的概念。一个人要实现对另一个的名誉羞辱，需要依赖许多复杂条件，当这些条件未能全然控制，就很难真正达到目的。

这就是为什么许多常受围攻的人名誉未倒，而那些批判专家劳苦半辈子都未能为自己争来任何好名誉的原因了。

让他们站在寒风中慷慨激昂吧，我们自有温暖的被窝，乐得酣睡。

抬来抬去，抬进抬出，辛苦你们了。

图书在版编目 (CIP) 数据

山居笔记: 新版插图本 / 余秋雨著 . – 上海: 文汇出版社 ,2002.1
ISBN　7-80676-112-8

Ⅰ . 山...　　Ⅱ . 余...　　Ⅲ . 散文 – 作品集 – 中国 – 当代　　Ⅳ . I267

中国版本图书馆 CIP 数据核字(2001)第 084277 号

山 居 笔 记 （新版）

著　　者 / 余秋雨

责任编辑 / 戎思平
特约编辑 / 肖关鸿
整体设计 / 袁银昌工作室

出版发行 / 文汇出版社
　　　　　　上海市威海路 755 号
　　　　　　邮政编码: 200041
经　　销 / 全国新华书店
印　　刷 / 上海复旦四维印刷有限公司
装　　订 / 上海兴宝印刷装订厂
版　　次 / 2002 年 1 月第 1 版
印　　次 / 2004 年 8 月第 21 次印刷
开　　本 / 890 × 1240　1/32
字　　数 / 210,000
印　　张 / 10.75
印　　数 / 261 601– 271 600

ISBN7-80676-112-8/I · 026

定　　价 / 28.00 元